부유하는 나에게로

부유하는 나에게로

앤솔로지 작품집

글로서기

들어가는 글

아직은 바람이 차가웠던 3월의 초입, 같은 마음으로 모인 9명의 동인은 글을 쓰기 시작했습니다. 부지런히 마음을 움직여 글을 쓰다 보니 산수유와 벚꽃이 피었고 이제는 눈 내리듯 내려앉은 꽃잎들 위로 연둣빛 여린 잎이 올라오기 시작했습니다. 아마 이 책이 세상에 나올 때쯤엔 여름으로 가는 계절의 길목에 있을 것 같습니다. 글을 쓰기 시작하며 두 번의 계절을 보낸 것과 다름없겠네요. 재촉하지 않아도 어르고 타이르지 않아도 계절은 이렇게 차분하게 잘도 흐릅니다. 그러나 글을 쓰는 저의 마음은 계절과는 반대로 가는 것 같았습니다. 하루에도 몇 번씩 스스로를 다독이고 타일러서야 겨우 몇 줄을 쓰곤 했으니까요. 그러나 그 시간이 마냥 힘들지는 않았습니다. 어렵기도 했지만 가장 행복한 순간이기도 했으니까요. 그동안 느껴왔던 까닭 모를 결핍과 공허함을 채워주는 것이 글쓰기라는 것을 쓰면서야 비로소 알았기 때문입니다.

쓰는 동안 저의 부족함을 마주해야만 했습니다. 쓰면 쓸수록 모르는 것이 너무 많다는 것을 느꼈습니다. 밑천을 금세 드러내는 것 같다고 해야 할까요. 그동안 자만하며 살아왔던 저 자신이 너무 초라해 숨고만 싶은 순간도 많았습니다. 일흔이 넘도록 고민과 사유를 멈추지 않으셨던 고(故) 황현산 선생님께서도 <내가 모르는 것이 참 많다>라는 제목의 저서를 남기기도 하셨는데 말이죠. 글쓰기는 사람을 참 겸손하게 하는 것 같습니다.

처음 글을 쓰기 시작했을 때 가장 먼저 생각한 것은 저 자신이었습니다. 제가 갈등하고 부딪히는 것들과 마주하는 것이 글쓰기의 시작이었기 때문입니다. 그러나 가장 솔직하게 그리고 담담하게 저 자신을 바라보는 것이 생각보다 쉬운 일은 아니었습니다. 무엇이 저를 나아가지 못하게 했는지 또 어떤 것이 저 자신을 속이고 있는 것인지 스스로를 섬세하게 바라보는 과정을 경험하고 자신을 객관적으로 바라볼 수 있는 훈련을 거치고 나서야 비로소 좋은 글이 나올 수 있다는 것을 경험했습니다.

글쓰기는 또한 주어를 확장하는 일이기도 했습니다. 가장 솔직하게 나를 마주하고 난 뒤에는 주어를 넓혀 자신의 바깥에 있는 수많은 타인을 헤아리는 것이기도 했기 때문입니다. 나를 온전하게 이해한 뒤에야 타인이라는 머나먼 지도 밖의 세계를 끌어안을 수 있고 그것은 곧 나와 너로 이루어진 단단한 세계로 자아를 확장하는 것임을 알았습니다. 매일 한없이 부풀어 오르는 이 세계를 마주하고 나와 너 모두에게 있는 부족함을 끌어안고 보살피고 싶은 마음을 붙들고만 싶어집니다. 그러기 위해서는 꾸준히 써야겠지요.

소리 내 말하지는 않았지만, 같은 마음으로 만난 동인들이 건넸을 응원이 글을 쓰는 동안 큰 힘이 되었습니다. 이 책을 시작으로 9명의 저자의 세계가 조금씩 확장되기를 마음 깊이 응원합니다. 또한 저희 글을 읽을 다수의 독자가 이 책을 통해 굽이진 모퉁이를 돌아 만난 양지에서 잊었던 꿈을 찾는 기회가 되기를 진심으로 바랍니다. 글을 쓰는 저희도 그랬으니까요.

감사합니다.

다정함을 담아, 인영 드림

일러두기

작품에 언급되는 인명, 지명, 관서명, 상표명, 사건 내용 및 설정 등은 작가가 만들어낸 허구로 실제와 무관합니다.

차례

들어가는 글 · 5

김소림 · 러닝머신 지동설 · 11

박연숙 · 죽음을 품고 살아간다는 것은 · 37

여수정 · 아스파르의 문구점 · 53

이올라스 · 내 나이에서 20년을 빼기로 했다 · 97

이인영 · 초록색 고백 외 3편 · 125

임지현 · 유산 · 165

정원 · 멀리서 온 약속 · 211

정윤하 · 고해 · 253

차성현 · 다람쥐의 팔레트 · 299

| 01 |

러닝머신 지동설

김소림

소설

김소림

물과 술을 좋아하는 만큼 글과 말을 좋아한다. 끊임없이 더 나은 맛을 찾고 있다.

덩치 큰 소란한 것에는 무심하고, 작고 하찮은 것에는 다정한 사람이 되고 싶다. 발끝에 힘을 그러모아 그렇게 되기 위해서 노력하는 중이다. 고맙게도 주위에 응원하는 마음을 주는 사람들이 많다. 평생 쓰는 글의 구석구석 그 소중한 사람들에게 편지를 남겨두려 한다.
유독 한 구절이 당신을 닮아 눈에 띈다면, 알아주기를.

러닝머신 지동설

1장

미진은 아트랩 페스티벌 입구에서 걸음을 멈췄다. 자신을 이곳으로 보낸 김 교수의 습관적인 말버릇을 곱씹기 위해서였다. 적당히, 적당한 걸로. 미진은 소리 없이 입술로만 두어 번 그 말을 따라 했다.

적당한 작가를 찾아오라고 했다. 적당히 실험적이면서 적당히 예술적인 작품을 만드는 적당한 인물을 찾아보고 적당한 연락처를 받아오라는 것이 김 교수의 워딩 그대로였다. 남들은 그가 요구하는 그 적당함에 대해서 질색했지만, 미진은 무슨 말인지 알 것 같았다. 적당한 건 완벽한 점수를 바라는 것도 아니고 나쁠 것도 없는 중간과 중간 이상 정도의 점수를 바라는 거라는 것, 그리고 요즘 시대에 그 적당한 점수가 만점짜리일 거라는 것에 그녀 역시 동의했다.

"적당한 연락처라는 건 뭘까요, 도대체."

"그냥. 메일이든, 전화번호든, 인스타 아이디든, 작가랑 연락할 수 있는 연락처."

미진을 쫓아 입구에 들어선 희성은 약간 툴툴거리며 말했고, 미진은 그것이 뭐든 상관없다는 뜻임을 설명해 주었다. 이어 서로 구역을 나눠 둘러보기로 했다.

"누나! 두 시간 있다가 한 시 반에 여기서 봐요."

희성은 시간도 정하지 않고 훌쩍 자리를 떠나는 미진의 뒷모습을 향해 외쳤다. 미진이 알았다며 손가락으로 오케이 표시를 하자, 그는 자신의 손목시계를 톡톡 두드려 알람을 맞췄다.

희성은 알람이 울리기도 전에 약속한 장소에 돌아와 있었다. 손목에서 진동이 느껴지자 곧 밥을 먹을 수 있겠다고 생각하며 미진이 걸어올 방향을 주시하고 있었다. 희성이 돌아본 구역에서 인상 깊은 전시 작품은 없었다. 미진도 비슷한 상황이지 않았을까, 어쩌면 미진이 먼저 와있을지도 모른다는 생각에 서둘러 돌아왔건만 그녀는 약속한 시간이 좀 지났는데도 나타나지 않았다. 처음 오 분은 여기를 다시 찾아오기 어려운가, 그러다 십오 분이 흐르고선 적당한 연락처를 받고 있나 싶었다. 그리고 나서도 삼십여 분이 지나자, 무언가 문제가 생긴 것 같았다. 미진이 아무런 연락도 없이 이럴 리 없었다. 희성은 미진이 전화도 받지 않자 서둘러 그녀를 찾아 나섰다.

미진은 실내 전시를 다 둘러보고 야외 광장으로 나갔다. 건물 밖을 나오자마자 절로 한 쪽 눈이 찌푸려 감겼다. 정오를 넘어선 햇살이 잔뜩 부서져 눈에 닿는 탓이었다. 겨우 두 손으로 그늘을 만들어 앞을 바라봤다. 탁 트인 하늘 아래 커다란 광장에서는 야외 전시를 하고 있었다. 진부하지만 미진은 윈도우 바탕화면 같다는 표현을 떠올릴 수밖에 없었다. 파란 하늘과 갓 깔아놓은 듯한 싱싱한 초록색의 잔디. 그리고 그 위에는 오늘의 선명한 햇빛을 그대로 반사하고 있는 은색 쟁반 같은 모형이 한데 모여 있었다. 눈앞의 광경을 찬찬히 살피는 동안 한계에 다다랐던 지루함과 허기가 사라졌다. 이 시대의 만점짜리다운 적당히 적당한 작품은 찾아보기 쉽지 않았고, 갈수록 윗배가 뻐근해지는 허기에 얼른 맛있는 점심이나 먹어야지 하고 지름길 삼아 나온 광장이었다.

저건 과연 뭘까, 하고 미진은 광장 중앙으로 걸어갔다. 생각해보니 두 시간 만에 처음 가져본 궁금증이었다. 가까이 다가가자, 은색 쟁반들 사이로 쑤욱 하고 긴 팔다리가 나타났다. 남자는 자신의 긴 팔다리를 허공에 휘적거리며 미진을 크게 반겼다.

"안녕하세요. 가까이 와서 보시겠어요?"

중앙의 기지 같은 공간으로 들어서자, 은색 쟁반은 사실 원뿔형의 기둥 위에 달린 커다란 안테나라는 걸 알 수 있었다.

"이건 우주 시대를 마주한 인류가 빛으로 언어를 구조화한, 그러니까 인터플레네터리 라는 실험적인, 우주로의 언어 송출을 할 수 있는 기계예요. 쉽게 말하면 글자를 빛으로 변형해서 우주에 메시지를 보낼 수 있는 거예요. 아 근데, 아직 한글로는 어렵고 알파벳만 보낼 수 있어요. 그러니까…."

"우주에 메시지를 보낸다고요?"

"아직은 알파벳 조합만 가능해요."

"네, 그러니까 우주로요."

"우주 전역은 아니고요, 여기 기계에서 좌표를 설정하고 메시지를 등록하시면 돼요. 그럼, 저 안테나가 빛 코드대로 움직이면서 메시지를 그 우주에 전할 겁니다."

남자는 미진에게 메시지를 보내보라고 했다. 미진은 믿을 수 없다는 듯 살짝 콧등을 구겼다. 어디까지가 실재하는 과학이고 어디까지가 상상인지 구분이 되지 않았다. 이것도 예술의 영역인 건지 헷갈리기도 했다.

"정말로 빛이 가닿을까요?"

"반대로, 메시지를 받아 본 적 없으세요? 빛이 막, 막 이렇게."

"네?"

"비밀인데요. 전 있어요."

그는 미진만 들을 수 있을 정도로 작게 속삭이다 그마저도 누가 들을세라 소리 없이 입술로만 말했다.

'답.장.을.받.았.어.요.'

'… 외.계.인.이.세.요?'

사뭇 진지하게 대응하는 미진의 태도에 남자는 함박웃음을 지었다. 허리를 펴고 잠시 생각을 한 남자는 목소리를 다듬어 말했다.

"그럼요. 지구 중심적인 사고에서만 벗어나면 우린 다 우주인이죠."

미진은 남자의 말을 듣고 메시지를 보내는 기계 앞에 섰다. 그리고 잠시 생각했다. 우주인의 예술품이라면 적당하다 싶었다. 아니, 그 이상으로 훌륭한 것 같기도 했다.

"누나!"

희성의 목소리가 들렸다. 문득 미진은 놀라 시간을 확인했다. 잠깐 사이 남자는 어디 갔는지 보이지 않았다.

"정말 미안. 시간이 이렇게 흘렀는지 몰랐어."

"와, 이게 다 뭐예요?"

희성은 미진을 찾아다녔던 기색을 감추고 미진이 서있던 기계 앞으로 갔다. 매뉴얼을 잠시 읽더니 망설임 없이 국제우주정거장으로 좌표를 찍고는 메시지를 눌렀다. 그가 완료 버튼을 누르자, 은색 쟁반 안테나가 큰 소음 내며 움직이기 시작했다. 우주를 향해 빛을 쏘고 있다는데, 햇살이 너무 밝아 아무것도 보이지 않았다. 소음들 틈으로 미진이 물었다.

"뭐라고 보냈어?"

"Eppur si muove."

"응?"

"지동설이요. 그래도 지구는 돈다."

씨익 웃는 희성을 따라 미진도 웃었다.

김 교수는 적당한 건 없었다는 미진의 말을 금방 이해했다. 고생했다는 인사를 듣고 나가던 미진은 다시 김 교수를 향해 몸을 돌렸다.

"실은 외계인이 있었는데."

"뭐라고?"

"아니에요. 장난이에요."

미진은 페스티벌이 언제 끝나는지 한 번 더 확인했다. 자신에게 비밀을 이야기 해준 그 남자의 긴 팔다리가 요 며칠 종종 떠올랐다. 그를 통해서라면 정말 우주에 메시지를 보낼 수 있지 않을까 하는 망상과 환상이 동시에 들었다. 그 남자가 진짜 외계인이기를 자신이 바라고 있는 것 같기도 했다. 하지만 미진은 어떤 말을 어디로 보내야 할지 몰라 다시 가보지 못하고 시간을 흘려보내는 중이었다. 희성은 갈릴레오의 작은 혼잣말을 우주로 보냈다. 나는, 나는…. 알 수 없는 막막함이 먼저 찾아왔다. 농담은 물론 왜 아무 말도 고르지 못하는 건지 미진은 자꾸 곱씹을 것이 없는 빈 생각을 곱씹고 있었다. 이틀 뒤 토요일이 지나면, 우주 어딘가로 말을 거는 그 안테나는 사라진다.

미진은 만지작거리던 핸드폰을 열어, 희성에게 전화를 걸었다.

"승주 보러 갈래?"

2장

서울 시내를 벗어나자, 차창 밖 풍경이 금방 초록빛으로 바뀌었다. 파주 깊은 곳도 아닌데 공릉천을 넘어 십여 분만 들어오면 아주 한적한 시골길이 펼쳐졌다. 차 안은 고요했다. 미진은 창문을 내렸다. 덜 다듬어진 도로 위를 지나는 바퀴 소리, 나무 사이를 훑는 바람 소리가 들렸다. 짙은 햇살에 익은 모래 냄새도 났다. 옆에서 딸깍딸깍 방향 등 소리가 선명하게 들렸다. 미진은 고개를 돌려 운전하고 있는 희성을 봤다. 미진과 희성이 함께 추모 공원을 가는 건 처음 있는 일이었다. 희성은 평소와 다를 바 없는 얼굴을 하고 있지만, 어제 미진의 전화를 받고는 꽤 오랜 시간 말없이 시간을 끌다 알겠다고 했다.

희성이 미진을 졸졸 쫓아다닌 지도 벌써 일 년하고도 반년이 훌쩍 넘었다. 서로의 존재를 일찍부터 알고 있었지만 승주의 동생, 승주의 친구로 그냥 얼굴만 아는 정도였다. 그마저도 승주 없이는 닿는 소식 하나 없이 두어 해를 보내기도 했다. 그러다 우연히 대학원 강의실에 있는 미진을 발견한 희성은 반가운 사람을 마주친 듯, '어?' 한마디를 외치고는 그다음 해에 미진과 같은 석사과정에 들어왔다. 김 교수의 연구실에서 앞으로 미진의 업무를 도울 후배

라며 꾸벅 인사하는 사람은 바로 희성이었다.

"어?"

"누나, 오랜만이에요."

방긋 웃는 희성의 얼굴 위로 승주의 얼굴이 겹쳐 보였다. 그 잔상을 지우려 고개를 가로젓는 동안 희성은 쑥 미진과 거리를 좁혀 옆에 섰다. 오래전 승주가 서있던 자리 그대로.

승주는 대학 입학식 날부터 미진의 눈에 자꾸 걸리던 친구였다. 처음에는 승주의 만물 상자 같은 가방이 신기했다. 앞 사람이 커피를 엎자마자 바로 티슈가, 옆 사람이 의자에 걸려 손톱이 부러지자마자 손톱깎이가 나오는 걸 보면서 그 안에 또 뭐가 있을까 궁금했다. 그러다 든 생각이었다. 저 애는 뭘까. 남모르게 열려있는 가방 지퍼를 닫아주고, 어깨에 얹혀 있는 머리카락도 떼어주는 승주를 한참 지켜보던 미진은 참 오지랖이란 생각을 했다. 순간 승주가 휙 고개를 돌려 미진을 바라봤다. 미진은 흠칫 아닌 척 시선을 피해 보려 했지만, 방긋 미소 짓는 승주에게는 이미 자신을 오래 지켜본 너의 시선을 다 안다는 듯한 여유로움이 있었다. 미진은 무색해진 마음에 승주를 더는 바라보지 않으려 시선을 억지로 앞으로 끌어다 두었지만, 자신도 모르게 자꾸 다시 승주를 바라봤다. 승주는 갓 스무 살이 되어 아직 모든 게 어설픈 새끼 사슴들 사이에서, 홀로 긴 목을 꺼내어 우뚝 서있는 기린 같았다. 큰 눈망울에 주위를 살피느라 약간 앞으로 쏟아진 고개, 초록 이파리만 먹을 것 같은 무해한 미소. 정말 딱 기린의 모습이었다.

미진은 저 혼자 속으로 기린이라 부르던 애가 언제 다가와서 자신을 승주라고 소개했는지 기억이 나질 않았다. 어떤 일을 이유로 미진의 옆에 승주가 누구보다 가깝게 서있게 되었는지도 사실 뚜렷한 기억이 없었다. 사소한 순간들을 기억하고 매번 사진을 찍으며 모아뒀던 건 승주였다. 짧지 않은 대학 시절 내내 붙어있었는데 첫 순간을 빼고는 승주를 잘 추억하지 못하는 본인의 무심함이 조금 불편해지려던 차에 희성이 도착했음을 알렸다.

봉안당에 들어서자마자 특유의 습도와 약간은 서늘한 온도가 두 사람을 맞이했다. 추운 기운에 미진은 드러난 팔을 두어 번 문지르고는 층층이 쌓인 유리장 사이를 지나 승주의 자리를 익숙하게 찾아갔다. 뒤따라온 희성의 얼굴이 유리 너머 승주의 사진과 겹쳐서 비쳐 보였다.

"승주 기린 닮지 않았어?"

"저도 기린 같아요?"

"그건 아닌데…. 둘은 많이 닮았지."

"성격은 정반대예요."

"그래? 닮았는데."

"따라 하는 거예요. 그래보는 거예요."

유리장 안쪽 승주의 눈동자가 희성을 바라보는 듯했다. 희성은 그 눈동자를 가만 주시했다. 타고나길 희성은 자신에게도 타인에게도 시큰둥한 사람이었다. 반면에 고작 한 살 터울의 승주는 남들과 다른 센서라도 달려있는지, 주위를 세심하게 살피는데 남다른 재주가 있었다. 물, 펜, 대일밴드 같은 물건을 상대가 필요를 느끼기도 전에 먼저 알아채고 내미는 것은 물론이고 상대의 기분마저 먼저 알아채고는 마음을 건네는 사람이었다. 그래서였을까. 승주와 함께 있으면 별거 아닌 것도 축하받을 일이 되었고, 소소한 우연도 하늘이 콕 찍어준 행운이 되었다. 또 입가의 떨림만 보고도 눈물 짓기 전에 안아주거나, 눈 깜빡임만 보고도 상처받은 순간을 눈치 채 주는 승주의 재주는 누군들 쉽게 할 수 없는 것이었다.

희성은 내내 그런 승주의 시선과 보살핌을 받으며 컸다. 그래도 남매 사이에 한 시절쯤은 치고받고 싸우기도 한다던데, 승주는 남동생인 희성에게조차 센서를 끄지 않았다. 희성은 아주 나중에야 자신만을 위해 사는 사람들 틈에서 승주가 얼마나 예민하고 섬세하게 살아냈던 건지 깨달았지만, 그건 한참 나중에야 후회하며 든 생각이었고, 그때는 몰랐다. 승주가 실은 사람들 눈치를 많이 봐서 저런다고, 그걸 덮으려 오지랖을 부린다고 여겼을 뿐이었다.

"정말 성격이 닮았어요?"

돌아가는 차 안에서 불쑥 희성은 미진에게 물었다. 희성이 내내 속으로 굴리고 굴린 질문이었다. 미진이 정말 그렇다는 듯 눈썹을 한껏 위로 들어 올리고 여러 번 고개를 끄덕이는 걸 보고서 희성은 그동안 미진 앞에서 한 번도 꺼내지 않았던 승주의 이름을 꺼냈다.

"전 정말 승주… 승주누나랑 다르거든요. 중학교 3학년 때인가. 누나 생일날 선물 줄 돈은 없고, 뭐라도 하긴 해야겠고. 저는 떡볶이를 안 좋아하는데, 누나는 참 좋아하잖아요. 그래서 학교 앞 분식집에서 떡볶이를 사줬어요."

희성은 여고 앞 나무 뒤에 어설프게 숨어 서서 누나가 언제 나오나 얼굴만 빼꼼히 내놓고 기다리던 그날을 떠올렸다.

"희-성-아-!!"

숨어있는 게 무색하게 자신을 알아보고 떠나가라 이름을 부르는 누나의 목소리도 뒤이어 떠올랐다. 승주의 열일곱 번째 생일날, 희성은 분식집에서 제일 비싼 세트 메뉴를 시켰다. 히이익 이상한 소리를 내며 동생의 배포를 치켜세우던 승주는 가방을 뒤적여 매직펜을 꺼냈다. 그러고는 까치발을 들어 한 가득 낙서가 되어있는 벽 위쪽에 글자를 남겼다.

"나 뭐라고 썼게."

"희성 승주 왔다 감."

시큰둥하게 재미없는 대답을 뱉은 희성은 황급히 말을 덧붙였다.

"아 꼭 남매라고 빼놓지 말고 써."

"말고. 다시 맞춰봐."

"일단 좀 먹어."

한가득 떡볶이를 입에 넣은 승주는 희성에게서 눈을 떼지 못하고 말했다.

"엉뜨케 항겨 압에까디 올 생가긍 햅썽?"

희성은 별거 아닌 자신의 이벤트에 정말 신나 하는 누나가 민망해 먹지도 않을 떡볶이만 계속 포크로 휘적거렸다. 쉴 새 없이 떠들며 삼사인 분의 양을 거의 혼자 해치운 승주가 배를 통통치며 말했다.

"희성아. 지구가 둥그레서 참 다행이야."

"갑자기?"

"지구가 네모난 모양이면 안 굴러갔을지도 몰라."

"지구가 굴러간다고?"

"응응, 러닝머신처럼. 한 사람이 애써서 누군가에게 다가가는 걸음은 땅을 움직여. 동그란 지구는 그 걸음들 힘으로 돌고 있는 거야."

"떡볶이가 아니라 약을 먹은 거야?"

"오늘 네가 여기까지 걸어오는 힘이 또 지구를 돌렸다. 대단하고 장하다, 장희성."

"떡볶이 맛있었단 말을 어렵게 하네."

"계속 이렇게 애써줘. 지구가 멈춰 서지 않게, 알겠지?"

이상한 말만 잔뜩 늘어놓은 승주가 앞장서서 나가고, 따라 일어서던 희성은 고개를 들어 누나의 메모를 찾아 읽었다.

'오늘 강명여고 앞에 장희성 옴.ㅋㅋ'

진지하게 이야기를 듣던 미진이 웃음을 터트렸다.

"정말 그렇게 썼어?"

"네, 정말 어이가 없어서."

"그 뒤로 또 학교 앞에 가본 적 없어?"

"한 번도요. 또 놀릴까 봐 다시는 얼씬도 안 했어요."

빨간 불에 차가 멈춰 섰다. 가끔 후회될 때가 있지 않냐고, 미진은 혀끝까지 밀려 나온 말을 빨간 신호와 함께 꿀꺽 삼켰다. 침묵 속에서 미진은 희성 대신 눈앞의 신호등에 물었다. 승주가 그날 놀린 게 아니었단 걸 깨달았을 때 많이 울지는 않았느냐고, 그간 승주의 이름을 꺼내지 않았던 이유가 무엇이냐고. 신호가 초록 불로 바뀌었다.

"사실 어제 진짜 놀랐어요."

"갑작스러웠지?"

"것보다, 정말 메시지가 갔나 싶었거든요."

"응?"

"그래도 지구는 돈다. 그 떡볶이집도 사라져서, 우주정거장에 대신 낙서한 거였는데."

미진은 처음부터 끝까지 태연한 희성의 얼굴을 물끄러미 바라봤다. 승주라면 지금 희성이 어떤지 알아챘을까. 같이 신기하다 손뼉 쳐야 할지, 위로해야 할지, 자신이 대신 울기라도 해야 하는 건지, 도저히 알 수가 없었다. 미진은 고개를 푹 숙였다. 발아래 희성이 움직이고 있는 땅이 느껴졌다.

3장

띵- 전자레인지가 정해진 시간만큼 다 돌렸다고 경쾌한 소리를 냈다. 미진은 이 소리가 듣기 싫어 미간을 구겼다. 띵- 소리를 듣지 않으려고 미리 전자레인지 앞에 가 있었는데, 잠깐 지난밤 꿈이 떠올라 몇 초 서두르는 타이밍을 놓치고 말았다. 꿈에 승주가 나왔다. 미진의 아버지가 앓고 있는 병을 똑같이 앓고 있는 채로. 꿈에선 아무 생각 없이 항암이 어떻고 수술이 어떻고 승주와 대화를 나눠놓고는 꿈에서 깬 순간, 모든 걸 뒤로 하고 저도 모르게 말을 뱉었다. 승주야, 네가 이대로 우리 아버지 병 좀 가져가 주라. 넌 그래도 되잖아. 그리고선 아차 하고 아찔한 기분이 몰려와 질끈 눈을 감았다. 자신이 지금 무슨 말을 한 건지, 오전 내내 이불을 머리 끝까지 뒤집어쓰고 웅크리고 있었다. 미진은 심술을 부리듯 다이얼을 0으로 돌리기를 반복했다. 띵- 띵- 띵- 영문도 모르고 전자레인지는 맑은 소리를 계속해서 냈다. 미진은 전자레인지를 열어 이 벨을 떼어내기로 결심했다.

'아부지, 전자레인지 소리 안 나게 어떻게 해?'

미진은 아버지에게 문자를 보냈다.

'왜?'

핸드폰을 내려놓자마자 답장이 왔다.

'그냥. 시끄러워서.'

'둬. 내가 하루 가서 할게.'

'됐어. 내가 할게요. 아부지 몸은 어때.'

'너 아프지 마. 잘 자고 잘 먹고 해.'

'응. 안 그래도 지금 밥 먹으려고.'

'일 좀 적당히 해. 팔십 퍼센트만 해도 돼.'

미진은 자기 할 말만 하는 아버지에게 알아서 할게, 라고 썼다가 지웠다.

'알겠어. 적당히.'

'아부지. 멀리 우주에 한 마디 보낸다면 뭐라고 하고 싶어?'

잠시 고민하던 미진은 연이어 문자를 보냈다. 우주에 아버지의 메시지를 대신 보내야겠단 생각이 들어서였다. 화면을 한참 보고 있는데 바로바로 이어지던 답장이 오지 않았다. 미진은 전자레인지를 내려 드라이버로 나사를 풀기 시작했다.

미진의 아버지는 자신의 병을 알게 된 뒤로 살아오던 방식을 많이 바꾸었다. 교회를 다니기 시작했고, 너무 열심히 살지 않기로 했다. 그리고 미진도 그렇게 바뀌기를 원했다. 아버지의 성정을 빼다 닮은 미진이 병마저 닮을까 봐, 속을 상해가며 조금도 내려놓지 않던 아버지의 옛 모습이 미진에게서 보일 때마다 철렁하는 기분이 들어 그러시는 거라고 엄마가 넌지시 말을 보태주었다. 미진은 아버지의 불안함을 이해해 보려 했다. 너무 앞서 걱정하는 눈빛이 불편했지만, 애가 끓어 환자가 되어버린 아버지의 후회를 모른 척할 수도 없었다.

"미진아. 너무 애태우지 마."

"응? 갑자기?"

아버지가 어느 한낮에 뜬금없이 전화를 걸어왔다.

"너무 애끓지 마. 꼭 1등 하면서 살려고 하지 마. 다 이길 수 없어. 그게… 말 그대로 정말 창자가 타고 창자가 끓는 일이래. 진짜 그런가 보더라. 닳는가 봐."

진동이 울리고 꽤 오래 걸린 아버지의 답장이 왔다.

'A-men.'

한참을 씨름했지만, 전기를 꽂지 않아도 전자레인지 알람은 계속 울렸다. 미진이 고객센터에 전화를 걸자, 녹음된 목소리가 토요일은 상담 업무를 하지 않는다고 알려주었다. 토요일, 아트랩 페스티벌 마지막 날이었다. 아까 이불 안에서 빌었던 소원은 어디 가고 왜 이러고 있니, 승주가 묻는 듯했다. 미진은 네 탓이야, 작게 말을 뱉었다.

미진은 가끔 승주에게 사는 게 귀찮다고 말했다. 졸업을 앞두고 다른 사람들보다 뒤처지고 싶지 않아 이 악물고 매일 밤을 새우면서, 승주를 찾아가서는 귀찮다는 말로 하소연을 했다. 승주는 힘들면 쉬라는 말 대신에, 귀찮아도 밥은 챙겨 먹으라며 간단한 도시락을 싸주곤 했다. 전자레인지에 얼마나 돌려야 하는지, 또 남은 건 보관을 어떻게 해야 하는지 적어놓은 메모는 언제 읽어도 승주다웠다. 전자레인지를 밥통 삼아 승주의 다정함을 데워 먹으면서, 졸업 학기의 빠근한 하루들을 버티던 여름이었다. 그날도 같았다. 승주의 도시락을 데우는 중에 한 번도 통화해 본 적 없는 희성에게서 전화가 왔다. 엉엉 우는 희성의 말을 겨우 알아들었을 때 띵- 하고 전자레인지가 맑고 경쾌한 소리를 내었다.

승주가 직접 죽음을 선택했다.

희성이 왜 제일 먼저 미진을 찾았는지는 모를 일이었다. 희성은 알아 듣기 힘들 정도의 울음을 섞어 엄마 아빠에게 어떻게 연락해야 할지 모르겠다고, 미안하다고, 그래도 도와달라고 했다. 미진이 뭐라 일러주고 희성은 전화를 끊었다. 이후의 기억들은 가물가물했다. 나중 장례식장에서 승주의 부모가 미진을 붙들고 고맙다는 인사를 건넨 것 같기도 한데, 정작 미진과 희성이 통화 이후에 서로 대화를 나눈 적이 있는지는 전혀 기억나질 않았다.

도대체가. 어떻게 해야 띵- 소리가 사라지는 걸까. 미진은 드라이버를 다시 반대로 조이면서 김 교수의 말버릇을, 아버지의 문자를 주문처럼 외웠다. 적당히, 적당하게. 적당히, 적당하게. 전자레인지를 바로 세워 제자리에 올려두고 다시 한번 다이얼을 돌렸다.

띵-

내내 경고음처럼 미간을 치던 소리가 불현듯 다르게 들렸다.

다시, 띵-

마치 운동회에서 들었던 달리기 총성 같았다. 달려, 뭐해. 출발해 어서.

여름 해도 떨어진 늦은 시간. 아트랩 페스티벌 야외 광장으로 미진이 들어섰다. 택시에서 내리자마자 입구에서부터 광장까지 달려온 탓에 미진은 땀범벅이었다. 여전히 어떤 메시지를 어디에 보내야 할지 모르겠지만, 미진은 신호탄을 듣고 여기까지 달려왔다. 어두운 광장에 미진이 헉헉대는 소리만 들렸다. 설마 전시가 끝난 걸까 하는 초조함이 올라올 무렵, 눈에 익은 긴 팔다리가 보였다. 그 남자였다.

"다시 오셨네요?"

"네, 늦었나요?"

"전혀요. 가장 빛이 선명할 때예요. 어두울 때 정말 잘 오셨어요."

미진은 숨을 고르고 천천히 중앙의 기지로 들어갔다. 남자가 미진을 따라 들어와 친절하게 작동법을 다시 한번 알려주었다. 전과 같았다. 우주 한 곳으로 좌표를 찍고, 메시지를 등록하면 끝이었다. 어렵지 않은 설명이 끝나고 미진이 몰아쉬던 숨도 지나갔지만, 미진은 꼼짝없이 멈춰 서있었다. 남자는 급한 것 없다며 미진을 기다려주었다. 미진의 손가락이 기계 위로 몇 번 올라왔다 그냥 내려갔다. 오랜 시간 머뭇거리던 미진은 결국 두어 걸음 뒤로 물러나며 말했다.

"어디로… 뭐라고 해야 할지 모르겠어요."

그럴 사이가 아니란 걸 아는 데도 미진은 고개를 돌려 남자에게 솔직한 얼굴을 그대로 보여주었다. 그까짓 한 마디, 적당히 아무 말이나 해도 되는데 아무것도 못 하는 자신이 혼란스러웠다. 미진은 변명해야 할 것만 같았다.

"사실은 전 적당히 적당한 게 싫어요. 그렇다고 대단히 용기 있지도 않아요. 근데 제 주변 사람들이 유별나요. 다 걸고 뛰어들고, 그러다 아프고, 그러다 죽고…. 남아있는 사람도 온 힘으로 버텨요. 전 그렇게 못 하겠어요. 그래서 자꾸 0초만 피하는 거예요."

남자는 당황하지도 않고 다 이해한다는 듯 고개를 끄덕였다. 그 모습을 보자 미진은 콧등이 시큰해져 얼굴을 감쌌다. 금세 눈물이 차더니 이내 곧 어린아이처럼 울음이 터졌다. 그날 수화기 너머 희성과 똑같이 미진은 남자에게 모르겠다고, 미안하다고, 그래도 도와달라 울었다.

한참 뒤에야 남자는 미진을 일으켜 세우고 아주 천천히 차분하게 말을 건넸다.

"그거 아세요? 이 메시지는 발신인이 남지 않아요. 그리고 좌표는 수신인을 뜻하는 게 아니고요. 우주의 시간은 여기와 다르게 흐르고, 공간은 휘어져 있을 테니까 따지자면 이 메시지는 언제 어디로 도착할지 아무도 몰라요."

미진은 남자의 말에 귀를 기울였다.

"그런데도 제가 이걸 만든 이유는요. 메시지는… 결국엔 좌표에 도착하게 되어있어요. 어떤 시공간에 어떤 물질로 닿게 될지는 모르지만, 우주 너머 우주로 메시지는 꼭 가요. 제가 지난번에 그랬잖아요. 답장을 받았다고. 제 앞으로 걸어온 메시지가 있었어요.

정말로요. 많은 메시지가 그렇게 우주 여기저기로 걸어가서 더 많은 사람이 답장을 받았으면 해요. 그래서 만들었어요."

미진은 신호탄처럼 들렸던 전자레인지 소리가 떠올랐다. 그게 메시지였을까. 아니, 꿈에 나타난 승주가 메시지가 아닐까 생각도 들었다. 어쩌면 이 광장에 처음 들어서서 시간 가는 줄 몰랐던 순간이 메시지가 아니었을까, 희성이 다시 나타났던 순간이었을까. 한낮에 뜬금없는 아버지의 전화였을지도, 기린을 닮은 승주를 처음 발견한 순간이었을지도 모른다고 생각하며 미진은 메시지를 보내기 위해 기계 앞으로 갔다.

미진은 마른세수를 두어 번 하고 나서 버튼을 누르기 시작했다. 마지막으로 완료 버튼을 누르자, 은색 안테나가 엄청난 소음을 내며 움직이기 시작했다. 어두웠던 광장이 엄청난 빛으로 새하얗게 변했다. 지난 낮에는 볼 수 없었던 선명한 빛이 저 하늘 멀리 높고 깊은 곳으로 뻗어나갔다. 밖에서 빛의 변화를 읽어보던 남자가 미진에게 입 모양으로 물었다.

'아이.엠.워.킹.투.유?'

미진은 고개를 끄덕였다. 땅이 움직이는 게 느껴졌다. 마치 자신이 저 빛이 된 것만 같았다. 메시지가 걸어가고 있다. 내가 걸어가고 있다. 어디로 갈지, 언제 누구에게 닿을지 모르지만, 미진은 끝까지 걷겠다고 다짐했다. 지구는, 그리고 우주는 이 힘으로 돌 것이다.

4장

아이는 입술에 힘을 주고 생일 초를 끄려다 말고 다급하게 두 손을 모아 소원을 빌었다. 두 눈을 감자마자 갖고 싶은 게임기가 떠올랐지만, 그게 소원이 될까 봐 '그거 아니야!'라고 바깥으로 소리 내 외쳤다. 어른들의 키득대는 웃음소리는 들리지 않는지, 질끈 눈을 감은 아이는 숨도 쉬지 않고 간절히 바라는 것을 빌었다.

후-

촛불이 꺼지자, 어른들은 아이에게 무슨 소원을 빌었는지 물었다. 비밀이라며 몸을 배배 꼬던 아이는 케이크도 먹지 않고 집안 곳곳을 돌아다니기 시작했다. 창가로 가서 빛 그림자를 따라 목을 길게 빼보기도 하고, 숨바꼭질하듯 화장실 문을 벌컥 열어 구석구석을 살피기도 하고, 물기 어린 화분 가까이에 코를 박고 뚫어져라 보기도 했다. 휘적거리는 긴 팔다리가 아이를 좀 커 보이게 만들었지만, 가만 보고 있으면 이번 겨울이 지나야 처음 학교에 입학하는 일곱 살배기의 몸짓 그대로였다.

사실 어른들은 아이가 지금 무엇을 찾고 있는지, 그리고 아이가 무슨 소원을 빌었는지 아주 잘 알고 있었다. 아이는 엄마의 부재를 느끼지도 못할 만큼 어릴 때부터 엄마를 보지 못했다. 조금 자란 아이가 엄마는 어디 있는지 물어보자, 어른들은 아이 손을 잡고 호숫가에 나가 무지개가 피어나기를 기다렸다. 그리고 무지개가 나타난 순간, 엄마가 보낸 무지개라고 아이에게 말해주었다. 그때부터였다. 아이는 소원으로 엄마 대신 무지개가 나타나길 빌었다.

아이는 방 안쪽에 있는 옷장 구석에서 자신의 보물 상자를 꺼내 열었다. 그 안에 들어있는 커다란 구슬을 손바닥에 올려놓고 이리저리 고개를 갸웃거렸다. 이렇게 하다 보면 무지개가 나타났던 것 같은데, 이렇게인가 저렇게인가 바쁘게 구슬을 돌려댔다.

그때였다. 콧등이 따끔, 벌레에 쏘인 것 같았다. 아이는 하마터면 놓칠뻔한 구슬을 조심스럽게 내려놓고 거울 앞으로 쪼르르 달려갔다. 거울 앞에 선 아이의 눈이 휘둥그레졌다. 자기 콧잔등에 무지개가 있었다. 거울에 맺힌 것인지, 정말 따끔했던 코에서 무지개가 핀 것인지 아이는 구분할 수 없었다. 혹여나 사라질까 싶어 거울에 더 다가가지도, 손으로 코를 만져보지도 못하고 아이는 거울만 바라봤다. 거울 속 무지개는 아이의 콧잔등에서 시작해 길을 내어 하늘로 뻗어가고 있었다. 엄마야? 반가움에 방긋 웃자, 거울에 비친 아이도 방긋 웃었다. 긴 팔다리의 아이는 까르륵 웃음소리를 내었고, 그 소리에 바깥의 어른들도 미소 지었다.

| 02 |

죽음을 품고 살아간다는 것은

박연숙

에세이

박연숙

나의 삶을 사랑하며 소소한 일상 가운데 행복해지는 비결을 찾아버린 50대 여자의 마음 속 깊이 묵혀진 기억의 한편을 글로 꺼내어 보았습니다.

죽음을 품고 살아간다는 것은

1. 쉰 넷

온라인 셀러인 나의 일상은 주문 건을 확인하고 제작하는 일부터 시작해. 주로 납골당을 장식하는 작은 꽃다발이야. 고객들이 요청한 각각의 그리움들을 담은 메시지를 달아서 만드는 일이 오랜 세월 마음 깊숙이 묵혀 놓았던 나의 슬픔과 맞닿아 있어서 가슴이 먹먹해지는 순간들이 있어. 살아서는 잘 표현하지 않았던 말들 사랑해, 고마웠어, 보고 싶어, 꿈속에서 만나, 아프지 말고 행복하게 지내, 등등. 가슴 절절한 문구들을 만날 때면 더욱 그렇지.

그래서 나는 일상을 살면서도 늘 죽음을 생각하는 것이 먼 나라 이야기가 아닌 나의 현실로 인정하고 살아가게 되었어. 지금 내 남편이 갑자기 없어진다고 해도 지금 내 아이들, 또는 내가 없어진다고 해도 당장 그 순간은 괜찮지는 않겠지만 또한 나는 죽음 앞에 의연할 수 있을 것 같은 마음인 거지.

그렇게 나의 삶은 또한 죽음과도 맞닿아 있지만 그것이 우울한 감정이라든지 슬픔에 빠져든다든지 그런 것이 아닌 이 세상의 이치로 받아들이고 살게 되었어. 그렇기에 이 순간 오늘 하루 내가 숨을 쉬며 살고 있는 지금 이 시간이 그 자체로 의미가 있고 행복하고 사는 날이 달달한 거야.

2. 스물

스무 살의 2월, 꽃샘추위가 기승을 부리던 몹시도 추웠던 그해 겨울, 서울에서 직장을 다니고 있던 나는 구정을 맞아 시골집에 갔었어. 우리집은 목포에서 가까운 섬이어서 철선이라는 큰 배를 타고 들어 가야 되는 곳이었어. 지금은 다리가 놓여서 서해안고속도로 끝까지 달리면 되지만 그때는 배를 타고 들어가야 하는 섬이었어.

집에는 할머니, 엄마, 아부지, 동생들 네 명. 우리 집은 딸 넷에 막내는 아들이었고 그해는 동생이 서울에 있는 대학에 합격해서 동네의 자랑이자 우리 가족의 큰 기쁨인 시간들을 보내고 있었어. 아부지는 동생 대학 합격 감사로 교회에서 가족 찬양을 하고 싶어 하셨지. 그 찬양은 내 영혼이 은총 입어 중한 죄 짐 벗고 보니 슬픔 많은 이 세상도 천국으로 화하도다, 이런 내용인데 지금 생각해 보니 마치 죽음을 예감한 듯한 가사인 거 같아. 결국 마지막 찬양을 함께 하지 못하고 떠나셨지만, 지금도 이 노래는 아부지를 떠올리게 해. 아부지는 급하고 불같이 버럭 하는 성향이 있었지만 자식들에게는 자상하고 다정다감한 좋은 아빠였어. 자식들 다섯을 뺑 둘러 앉혀놓고 화투를 가르치고 종종 같이 치곤 했어. 아부지와 우리들의 오락은 화투로 하는 삼봉이나 뽕을 치는 것이었어. 또 장난도 심해서 우리가 밥상에서 텔레비전에 정신이 팔려 있으면 국을 뜨려고 가는 숟가락에 간장을 대놓기도 하는 짓궂은 분이셨고, 맨날 다리 아프다고 다리 밟아라 흰머리 뽑아라, 하며 자식들을 귀찮게도 하시는 분이셨어. 시골 살림에도 새로운 전자제품을 턱턱 사들여서 엄마를 놀래키기도 했지만 덕분에 우리는 88올림픽을 칼라 티비로 보는 즐거움을 누렸던 기억이 있어. 일찍이 홀로된 할머니에게는 참 귀한 아들이었지. 딸 넷 고모들을 낳고서 얻은 2대 독자였지만 또 아내인 내 엄마를 사랑하고 할머니 편이 아닌 엄마 편을 드는 바람에 엄마에게 모진 시집살이도 겪게 한 남편이었어.

아버지가 쓰러지신 날, 우리 가족들은 다 같이 저녁을 먹었고 그 저녁에 아버지는 동네 마실을 나갔어. 우리는 큰방에 나란히 누워 잠자리에서 동생의 대학합격을 신기해 하고 놀리고 있었어. 시골 특성상 공부를 많이 할 수 있는 분위기도 아니었거든. 9시도 되기 전에 불을 끄고 자야 하고 낮에는 농사일을 돕거나 겨울에는 김 발장 개는 일 등 이런 각자의 임무가 있었으니까. 그렇게 이불 속에서 키득거리고 있는 시간 아부지는 동네 마실을 다녀와서 우리들이 누워있는 머리맡을 지나 작은방으로 가셨지. 늘 장난스러웠던 아부지인데 별 말씀이 없으셨어.

그러고선 건넌방에서 내 이름을 부르는 엄마의 찢어지는 소리가 들렸어. 나는 벌떡 일어나 달려갔는데 아버지는 이미 의식이 없는 상태가 되어 있었어. 큰딸인 나는 엄마가 시키는 대로 교회 목사님께 전화를 드렸고, 우리 섬에는 병원이 없어서 봉고차에 아버지를 싣고 급히 목포에 나가는 배를 불러서 가셨지.

엄마가 내게 내일 아침에 옷가지와 이것저것 물품을 챙겨 목포 병원으로 가져오라고 했고 나는 대충 짐을 싸둔 채 잠들지 못하고 걱정스럽게 앉아 있었어. 내 옆에선 할머니가 계속 울고 계셨고.

그러다가 깜박 졸았는데 그때 내 머리를 까만 덩어리 같은 게 치고 들어와서 깜짝 놀라서 잠에서 깼어. 그 시간이 새벽쯤 되었던 것 같아. 그리고 이른 아침 마당에서 자동차 소리가 나서 나가보니 아버지는 시신으로 담요에 쌓여 들어오셨어.

아버지의 죽음은 스무 살 인생에 내가 본 첫 죽음이었어. 아버지 나이 마흔 일곱. 한 번도 병치레도 없었고 삐쩍 마르긴 했지만 항상 건강한 모습이었기에 아버지의 죽음, 아니 인생에 죽음이 있다는 그 사실 앞에 난 큰 충격과 동시에 좌절을 겪게 되었어.

그렇게 우리 시골집은 이제 아버지의 장례 준비가 진행되었어. 작은방에서는 동네 분들이 상여에 붙일 종이꽃을 만들고 마당에는 커다란 천막이 세워지고 하얀 국화꽃이 가득 꽂힌 화환들이 계속 들어서고 우리 집은 동네 사람들로 북적북적했어.

큰방 웃목엔 아부지의 시신을 눕히고 병풍으로 가려 놓았는데 아부지 까만 머리가 다 보여서 나는 슬프다기보다 무섭기만 했던 거 같아. 아부지의 까만 머리카락은 쓰러지신 그 날 아침 난생 처음 드라이를 해달라고 하셔서 내가 반곱슬이었던 아버지의 머리를 잘 빗어 넘겨 주었었거든.

아부지가 누워있는 방에서 잠도 자고 밥상도 들어왔는데 밥을 먹지는 못했어. 그때는 밥을 먹으라고 상이 들어온 게 좀 이상했었던 거 같아. 어제까지만 해도 웃고 장난치면서 같이 밥을 먹었던 아부지는 죽어서 병풍 뒤에 누워있는데 우리는 밥을 먹어야 한다는 사실이 뭔가 안 맞았거든. 그 영향 때문인지 나는 그 후로 꽤 오랜 세월 동안 남의 장례식장에서 밥을 못 먹었어. 그리고 다음 날 아침 시신에 염을 하는 과정에서 아부지 몸을 닦아주고 있는데 나는 그걸 지켜 보다가 아부지 몸에 손을 살짝 대보고선 깜짝 놀랐어. 시신이 완전히 경직되어 있고 너무 섬뜩하고 차가웠던 그 느낌이 내가 죽음에 대한 어떤 생각을 갖게 된 계기가 된 거 같아. 나에게 죽음은 그렇게 굳어져 버린 것, 얼음장처럼 차가운 그런 것으로 기억하게 됐으니까. 그 기억이 너무 강렬해서 그동안 함께 살아왔던 아부지와의 기억들, 보고 싶은 정까지도 섬뜩한 시신으로만 기억하게 되어버렸으니까. 그때 초등학교 4학년쯤이었던 막내 동생은 시신 앞에서 아부지 일어나, 일어나, 라고 어찌나 소리소리 지르던지. 그 아이가 받았을 충격 또한 엄청났던 거 같아. 동생은 지금 마흔이 훌쩍 넘었는데 아직도 아픈 채로 살아가고 있으니까.

우리 모두는 언젠가 사랑하는 사람들 곁을 내가 떠나든지 아니면 떠나보내든지 해야 하는데 나는 그 죽음이 갑작스럽게 일어나지 않기를 바라. 좀 고통스럽게 병상에 누워 있을지라도 남겨진 사람들에게 조금이라도 영원한 이별을 준비해야 하는 시간이 주어진다는 것이 얼마나 위로가 되는지 알기 때문일 거야.

산에 아부지를 묻고 온 그 밤은 참 무서웠어. 우리집 위로는 족히 몇백 년은 되었을 것 같은 소나무가 주욱 늘어서 있는데 우리는 이곳을 짱뚤이라고 불렀어. 짱뚤 소나무에서 그네도 탔고 소나무 뿌리를 말처럼 타기도 하고 소꿉놀이도 했던 우리들의 놀이터였지만 밤이 되면 참 무서운 곳이었어. 어쩌다 하얀 비닐이라도 나뭇가지에 걸려서 너풀대고 있는 것을 본 날이면 그 밤에 화장실 가는 것이 가장 곤욕스러운 일이었지. 옆에 깊이 자고 있는 동생을 어떻게든 깨워서 같이 움직여야 했으니까.

그렇게 동네 사람들로 북적거렸던 마당에 사람들이 다 돌아가고 하얀 천막만 남아있으니, 나는 내내 슬픔보다는 무서움이 가장 컸던 거 같아. 어쩌면 그 상황들을 받아들이지 못해서 슬픔을 느낄 수가 없었던 것인지도 모르겠어.

그날 밤, 잠을 자는데 새벽녘쯤 방이 너무 추워서 보니 아궁이에 연탄을 누가 빼버렸던 걸 알게 됐어. 할머니가 불을 빼버린 것이었어. 그렇게 사랑했던 아들이 갑자기 뇌출혈로 쓰러져 죽었으니 할머니가 받은 큰 충격은 당신이 사랑했던 손자 손녀들에 대한 강한 분노로 바뀌었나 봐. 손자 손녀들이 따뜻한 방에서 잠을 잔다는 것을 받아들일 수 없어서 나온 행동이었겠지. 나는 할머니를 보며 사람이 너무 큰 슬픔을 겪게 되면 이렇게 악해질 수도 있구나 하는 생각을 그때 갖게 됐어.

그렇게 아버지의 죽음의 충격과 슬픔을 뒤로 하고 우리 가족은 다 서울로 이사를 하게 됐어. 그때부터 나는 계속 감당할 수 없는 이 사건을 어떻게든 받아들이고 살아가야 했기에 그냥 나는 원래 아부지가 없었어, 이렇게 나에게 최면을 걸고 살아갔어. 지금 와서야 슬픔은 가둬두고 외면해야 할 감정이 아니라 충분히 슬퍼하고 어떤 식으로든 해소했어야 했는데, 라는 마음이 들어.

그렇게 나의 감정을 꽁꽁 숨겨버리니 나의 몸과 마음은 점점 인생에 대한 허무감으로 잠식 당해서 사는 일이 도무지 힘이 나지 않고 무기력한 사람으로 변해버린 듯해.

그 무기력함은 나를 극도로 예민한 체질로 바꿔버려서 사람들과 함께하는 것도 너무너무 피곤해서 살았으나 살았다고 보기 힘든 무거운 몸으로 하루하루를 간신히 지나게 되었던 거 같아. 그래도 어릴 때부터 참 잘 웃는 얼굴이었던 덕에 누구도, 나 자신조차도 내가 우울한 사람인지 아픈 사람인지 알아차릴 수 없었어.

다만 나는 늘 에너지가 없고 늘 피곤하고 가끔 두통에 시달리고 쉬는 날이면 끝도 없이 잠을 자고, 이 세상에 아무것도 좋은 것도 없고 맛있는 것도 없고, 그런 시간들을 보내게 됐지.

3. 스물 일곱

스물일곱에 한 번씩 들렀던 미용실이 있었는데 그 미용실 언니의 오빠를 소개받게 되었어. 결혼이 뭔지도 모른 채 첫 만남에서 내 아부지를 닮은 남편의 모습에 마음이 편해지고 정이 가서 꿈같은 짧은 연애를 하고 그해 바로 결혼을 했어. 결혼을 하고 보니 남편은 외아들에 장손이었고, 시누이는 4명이나 되었고 서른 초반에 홀로 되신 어머니까지 있었어. 이렇게 그때의 여자들이 가장 피하는 결혼 조건을 두루 갖춘 남자였는데 세상 돌아가는 이치에 둔한 나는 그것이 무엇을 의미하는 건지도 몰랐었지. 전혀 모르는 남편의 어머니와 셋이서 한집에서 살게 됐는데 그것이 내게는 큰 스트레스였던 거 같아.

결혼을 하고 두 아이가 태어나는 동안 나의 체력은 극도로 쇠약해져 자주 쓰러지곤 했어. 병원에선 백혈구 수치가 너무 낮다고 백혈병으로 갈 수도 있으니 잘 먹으라는 진단을 받았어. 그래서 억지로 보약도 먹고 음식도 먹으려고 노력하니 다행히 몸은 회복되었지만 두통과 무기력증은 점점 중증으로 진행되어 갔어. 한번 시작된 두통은 머리 전체를 쥐어짜는 고통으로 눈의 압력도 높아지고 무엇을 먹을 수도 없었어. 병원에서는 특별히 병의 원인도 없고 약도 듣지 않아서 며칠씩 두통으로 괴로운 시간들을 보내곤 했지. 그렇게 지내다 신경정신과로부터 우울증이란 진단을 받고 두통이 너무 심한 날은 혈관에 바로 주사약을 넣어주었어. 그러면 약 냄새가 코끝에 스침과 동시에 머리를 쥐어짜는 고통이 쫘악 사라지며 편안해졌지. 그때는 아프지만 않으면 정말 살겠다 싶었고 아프지 않은 그 한 가지에 무한감사가 되었어.

그렇게 아프고 여전히 무기력했지만 나는 꽃을 배우고 꽃집을 열고 이제는 사람들보다는 꽃과 더 많은 시간을 보내며 살게 됐어. 감사하게도 나는 꽃에 대한 감각이 좀 있어서 생화 꽃다발과 꽃바구니 주문이 많이 들어와서 시즌엔 밤을 새워가며 일을 하기도 했어. 사람들은 내 에너지를 뺏어가기도 하고 대화 가운데 두통을 유발시키기도 했어. 마음을 힘들게 하는 티비 장면들만 봐도 머리가 아파져서 그런 것들은 피했는데, 쉽지 않은 꽃 일을 8년이란 세월 동안 잘 해냈으니 생화가 주는 에너지 덕이었던 거 같아.

4. 마흔 다섯

갑자기 두통이 시작된 어느 날이었어. 여지껏 통증들도 약하진 않았는데 이전과는 비교가 안 될 정도로 극심한 통증에 꽃집에서 일하다가 반사적으로 밖으로 튀어 나왔던 거 같아. 밖에 나와서 거의 실신 지경으로 울부짖다가 주저앉았는데 그때 갑자기 두통이 깨끗이 사라졌어. 이제껏 내 머리를 잡고 있었던 그 무엇, 아버지가 돌아가시는 그 시간대에 내 머리를 강타하고 들어왔었던 까만 동그라미 같은 것, 그것이 무엇인지는 나는 알 수 없지만 그것이 드디어 나갔구나, 하는 생각이 들었어. 그로부터 지금까지 두통에 시달리지도 않고 맑은 정신으로 살게 되었어. 그리고 나는 내 젊은 날을 무기력하게 보낸 시간들에 대한 아쉬움 때문에 하고 싶은 것을 하나하나 하면서 살게 됐어.

마흔이 넘은 나이에 처음으로 동네 체육센터에서 수영 강습을 등록하고 수영을 시작했어. 워낙 기초체력이 약해서 쉽지 않았지만 끝까지 포기하지 않고 하다 보니 이젠 나 혼자서도 자유롭게 수영을 하게 됐고, 지금은 피아노를 배우고 있어. 벌써 오 년째 들어섰네. 늘 한결같이 나를 지지하고 응원해주는 내 편 나의 베스트 프렌즈인 남편 때문에 많이 더디고 여전히 서툴지만 하고 싶은 것을 하면서 살아가는 이 시간들에 참 감사하고 있어. 어쩌면 힘든 시간들이 있었기에 지금의 이 행복을 누리고 살 수 있는 것 같아.

오늘 하루도 나는 죽음을 생각하며 살아가. 나에게 죽음은 더 이상 슬픔이고 우울이고 좌절이 아닌 오늘을 살아가게 하는 힘인 거지.

내 앞에, 우리들 앞에 죽음이 있음을 알기에 나는 지금의 어떠한 상황도 족한 것을 알고 인생 앞에 겸손히 살게 되었고 주어진 작은 것들에도 감사하며 살게 되었어.

돈이 많지 않아도 나에게 있는 것 내가 누리며 행복하게 살 수 있는 것이 너무 많다는 것을. 오늘 이 순간에도 마음껏 호흡하며 즐길 수 있으니까.

두통이 사라진 뒤부터 나는 내가 살아있음이 생생하게 느껴져. 나의 심장에서 돌고 도는 따뜻한 피의 흐름처럼 내가 만나는 한사람 한사람에게 나의 생기가 흘러가기를 소망하고, 그래서 나에게 죽음은 현실을 회피하는 것이 아닌 가장 진실되게 내 삶을 살아가게 하는 것이기도 해. 그렇기에 죽음을 생각하는 것이 더 이상 슬픔이고 우울이고 좌절이 아닌 오늘을 가장 나답게 살아가게 하는 힘인 것이지. 그것은 내 앞에 죽음이 있음을 알기에 지금의 나의 삶에 없는 것에 연연해하지 않고 내가 가진 작은 것에 자족할 줄 알게 되었고 인생 앞에 겸손히 살아갈 줄 알게 되었어.

음식에 여러 가지 맛이 있듯이 내 인생의 희노애락이 함께이기에 나는 더 깊어지고 더 넓어지고 내가 살아있음이 느껴져. 경직되고 그래서 섬뜩하고 차가워진 죽은 마음이 아니라 나의 심장에서 돌고 도는 따뜻한 피의 흐름처럼 그렇게 따뜻하게 세상을 살아가는 것이지. 인생의 묘미는 희노애락과 함께하는 것. 음식에 맛이 있듯이 내 인생의 단맛 쓴맛 신맛 짠맛 무미건조한 모든 맛이 어우러져 나는 더 깊어지고 더 넓어져 가고 있어. 내 인생에 아부지의 죽음으로 인해 가장 젊고 예뻤을 25년의 시간을 어찌 보면 허송세월로 보낸 것 같기도 하지만 그렇게 무기력한 시간들로 인해 나는 내 아들들에게 열정적이지 않아서 오히려 좋은 친구의 관계로 잘 지내고 있는 나날들이 주어졌다고 생각해. 내가 겪은 고통의 시간들로 인해 나는 얻은 것이 참 많았고 그것은 이 시간들의 행복으로 이어지게 되었으니 인생은 살아갈수록 얼마나 멋지고 아름다운지 몰라.

| 03 |

아스파르의 문구점

여수정

소설

여수정
첫 작품으로 인간에게 화복을 가져다준다고 알려진 신령스러운 존재들이 인간 세상에 건너와 펼치는 소소한 모험담을 썼습니다. 저에게도 사리에 어두워 갈피를 잡지 못하고 헤매던, 그런 미망에 싸인 시절이 있었기에 미성숙한 존재가 자신의 빛을 찾는 이야기를 한번 써보고 싶었습니다. 저에게 눈물과 웃음과 치유를 선물한 수많은 웹소설 속 인물들에게 진심으로 고마웠다고, 나는 너희 덕분에 어른이 되었다고 말하고 싶어요. 이 소설은 그들에게 보내는 저의 감사 인사입니다.

아스파르의 문구점

봉황 가문의 후계, 황은 막다른 골목에 서서 작은 건물 1층에 오롯이 걸린 간판 하나를 올려다보고 있었다. 새하얀 간판에는 검은색에 깔끔한 필체로 <아스파르 문구점>이라 쓰여 있었다. 황이 곁에선 시녀 참에게 물었다.

"참아, 여기가 알아보라 했던 문구점이 맞니?" 참이 고개를 끄덕였다. "맞아요, 아가씨. 틀림없이 여기예요."

<아스파르 문구점> 이곳이 요즘 아스파르에서 가장 장사가 잘된다고 소문난 문구점이었다. 아스파르는 최고의 신력을 가진 청룡, 백호, 주작, 현무의 사대 신수를 비롯해 세상의 온갖 신수들이 모여 사는 곳으로 대대로 백수의 왕이라 불리는 백호 가문에서 다스렸다.

문구점은 한 이름 모를 신수가 운영하고 있었는데 고객이 새기

고 싶은 메시지를 가져오면 덤으로 주인이 제품에 직접 각인을 해 줬다. 여기서 새긴 각인을 몸에 계속 지니고 있으면 소원이 이루어진다는 말이 돌았다. 덕분에 문구점은 호황이었다.

주인은 천계뿐만 아니라 명계와 인계에서도 주문받았다. 인간은 이루고자 하는 것이 많아 각인 주문은 인계에서 특히 많이 들어온다고 했다. 어쩌다 이곳을 직접 찾아오는 인간들도 있었는데 신수들은 인간들이 바람을 지니면 꽤 집요해진다는 것을 알고 있는 터라 그게 영 불가능한 일이라고는 생각하지 않았다. 꼭 주작이 되고 싶었던 황도 은밀히 이곳을 찾았다.

문구점은 생각보다 찾기 쉬웠다. 아스파르 시장에서 가장 큰 동백나무 옆 골목길로 끝까지 걸어가기만 하면 되었다. 길 끝에서 만난 문구점의 모습은 아스파르의 여느 가게들하고는 사뭇 달랐다. 기와를 얹지 않은 평평한 지붕이며 현관문 위로 짙은 초록색의 둥근 차양이 야무지게 매달려 있는 모습이 꼭 인계의 가게처럼 보였다. 황은 함께 자란 백호 가문의 후계자, 후(煦)와 함께 어린 시절 청동거울로 종종 인계를 들여다보았기 때문에 인계의 모습을 잘 알았다.

황은 소원을 적어 온 종이를 손에 말아쥔 채 문구점으로 더 가까이 다가갔다. 가게 유리 창문에는 하얀 종이가 찰싹 붙어 있었고 다음과 같은 문구가 적혀 있었다.

<100% 소원 성취, 간절히 바람이 있다면 각인을 새겨 간직하세요>

노골적인 광고에 의심이 솟은 황이 참의 의견을 물었다. "정말 이곳의 각인이 효험이 있을까?" "그럼요. 청룡 가문의 시녀 결이라고 있는데 걔가 얼마 전 여기서 수첩을 사고 각인을 새겼었거든요? 여름 내내 품고 다니더니 글쎄 소원대로 승진하더라니까요?" "정말?" "네, 만날 땡볕에서 일하는 해태 양이 아시죠? 햇빛 두드러기로 고생이 이만저만 아니었잖아요. 걔도 여기서 새긴 열쇠고리를 가지고 다닌 다음부터 영구 내근직으로 발령이 났대요."

참의 말을 들은 황은 호기심 어린 눈으로 가게를 뚫어지게 바라보았다. "그렇단 말이지?"

그녀는 지금 아주 중요한 봉황의 통과의례를 지나는 중이었다. 봉황은 500살 생일까지 마음의 힘을 제대로 기르면 그 기운을 검날로 바꿔 무엇이든 벨 수 있었다. 이때 비로소 봉황을 주작이라 불렀는데 주작이 되는 것은 특별한 검이 생기는 동시에 불멸을 얻는 일인 까닭에 이 시기를 잘 넘기고 싶은 것이 모든 봉황의 바람이기도 했다.

황 역시 어느 정도 나이가 차면서부터 도도산 기슭의 조용한 약초밭에서 본격적인 수행을 했다. 묵언 식사와 하루 6시간의 좌선을 하고 약초밭을 정성스레 돌본 뒤 나무 밑에 앉아 마음의 힘에 관해 명상하는 것이 황의 주된 수행이었다.

그렇게 몇 년이나 호흡을 다듬은 끝에 드디어 황에게 광활하고 압도적인 무아지경이 찾아왔다. 처음 느껴보는 감각이었다. 황은 그것이 마음의 힘이라고 생각했다. 고행 끝에 붙잡은 그 감각을 검의 형상으로 만들려던 순간 갑자기 어디선가 조그맣게 아이 울음 소리가 들렸다.

"흑흑~~." 황은 소리를 무시했다. 이제 조금만 더 가면 된다. 그냥 내가 더 깊이 명상에 빠지고 말리라. 황은 다시 명상에 집중했다. 하지만 한번 들리기 시작한 울음소리는 멈출 줄을 몰랐다. "흑흑~ 흑흑~." 집중에 실패한 황은 성공의 문턱에서 그만 무릎을 꿇고 말았다.

힘든 일은 한꺼번에 몰려오는 게 섭리인가? 황이 좌절감에 두문불출하는 사이 액운이 이어졌다. 오랜 연인 훤이 더이상 일방적인 관계는 싫다며 뜻밖에도 이별을 고했다. 그뿐만 아니었다. 남매처럼 자란 후와 말다툼을 한 뒤로 후가 봉황 가에 발걸음을 딱 끊어 버렸다. 황은 대책을 세워야 했다. 서둘러 주작이 되지 않으면 악재가 계속될 것만 같았다.

황의 이런저런 사정을 다 아는 참은 안타까운 시선으로 황을 보았다. "그러지 말고 힘들면 힘들다고 솔직하게 말씀하시죠." "속상한 얘기는 해서 뭐하니." "제가 안타까워 그래요. 가까운 이들에게까지 마음을 숨기시니 얼마나 힘드세요? 아가씨만 바라보던 훤 도련님마저 오해하고 떠나셨잖아요." "자꾸 마음을 소란케 해서는 명상에 집중할 수 없어. 그래서는 검을 만들지 못해."

황의 말은 진심이었다, 황은 숨기거나 외면하는 것 외에는 평정심을 유지하는 법을 몰랐다. 황은 사실 반신(半神)이라 또래들과 다른 면이 있었다. 그들은 나면서부터 도를 깨우친 듯 말과 행동이 일찌감치 의젓했으나 황은 그렇지 않았다. 친구들이 그저 눈웃음 짓고 말 때 황은 큰소리로 깔깔 웃었고 그들이 조금 언짢을 때 황은 씩씩거렸다. 친구들은 어제 웃던 황이 오늘은 슬퍼서 펑펑 울 때면 어깨를 토닥이면서도 의아해하기 일쑤였다. 또래들과 다르게 마음이 늘 허둥지둥 날뛰곤 하는 황은 점점 친구들과 수준 차이를 느꼈다.

황은 소외되지 않으려고 자신의 기분을 숨기기 시작했다. 감정을 통제하고 욕구를 삭이면 잠깐은 편했다. 그러나 감정이란 건 희한하게도 저도 모르게 계속 생겨났다. 황은 하루하루가 점점 버거워지고 있었다.

솔직히 이건 전부 아버지 탓이었다. 아버지가 인계의 여인과 혼인하는 바람에 그 짧은 사랑의 대가를 자식인 제가 온전히 치르고 있었다. 황은 아버지가 미웠다.

황의 말을 듣던 참은 마침 궁금했다는 듯 물었다. "그럼, 후 저하랑은 왜 다투셨어요?" "그건…." 잠시 망설이던 황은 참에게 후와 마지막으로 나눈 대화를 들려주었다.

'황아, 아직 늦지 않았으니, 지금이라도 휜을 만나보거라. 오해가 있다면 만나서 풀면 되지 않겠니?' '아니에요. 다 잊고 수행에만 매진할 생각입니다. 500살이 코앞인데 빨리 평정을 찾아야 검을 만들죠.' 그 말을 들은 후가 황을 타일렀다. '마음은 억지로 누른다고 달래지지 않는다. 누른 것은 다시 솟아나게 되어 있는 것이 세상의 이치야. 안 그러면 탈이 나.' 황은 순간 마음속에서 뜨거운 것이 왈칵 치밀어올랐다. '오늘도 또 시작이군.'

언제부터인가 황은 후의 말이 묘하게 귀에 거슬렸다. 황은 차갑게 대답했다. '억지로 누르다니요? 저는 잘하고 있으니까 제 걱정은 마세요. 저하 같은 분은 평생 저를 이해 못 하시겠지만 말이에요.' 후가 의아해하며 물었다. '내가 왜 널 이해 못 해?' 황이 답했다. '그야 저하는 날 때부터 불멸의 존재이시니 저처럼 죽도록 노력할 필요가 없으시잖아요.'

그 말에 잠시 침묵하던 후가 의미심장하게 물었다. '네가 이러는 게 단지 주작이 되기 위해서냐?' 황은 잠시 멈칫했으나 다시 정색하며 받아쳤다. '물론이에요. 저하야말로 왕이 되실 거라면 좀 더 아스파르의 후계자답게, 위엄있게 사시는 게 어떠세요?'

이야기를 다 들은 참은 입을 다물지 못했다. "어머나. 평소에 그렇게 표현이 없으신 아가씨가 그날은 왜…." 황이 입을 살짝 오물거렸다. "그러게 말이야. 질투였을까? 나도 그렇게까지 대들고 싶진 않았는데." "어쨌거나 저하는 걱정이 되어 오신 것 같은데. 아가씨가 말씀이 좀 차가우셨네요." 황은 뒷말을 속으로 삼켰다. '그게 다가 아니야, 참아. 내가 그날 대형 사고를 치고 말았어.' 사실 황과 후 사이에는 나누다 만 대화가 더 있었다.

'저하야말로 제 걱정은 마시고 좀 더 아스파르의 후계자답게, 위엄있게 사시는 게 어때요?' 후가 차가운 눈으로 물었다. '그게 무슨 뜻이냐?' 황이 머뭇거리다가 말했다. '요즘 거울로 자꾸 들여다보시는 그 인간 여인이요. 어쩌려고 그러세요? 설마 인간과 잘 해보시려는 건 아니죠?' '그럼 안 되느냐? 나는 인간들을 좋아한다.' '그것 보세요, 내 그러실 줄 알았어요. 하찮은 인간 따위에게 왜 그리 정을 주시나요? 그러다 어느 날 갑자기 신력이 흩어져 소멸하셔도 저는 몰라요.' 그 말에 후가 깜짝 놀란 표정을 지었다. 황은 후의 표정에 자기 말이 지나쳤나 싶어 뜨끔했다. 후가 말했다. '그래, 더 자세히 말해보아라.'

눈치 있는 신수라면 거기서 멈췄을 텐데 황은 그동안 꾹 눌렀던 말이 있어 멈출 수 없었다. '저하는 세상이 다 아는 완벽한 출신에 뛰어난 권능 그리고 곁에서 살펴주는 부모님까지 모든 걸 다 가지셔놓고 뭐가 부족해서 자꾸만 인계로 눈을 돌리시나요? 아스파르를 버리기라도 하시게요? 저하만 보면 여인 때문에 아스파르를 떠나버린 아버지가 떠올라 안타까워요.'

담아둔 말을 속 시원히 토해낸 황이었지만 후의 경직된 얼굴을 보자 곧 상황 파악이 되기 시작했다. 맙소사. 내가 지금 뭘 한 거지? 감히 저하께 훈계라니. 저 깊은 곳에서 후회가 밀려왔다. 황은 두 눈을 질끈 감았다.

둘 사이에 무거운 침묵이 흐르고 한참 뒤에 후가 입을 열었다. '네가 그런 생각을 하는 줄은 몰랐구나. 그래. 다신 네 걱정을 하지 않으마.' 후는 그 길로 돌아가 다시는 황을 찾지 않았다.

참이 오랫동안 멍하게 서 있는 황을 보며 말했다. "아가씨? 무슨 생각을 그리하세요?" "으~응?" 펼쳐놓은 상념을 휘휘 치워버린 황은 애써 아무렇지 않은 표정을 지으며 말했다. "난 그저 사실을 말한 것뿐이야. 저하께서 곧 아스파르를 물려받으실 텐데 이제는 나랏일에 관심을 가지셔야 하지 않겠니?" "하지만 그분들은 다들." 참이 무언가 말하려다 말고는 여느 때처럼 침착한 목소리로 말했다. "오늘 보니 아가씨는 이미 모든 일에 답을 가지신 것 같아요. 그런 아가씨께 각인이 꼭 필요할까 싶은 생각이 드네요? 어떡하실래요, 아가씨? 저희 그냥 돌아갈까요?"

참의 물음에 아차 싶어진 황이 얼른 대답했다. "그래도 여기까지 왔는데 그냥 갈 수 있니. 한번 들어가 보기나 하자꾸나." 황은 무심한 척 문구점의 문고리를 잡아당겼다.

현관문이 열림과 동시에 문에 매달린 오동나무 열매 모양의 풍경에서 소리가 났다. "딸랑딸랑~~" 청아한 소리가 가게에 손님이 왔음을 알렸다. 황은 누군가 나오기를 기다리며 가게 안을 구경했다. 다양한 문구들이 임자를 기다리며 가지런히 진열대 위에 늘어서 있었다. 황은 찬찬히 제품들을 둘러보았다. 꽤 시간이 지났는데도 아무도 나오지 않자 참이 주인을 불렀다. "계십니까?" 하지만 아무 대답이 없었다.

안쪽 깊숙한 곳에 책상이 보였다. 작업공간인 듯했다. 황은 작업실로 들어가 안을 살폈다. 책상 위에는 제법 큰 덩치의 각인 기계와 주인이 쓰는 듯한 물건들, 그리고 작은 수첩 하나가 놓여 있었다. 그러나 그곳에도 주인은 없어 황은 얼른 작업실을 나왔다.

한데 좀 전에 본 수첩이 왠지 신경 쓰였다. 황은 다시 돌아가 수첩을 집어 들고는 이리저리 살펴보았다. “역시.” “왜요, 아가씨?” 황이 확신에 차서 말했다. “이거 저하 수첩이야.” 그것은 후가 평소 보고 들은 것들을 기록하는 조그마한 공책이었는데 후는 어딜 가든 그 수첩을 들고 다녔다. 황은 주변을 자세히 둘러보았다. 진열대의 제품들은 모두 특정한 재료로 만들어진 것들이었다. 흙, 쇠, 돌? 이건 모두 저하가 잘 다루는 것들인데? 그럼, 이곳의 주인이 설마?

후가 주인일지도 모른다는 추측은 괜한 망상은 아니었다. 후는 사냥이나 달리기 같은 취미를 가진 여느 백호들과 달리 책이나 문구류 같은 소소한 것들을 좋아했다. 게다가 후는 세상 모든 동식물로 둔갑할 수 있으니 다른 신수로 위장해 주인 노릇을 하는 것도 가능한 일이었다. 결정적으로 황의 남다른 후각이 이 책상의 주인이 후라고 말하고 있었다.

황은 당황했다. 저하가 정말 문구점의 주인이라고? 궁금함을 뒤로 한 채 황이 조심스레 수첩을 열었다. 한 장만 달랑 남은 수첩에는 다음과 같은 글귀가 적혀 있었다.

<<내가 없어도 슬퍼하지 말기를>>

문구를 본 황의 심장이 갑자기 쿵쿵하고 사납게 방망이질 쳤다. 없어도 슬퍼하지 말라니? 이게 대체 무슨 일이람? 황은 잠시 눈을 감아 마음을 가라앉히고 어쩌면 좋을지 고민해 보았다. 이윽고 수첩을 챙긴 황은 작년에 생일선물로 받은 목걸이를 꼭 붙잡았다.

"참아, 집으로 가자."

목걸이는 황을 순식간에 할아버지가 있는 집으로 데려다주었다. 집에 도착한 황은 화조의 방으로 곧장 달려갔다. 화조는 어리둥절해하며 황을 맞았다. 황이 수첩을 보여주며 문구점에 서 있었던 일을 이야기하자 화조가 설마 하며 반문했다. "곧 즉위식인데 저하께서 그럴 리가 있느냐?" "제 말이 그 말이에요. 할아버지. 즉위식이 금방인데." 화조가 황을 안심시켰다. "걱정하지 말 거라. 볼일 보러 잠시 나가셨을 거다."

황은 자신이 후와 다투다가 심한 말을 해버린 사실을 털어놓았다. "실은···. 제가 저하랑 좀 다퉜어요." 둘 사이에 있었던 일을 알게 된 화조가 안타까워했다. "황아, 수행이 고된 것은 안다만 할아버지는 네가 친구들과 멀어지지는 않았으면 좋겠다." 황이 알겠다는 듯 고개를 조아렸다.

화조가 다시 황에게 물었다. "저하가 어디로 가셨을까? 짐작 가는 데가 있니?" 그러자 황이 확신에 찬 목소리로 화조에게 말했다. "저하는 분명 인계로 가셨을 거예요." "그래? 저하께서 인계로 가셨다? 흠···. 그럼, 모두가 알기 전에 네가 모셔 오면 어떠하겠느냐? 네 재주면 금방 찾을 텐데." 황은 눈을 아래로 살짝 내리깔며 머뭇거렸다. "할아버지. 제가 인간을 싫어하는 거 아시잖아요." 화조가 안타까운 눈을 했다. "그렇게 싫으냐?" 황이 이유를 댔다. "신수는 인간과 엮이면 꼭 골치 아픈 일이 생겨요." 화조는 황이 왜 그런 말을 하는지 짐작이 되었지만 모르는 척 대꾸했다. "그럼, 저하께서 마음 풀고 돌아오실 때까지 기다리던지."

황은 고민이 되어 어찌할 줄을 몰랐다. 그냥 모른 척 내버려두면 알아서 오시지 않을까 싶다가도 저하는 말을 함부로 뱉는 분이 아니라 스스로 돌아오실 것 같지 않았다. 무엇보다도 자신이 어릴 적에 청동거울로 인계를 보자고 저하를 꾀지만 않았어도 저하께서 저 정도로 인계에 시선을 빼앗기진 않았을 거라는 자책이 컸다.

황이 쉽게 결심하지 못하고 갈등하는 것을 보고 화조가 타일렀다. "여기서는 저하가 신경 쓰여 수행한들 아무 소용 없을 거다. 누가 아느냐? 인계에 다녀와서 수행이 더 잘 될지." 황이 화조를 물끄러미 보며 물었다. "정말 그렇게 될까요?" 화조가 미소로 황을 격려했다. "그럼. 할아버지를 한번 믿어보렴. 익숙한 풍경 안에 갇혀서는 절대로 깨달음을 얻을 수 없단다." 황은 결심한 듯 고개를 끄덕였다. "알겠어요. 할아버지. 제가 가서 저하를 모셔 올게요."

화조가 얼른 등을 떠밀었다. "그래, 잘 생각했다. 부딪혀봐야 결과를 알 수 있는 법이니. 그저 몸조심하려무나." "그럼 다녀올게요." 황은 수첩을 꼭 쥔 채 그길로 인계로 향했다.

그 시각. 인계는 짙은 안개가 깔린 봄날 아침을 맞이하고 있었다. 지각을 면하려고 부리나케 내리막길을 달리던 한 소녀는 슈퍼를 보며 우뚝 서 있는 남자를 보고 자신도 모르게 걸음을 멈췄다. 긴 흑발에 붉은 눈, 하얀 얼굴 가운데로 날렵하게 솟은 콧날. 소녀는 꿈인가 싶어 눈을 비볐다. 남자의 큰 체구에서 뿜어져 나오는 고고하면서도 위력적인 기운은 신성해서 경이롭기까지 했다.

세상에, 정말 저렇게 생긴 사람이 있다고? 가만. 근데 붉은 눈이라니? 소녀가 남자를 더 자세히 보기 위해 안개를 젖히고 다가간 순간 그는 어느새 작은 키에 검은 양복을 입은 중년이 되어 있었다. 남자는 고개를 돌려 소녀를 향해 한쪽 눈을 찡긋하고는 그대로 슈퍼 문을 밀고 안으로 들어가 버렸다. 소녀는 귀신에 홀린 듯 연신 눈을 훔치며 멍하게 서 있다가 머리를 짧게 한번 흔들고는 가려던 곳을 향해 다시 바쁘게 뛰어갔다.

슈퍼로 들어온 남자는 계산대에 서 있는 여인에게 말을 걸었다. “실례합니다. 한미선씨 계십니까?” 슈퍼 주인 미선이 고개를 돌려 남자를 보았다. “네, 전데요? 어떻게 오셨죠?” 남자는 미선에게 명함 한 장을 내밀었다. “한미정씨 일로 왔습니다.”

미선은 명함을 받아서 들었다. 금색 명함에는 프로듀서 서호라고만 적혀 있었다. 고개를 갸웃거리는 미선에게 남자가 용건을 말했다. “미정씨가 회사로 보내주신 데모곡이 마음에 들어 미정씨에게 연락을 드렸는데 첫 미팅을 앞두고 미정씨가 큰 사고를 당하시는 바람에 그만…. 아쉽게도 미정씨와 연락이 끊겼습니다.”

미정의 사고 얘기가 나오자, 미선은 표정이 어두워졌다. “아… 그러셨군요.” 남자는 잠시 애도를 표했다. “상심이 크시겠습니다. 고인의 명복을 빕니다.” 미선도 고개를 숙였다. “네. 걱정해주셔서 감사합니다.” 남자가 조심스럽게 본론을 꺼냈다. “실은 이번에 복귀하는 에이투지 앨범에 한미정씨의 곡을 넣고 싶은데 먼저 유족이신 미선 씨와 의논해야 할 것 같아서 찾아왔습니다." 에이투지라는 이름에 놀란 미선이 물었다. "제가 한번 곡을 들어볼 수 있을까요?" 남자는 순순히 핸드폰을 꺼내 재생 버튼을 눌렀다. 잠시 후 감미로운 여자 목소리가 잔잔한 선율을 타고 핸드폰에서 흘러나왔다.

낯선 하루의 끝에 언제나 너를 떠올려
우린 다른 시간 속에 살고 있지만
나는 언제나 너를 걱정해
마음을 담아 너의 행복을 응원해
나 이제 슬픈 기억을 거둬
함께했던 우리의 시간은
이젠 그냥 추억으로 남기고 갈게
그저 네가 아무 일 없기를 바라

노래가 나오는 동안 미선은 감정이 격해져 점점 목이 메어오는 걸 간신히 참아냈다. 남자는 다른 곡도 들어보고 싶다며 미선에게 연락을 부탁했다.

그 순간, 바깥에서 퍽 하는 소리가 들렸다. 급히 밖으로 나가보니 작은 새 한 마리가 유리창에 부딪혀 기절해 있었다. 새는 정신을 바로 차리지 못했다. 남자는 그 새가 봉황 가문의 후계, 황임을 알아보고는 급히 품에 안았다. '이런, 황아, 어떻게 된 거냐?' 새를 보는 남자의 두 눈에 걱정이 가득했다.

한참 뒤, 황은 붉은 광채가 얼굴을 비추는 느낌에 실눈을 떴다. 빛을 피하려고 몸을 틀던 황은 낯선 남자가 슈퍼 앞 평상에 앉아 자신을 내려다보고 있는 것을 보고 놀랐다. "정신이 드느냐?" 황이 움직이자, 남자가 얼른 말을 걸었다. 남자 입에서 신수의 언어가 나오자 깜짝 놀란 황이 혹시나 하고 물었다. "저하세요?" 그가 긍정의 의미로 붉은 눈을 반짝하고 드러내며 고개를 끄덕거렸다. 그랬다. 그는 후였다.

황이 가슴을 쓸어내렸다. "휴~ 제가 제대로 찾아왔군요." "여긴 어떻게 왔느냐?" 황은 묻는 말에는 대꾸하지 않고 서둘러 후의 팔을 붙잡았다. "저하, 이러고 계시지 말고 어서 돌아가요." 그런데 후를 붙잡은 황의 팔에 힘이 하나도 들어가지 않았다. 머리도 어지럽고 심장까지 벌렁거려 황은 능력을 쓸 수 없었다.

황이 재차 권능을 쓰려고 하자 후가 진정시켰다. "그만둬라, 황아. 넌 지금 힘을 쓸 수 없다. 여긴 아스파르와는 차원이 다른 세계라서 네가 적응하려면 시간이 좀 걸릴 것이다. 방금 머리를 좀 다치기도 했고." 그제야 상황을 이해한 황은 후에게 단도직입적으로 물었다. "저하, 기어코 인계를 택하신 거예요?" 후의 눈이 동그래졌다. "그게 무슨 소리야?" 황은 품에서 수첩을 꺼냈다. "이거요. 이거 저하가 지니고 계시던 거 맞죠?" 황은 문구점에 갔던 얘기부터 시작해 인계로 오기까지 자초지종을 설명했다. 황은 속히 돌아가자고 후를 채근했다.

황의 이야기를 모두 들은 후는 아찔한 얼굴을 했다. "그렇게 된 거로군. 걱정해줘서 고맙다만 자칫하면 네가 큰일 날 뻔했다, 황아." 그때 슈퍼 손님을 보낸 미선이 새가 괜찮은지 보려고 다가왔다. 황은 그녀가 청동거울 속의 여인임을 알아보았다. 후가 미선에게 말했다. "깨어났으니 큰 걱정은 안 해도 될 것 같습니다. 저~ 제가 새를 데려가 돌볼까 봅니다." "그러실래요? 그럼, 저한테 전에 쓰던 새장이 하나 있으니까 가서 가져올게요."

미선이 새장을 가지러 슈퍼 위층의 본채로 사라지자 황이 곧바로 질문을 쏟아냈다 "저하, 왜 그런 글을 쓰셨어요? 내가 없어도 슬퍼하지 말라니요? 정말 아스파르 대신 저 인간 여인을 택하실 생각이세요?"

후는 심각한 얼굴로 연달아 물어대는 황을 보고 웃음이 났다. 황은 겉으로 무관심한 척하면서 항상 남을 신경 썼다. 후는 황을 좀 더 놀려줄까 하다가 청동거울 속 여인이 얼마 전 문구점을 찾아왔었다는 얘기를 해주었다. 황이 놀라서 물었다. "저 여인이 문구점에 직접 왔다고요?" "아니, 청동거울 속 여인은 방금 저 여인의 쌍둥이 언니란다."

후는 평소 알고 지내던 청동거울 속 여인, 미정이 얼마 전 불의의 사고를 당해 죽었고, 슬퍼하는 동생, 미선에게 마음을 전하고 싶어 애가 탔다는 것, 저승사자가 <아스파르 문구점>에 가보라고 귀띔을 해주어 부리나케 문구점으로 왔다가 자신과 재회하게 된

일 등을 모두 말해 주었다.

황이 설마 하는 눈으로 물었다. "그럼 혹시, 수첩에 적어두신 글이 언니 미정씨의 소원인가요?" "맞아." "그런 어처구니없는···." 저하께서 가출하신 줄 알고 인계로 한달음에 달려왔건만 다 오해였다니. 그래도 가출 사건이 아니라는 게 천만다행이었다. 황이 안도의 한숨을 쉬다 말고 조심스럽게 후의 안색을 살폈다. "미정씨가 그리되어 많이 힘드시겠어요." 후가 힘없이 웃었다. "나보다는 미선씨가 더 힘들겠지. 나야 마음만 먹으면 세상 어디든 가는 백호잖느냐. 명계에서 종종 미정씨를 볼 수 있겠지. 그저 미정씨가 생을 다한 게 안타까울 뿐이다." 그 말을 하는 후의 시선이 먼 하늘을 향했다. 황이 물었다. "그럼, 여긴 미정씨 소원 때문에 오신 거겠네요?" 후가 순순히 대답했다. "그래."

황이 이때다 싶어 물었다. "저하는 어떤 식으로 손님들의 소원을 들어주시는 거예요?" 후가 어깨를 으쓱했다. "보통은 손님들이 자신의 바람을 잊지 않도록 절대 지워지지 않을 곳에 각인을 해주지." 황이 못 믿겠다는 듯 캐물었다. "그렇게만 해도 소원이 이루어진다고요?" "그래, 각인이란 목적지를 알려주는 좌표 같은 것. 자신의 바람을 위해 멈추지 않고 나아가는 자는 인간이고 신수고 할 것 없이 스스로 소원을 이룬다." 황은 인간들까지도 직접 해낸다는 말에 기운이 빠졌다. 아무래도 주작이 되는 관문은 스스로 통과해야 할 모양이었다.

갑자기 마음이 조급해진 황은 후를 재촉했다. "볼일 다 보셨으면 우리 인제 그만 가요. 이러고 있을 시간이 없어요. 곧 제 생일이 다가오고 저하의 즉위식도 코앞이니까요." 후가 황을 설득했다. "미정씨 소원이 마무리되는 것만 보고 가자. 안 늦을 거야." 황이 궁금해져서 물었다. "다들 알아서 해낸다면서 왜 이번에는 직접 인계로 내려오신 거예요? 미정씨 부탁이라서?" 후가 웃으며 말했다. "일종의 회원 우대랄까?" 황이 갸웃거렸다. "회원 우대요?" "농담이다. 간혹 문구점의 각인이 다른 사연과 얽힐 때가 있어. 그럴 때 나의 간섭이 필요하지. 조율은 나의 가장 큰 권능인 동시에 책무거든."

황이 잠시 머리를 굴리더니 다른 해결책을 내놓았다. "저하, 그럴 필요 없이 큰돈을 얻게 해주신다거나 잘생긴 남자 사람과 서로 반하게 한다거나 해서 동생분을 당장 행복하게 해주시면 어때요? 저하 실력이면 그 정도야 구름 위에서 재주넘기이잖아요." 후가 고개를 저었다. "상처를 그냥 덮어버리면 인간은 다시 힘들어져."

상처를 그냥 덮으면 인간은 다시 힘들어진다? 고개를 갸웃거렸다. 황은 후의 말을 다 이해할 수 없었다. 아스파르인들은 날 때부터 성숙했기에 서로에게 상처를 주는 일은 손으로 꼽았다. 후가 예를 들었다. "연을 생각해 보렴. 순풍보다 역풍에서 더 높이 날아오르지 않느냐? 인간도 그러하다. 상처를 마주 보아야 더 크게 성장한단다."

높이 나는 연이라. 황은 알 듯 모를 듯해 고개를 살짝 떨궜다. "아무래도 저는 최고의 신수가 되긴 글렀나 보네요." 황을 위로하려던 후가 갑자기 좋은 생각이 났다는 듯 뜻밖의 제안을 했다. "네가 날 좀 도우면 어떠냐? 그럼 더 빨리 돌아갈 수 있을 것 같다." 황이 고개를 갸웃거렸다. "제가요? 제가 어떻게 도와드리면 되는데요?" "너는 인간에게 복을 주는 상서로운 새, 봉황이잖느냐? 잠시만 미선씨 곁에 있어 주면 돼. 나도 매일 올 테니 걱정일랑 하지 말고."

황이 질색이라는 듯 고개를 저었다. "다른 봉황들은 어떨지 몰라도 저는 인간이랑 같이 있고 싶지 않아요." 후가 간절한 표정으로 물었다. "잠시 잠깐이면 되는데 어려울까? 내 충분한 보상을 하마." 황이 입을 삐죽거리며 본심을 툭 털어놓았다. "됐습니다. 여기서 주작의 검이라도 만들게 되면 또 모를까요." 후가 황의 눈을 맞췄다. "검을 못 만들까 봐 걱정되는구나?" 황이 고개를 끄덕였다. "네, 지금은 도저히 못 만들겠어요." 그 말에 후가 웃자, 황은 또 마음이 상했다. "절 무능하다고 여기셔도 어쩔 수 없어요." "아니다. 네가 솔직하게 말해줘서. 그게 좋아서 웃었어. 난 네가 솔직한 게 좋다. 그건 훤도 참도 마찬가지야." 황이 후를 살짝 흘겼다. "하지만 지난번에 화나지 않으셨어요?" 후가 반박했다. "그건! 그건 화난 게 아니라…." 황이 안 믿는 얼굴로 쳐다보자, 후가 솔직히 인정했다. "흠흠, 그래 그날은 내가 마음이 좀 안 좋았다. 네가 인간을 너무 깔보는 것 같아서 말이야." 후의 솔직한 태도에 황 역시 솔직해졌다. "맞아요. 제가 말이 심했어요. 억지로 누른다는 말에 욱해서. 제가 그만. 말이 너무 지나쳤어요. 정말 죄송해요." "아니다. 생각해 보니 나도 그날 참견이 과했다." 황이 정중히 사과했다. "앞으로는 조심할게요." "그래. 고맙다."

황이 화제를 바꿨다. "같이 있기만 하면 돼요?" 후가 끄덕였다. "그래. 미선씨 곁에서 위안이 돼주려무나." "그렇담 저하께 사죄하는 의미로 저의 힘이 돌아올 때까지 여기에 있을게요." "그 정도면 충분하다. 그래만 주면 네 검은 내가 도와주마." 그러자 황이 매우 기뻐했다. "정말요? 약속하신 겁니다?" "물론이지."

둘의 대화가 마무리될 무렵 미선이 새장을 가지고 평상으로 돌아왔다. 후는 미선이 가져온 새장에 조심스레 황을 넣으며 말했다. "이 아이를 잠깐 지켜보니 사람의 손바닥을 벗어나지 않는 게 누군가 키우던 애완조 같습니다. 주인이 찾으러 올지도 모르겠군요." 미선이 고민했다. "그럼 어떡하죠? 여기 그냥 잠시 둘까요?" "그게 좋을 것 같네요. 힘드시면 언제든 말씀하세요. 제가 데려가겠습니다." 미선이 잠시 황을 쳐다보고는 말했다. "네. 제가 데리고 있을게요." 미선의 승낙으로 황은 인계에서 잠시 지내게 되었다.

황은 낮에는 미선과 함께 슈퍼에서 시간을 보냈다. 미선의 동네는 아스파르보다 복잡했다. 슈퍼와 가까운 곳엔 너른 평상이 하나 놓여 있었는데 그 옆에 서 있는 배롱나무가 평상에 시원한 그늘을 드리우는 탓에 사람들이 종종 그 아래에서 쉬어가곤 했다. 그래서인지 작은 가게치고는 손님들이 제법 드나들었다.

황은 새장 안에서 틈틈이 명상하며 천천히 몸을 추슬렀다. 그러다 보니 황은 자신을 돌봐주는 미선에게 자연스럽게 눈길이 갔다.

미선은 항상 우울한 얼굴에 식사도 하는 둥 마는 둥 하고 밤에도 쉽게 잠들지 못했다. 그러다가도 가게에 손님이 오면 언제 그랬냐는 듯 상냥하게 응대했다. 친절한 건 손님들도 마찬가지였다. 그들은 미선이 밥은 잘 먹는지 잠은 잘 자는지 물으며 신경을 썼다.

후도 매일 손님으로 변장하고 슈퍼에 들러 미선을 살폈다. 하루는 옆집 할머니가 되어 미선에게 은근슬쩍 먹을 것을 권하기도 하고, 어떤 날은 청년이 되어 실없는 농담을 하면서 조금이라도 미선을 웃게 하려고 애썼다. 어느 날은 황을 구실로 말을 붙여올 때도 있었다. 노력하는 후의 모습을 보니 좋았다.

그나저나 미선은 왜 저렇게까지 슬퍼하는 걸까? 언니의 죽음이 미선에게 어떤 부채라도 남긴 걸까? 황은 미선에게 더욱 호기심이 생겼다.

인계에 온 지 나흘째 되는 날, 미선은 이제 새장을 시원한 배롱나무 그늘에 매달아두었다. 점심 무렵 황이 횃대에 앉아 바람에 실려 온 아카시아꽃 향기를 느끼고 있을 때 두 아주머니가 방금 산 콩나물을 다듬으려고 평상에 앉았다. 그중 한 아주머니가 말했다. "미선이 말이야. 전국 대회에서 처음 1등 했을 때 마을에서 축하 현수막도 걸고 그랬잖아. 근데 지금은 부상으로 가게나 보고 있으니 얼마나 속상할까?" 다른 아주머니가 잠깐 슈퍼 쪽을 흘깃거리더니 속삭였다. "저번에 물어보니까 부상은 벌써 다 나았대. 내가 볼 땐 지금 미정이 때문에 운동을 안 하는 것 같아." "미정이? 죽은 미선이 언니 말이야?" "그래. 부모님 돌아가신 뒤로 미선이가 언니를 많이 의지했잖아." "그랬지. 미정이가 엄마 몫까지 톡톡히 미선이를 챙겼지." "그런데 크게 한번 싸우고는 미선이가 먼저 연락을 끊었다더라고." "아휴. 그런 채로 언니를 보냈으면 마음에 한이 잔뜩 남았겠네." "그러니까 지금 저렇게 힘들어하는 거지. 그러게, 있을 때 잘해야 해." "그나저나 부모 형제 다 잃고 좋아하던 유도도 그만뒀으니 우리 미선이 딱해서 어떡하나." "어떡하긴 우리라도 오며 가며 챙겨야지. 미선이가 일절 내색은 안 해도 지금 속이 말이 아닐 거야."

그때 두 여인 중 하나가 턱으로 황의 새장을 가리키며 다시 말을 이었다. "그래도 다행인 게 저 새장 보면서 좀 웃기 시작하더라." 다른 여인이 끄덕였다. "새 돌봐주면서 조금 밝아지긴 했어." "저 새가 어디서 왔는지는 몰라도 참 반갑네, 반가워." 한바탕 수다를 떤 아주머니들은 다듬은 콩나물을 미선의 손에 쥐여 주며 저녁에 꼭 국 끓여 먹으라고 신신당부하고는 돌아갔다.

둘의 대화에 황은 그제야 미선이 왜 그토록 슬퍼하는지 알게 되었다. 언니와 준비 없이 이별한 까닭이었다. 미선을 이해한 순간 황은 가슴이 쓰라리고 손바닥이 저릿저릿해졌다. 익숙한 느낌이었다. 잠깐. 내가 이 느낌을 어떻게 알지? 어떤 기억이 황의 손에 잡힐 듯 말 듯했으나 황은 끝내 기억해 내진 못했다. 황은 참이라면 알지도 모른다고 생각하다가 갑자기 아스파르가 그리워졌다.

내가 지금 여기서 뭘 하는 거람? 새가 되어 그토록 상종하기 싫어하던 인간들의 말이나 엿듣고 있다니. 참 앞일은 신수도 모르는 거였다. 그래도 인간들이 서로를 아끼며 걱정하는 모습을 지켜보게 된 황은 자신이 그동안 인간을 너무 낮잡아 보았다는 것만은 인정하기로 했다.

처음으로 인간에게 복을 내리고 싶은 마음이 든 황은 그날 밤 세상 어디서도 들어본 적 없는 황홀한 목소리로 마을 사람들에게 노래를 불러 주었다. 그 소리는 애달프면서 또한 달콤했다. 매일 술로 밤을 지새우던 미선도 가만히 눈을 감고 노랫소리에 귀를 기울였다. 그날 미선은 언니가 죽은 뒤 처음으로 깊은 잠을 잤다.

아침이 되어 미선이 한결 맑아진 얼굴로 황에게 아침 인사를 건넸다. "너도 어제 그 오카리나 비슷한 소리 들었니? 끝내주더라. 꼭 무슨 천상의 음악 같더라고. 마음이 치유되는 기분이었어." 황은 어깨가 우쭐했지만 못 알아듣는 척 부리로 미선의 손을 콕콕 쪼았다. "너한테 말 거는 시간이 참 좋다. 예전에는 만날 언니 따라다니면서 종알거리곤 했었는데. 언니는 귀가 따갑다고 했지." 미선씨가 웬일로 언니 얘기를? 황이 놀라는 사이 미선이 말을 이었다. "언니 보고 싶다."

황은 문득 인간은 상처를 마주 보아야 성장한다던 후의 말이 떠올랐다. 미선이 드디어 그러기 시작한 거라면? 조만간 미정씨의 소원이 이루어질 가능성이 컸다. 모두에게 희소식이었다. 황이 지저귀지 않자 미선이 말했다. "그나저나 네 주인은 언제 널 데리러

오려나? 안 오면 그냥 우리 둘이 여기서 영원히 같이 살까?" 영원이라는 말에 황은 한 번 더 가슴에 통증을 느꼈다.

오후가 되어 미선의 친구 준혁이 슈퍼로 찾아왔다. 둘은 보자마자 반갑게 서로를 안았다.

미선은 슈퍼에서 시원한 맥주를 꺼내 준혁과 평상에 나란히 앉았다. 준혁이 안부를 물었다. "몸은 좀 어때?" 미선은 아무 일 아니라는 듯 말했다. "재활은 잘됐다는데 뭐가 문제인지 기술이 영 안 걸리네?"

맥주캔 모서리만 한참을 문지르던 준혁이 어렵게 입을 뗐다. "미정이가 그렇게 떠날 줄 몰랐어. 정말 안 믿긴다." 미선이 끄덕였다. "나도 그래, 난데없는 교통사고라니." 준혁이 미선을 위로했다. "미정이가 영국 가기 전에, 너 때문에 고민 많이 했어. 하지만 작곡은 미정이의 오랜 꿈이었잖아." 미선은 안다는 듯 고개를 끄덕였다. "그래. 알아. 나도 원래는 언니 꿈 응원했어. 그 꿈 꼭 이루라고 내가 다이어리에 언니 소원 새겨서 선물도 했었다?"

준혁은 용케도 다이어리를 기억했다. "아~ 그거? 그 다이어리 참 튼튼했어." 미선이 고개를 끄덕였다. "아스파르 문구점인가 하는 쇼핑몰에서 샀는데 거기서 산 건 이상하게 오래 쓰게 되더라고." 황은 졸면서 듣고 있다가 아스파르 문구점이라는 말에 잠이 싹 달아났다. 미선이 말을 이었다. "처음에 언니가 그 쇼핑몰에서 게르마늄 팔찌를 사줬는데 그걸 찬 뒤로 연습이 정말 잘 되는 거야. 언니랑 팔찌 덕에 국가 대표됐다고 농담도 주고받고 그랬어." 게르마늄 팔찌라는 말에 준혁이 웃었다. "문구점에서 그런 것도 팔아? 혹시 그 팔찌 미정이가 네 유도 친구들한테도 부적 삼아 하나씩 선물했던 그건가? 회원 할인받았다고 좋아했는데." "맞아, 그거야." 미선이 농담조로 말했다. "너 우리 언니를 좀 아는구나?"

준혁의 확 목소리가 낮아졌다. "미정이가 고등학교 때부터 나한테 많이 의지했었어. 이런저런 고민을 다 얘기하더라고." 미선은 씁쓸하게 웃었다. "나한텐 힘든 얘기는 하나도 안 했는데. 나보다 널 더 편하게 생각했나 보네." "자기 문제로 네 연습 시간 뺏긴 싫다고 하더라. 미정이는 항상 네가 우선이었어." 미선은 애써 눈물을 삼키며 말했다. "그러니까. 나밖에 없던 언니가 처음으로 자기를 위해 용기 낸 건데 난 거기다 대고 화만 냈어. 언니가 영국으로 떠나던 날 웃으며 보내지 못한 게 후회돼." 미선은 더 말을 잇지 못했다. 그러자 준혁이 미선의 등을 토닥였다. "많이 힘들지?"

그 말에 미선은 맥주를 한 모금 들이켜 눈물을 삼키고는 속내를 털어놓았다. "그냥. 너무 미안해. 마지막 날로 한 번만 다시 돌아갔으면 좋겠어. 그럼, 언니를 위해서 뭐든 할 거야." "너무 그렇게 자책하지 마." 준혁이 미선을 안아주었다. 한참 후 준혁이 물었다. "유품은 다 정리했어?" 미선이 고개를 저었다. "아직. 옷가지만 태웠고 나머지는 아직 그냥 뒀어." 준혁이 물었다. "다이어리도?" "그거 있는지 모르겠네? 찾기도 겁나. 언니가 나 뒷바라지하느라 너무 힘들었다고 써 놨을까 봐." 준혁이 조용히 끄덕였다. "그래,

힘든 기억을 굳이 들여다볼 필요는 없어." 미선이 갑자기 생각난 듯 말했다. "그러고 보니 기획사에서 언니가 만든 곡 보내 달라고 했는데." 준혁이가 충고했다. "조심해라. 요즘 사기꾼 많으니까." 미선은 걱정해줘서 고맙다며 웃었다. 준혁은 힘들면 언제든 전화하라면서 일어섰다.

둘의 모습을 지켜본 황은 미선의 연이 어제보다 높이 날아오른 것처럼 느껴졌다. 황은 미선이 조금만 더 힘내주길 마음속으로 응원했다. 횃대에 앉아 찬찬히 인계를 바라보니 곳곳에 피기 시작한 백일홍이 초여름의 시작을 알리고 있었다. 황의 몸도 거의 다 나아가고 있었다.

준혁이 가고, 며칠 사이 더위가 기승을 부리자, 황은 이제 본채에서 지냈다. 선풍기 바람을 쐬며 꾸벅꾸벅 졸고 있던 어느 날 미선이 결심한 듯 언니 방에서 상자 하나를 들고나왔다. 상자에는 미정의 노트북과 자잘한 문구류 그리고 금속으로 된 usb 하나가 들어있었다. 미선은 이건가? 하고 미정의 노트북에 usb를 꽂았다. 짐작대로 그 안에는 미정의 자작곡 파일이 있었다. 미선은 맨 위의 곡을 재생시켰다. 지난번 찾아온 프로듀서가 들려준 그 노래였다.

언니의 노래를 듣는 내내 미선의 얼굴에서 눈물이 속절없이 흘러내렸다. 노래를 듣는 황도 아주 오랜만에 어릴 적 헤어진 아버지가 그리워져 울고 말았다. 미선이 지저귀는 황을 보더니 새장 문을 열고 손 내밀며 물었다. "같이 들을까?"

새장을 나온 황은 미선의 어깨까지 폴짝 뛰어올랐다. 미선이 어깨에 앉은 황을 보며 말했다. "어쩔 땐 네가 꼭 말을 알아듣는 것 같다니깐?" 미정은 황과 함께 식탁에 앉아 미정의 곡을 몇 번이고 듣고 또 들었다.

노래를 다 들은 미선은 기획사로 보낼 곡을 고르고 난 뒤 천천히 휴대전화를 켰다. 핸드폰 안에서 미정이 밝게 웃고 있었다. 미선은 크게 심호흡을 하고 언니를 불렀다. "언니, 내 말이 전해질지 모르겠네? 우리가 좋아했던 그룹 있잖아? 에이투지. 그 회사 프로듀서가 언니 곡을 에이투지 복귀 앨범에 싣고 싶대. 축하해 언니. 언니가 해냈어."

미선이 목소리를 다시 잘 가다듬고는 말을 이었다. "그리고 진작 말하고 싶었는데 너무 미안해서 그동안 용기가 안 났어. 언니. 나 때문에 하고 싶은 일도 못 하고 살았지? 생각해 보니 우린 고작 1분 차이인데 언니는 마치 부모님처럼 나를 돌봐줬어. 새 한 마리를 키워도 수고가 필요한데 날 챙기느라 언니가 얼마나 힘들었을까. 나 마지막일 줄 알았으면 그때 화내며 보내지 않았을 거야. 미안해. 정말 미안해 언니. 부디 거기서는 내 걱정 하나도 하지 말고 편히 쉬어. 언니의 나머지 곡들 내가 세상에 꼭 내보낼게." 말을 마친 미선은 휴대전화 속 언니를 보며 보란 듯이 환하게 웃었다.

묵묵히 사과를 전한 미선은 드디어 미정의 유품을 정리하기 시작했다. 그러다가 다이어리를 발견하고는 열어볼지 말지 고민했다. 용기 내 다이어리를 읽던 미선은 무언가 떠오른 듯 다시 커버를 보았다. 한참을 보던 미선의 손이 떨리기 시작하더니 다시 다이어리를 앞뒤로 여러 차례 훑었다. 황은 무슨 일인가 싶어 다이어리로 날아가 고개를 빼꼼히 내밀어 들여다보았지만 무슨 영문인지 알 수 없었다.

그때 미선이 황을 보며 혼잣말을 내뱉었다. "어떻게 하지? 혹시라도 잘못되면?" 어쩔 줄 모르며 고민하는 미선의 눈빛을 본 순간 황은 알 수 있었다. 무슨 일인지는 몰라도 그 일은 미선만 할 수 있는 일이라는 것을.

망설이는 미선에게 지금 필요한 건 바로 누군가의 격려였다. 인계로 가보라고 등을 떠밀어준 할아버지처럼, 훤을 찾아가 솔직한 마음을 전하라고 말해 준 후처럼. 오늘은 미선이 할 일을 할 수 있게 자신이 그녀의 등을 떠밀어야 했다.

어떻게 할지 고민하던 황은 진심이 부디 미선에게 전해지길 바라며 목청을 가다듬고 그날 밤처럼 노래했다. 미선은 눈이 휘둥그레졌다. "그 천상의 소리가 너였니?" 황홀하고 긴 노래가 멎자, 용기를 얻은 미선은 황에게 말했다. "이제 알았다. 네 주인이 지금까지 안 오는 이유를. 날 위해 잠시 기다려주고 있나 봐." 미선은 어디론가 연락을 취하고는 다시 슈퍼로 돌아갔다.

몇 시간 후. 아무도 없는 미선의 집에 검은 모자를 눌러쓴 남자가 조용히 문을 열고 들어왔다. 남자를 본 황은 빽~ 하고 울었다. 남자는 아랑곳하지 않고 서둘러 미정의 방을 뒤졌다. 남자가 미정의 침대 밑에서 상자를 찾아내 내용물을 쏟아 마구 헤집자, 황은 더 크게 울었다. 황의 목청에 깜짝 놀란 남자가 방 밖으로 나오다가 현관문 앞에 서 있는 미선을 보고 흠칫 놀랐다.

미선이 남자에게 말했다. "문자 보내면서도 긴가민가했는데 정말 올 줄은 몰랐어. 준혁아." 준혁이 천연덕스럽게 머리를 긁적이며 말했다. "허락도 없이 들어와서 미안하다. 지난번에 안경을 두고 갔어. 너 일하고 있길래 그것만 얼른 갖고 나가려고 했지." 미선은 코웃음을 치면서 품에서 다이어리를 꺼냈다. "이거 가지러 온 거 아니고?"

준혁은 어리둥절한 표정으로 미선에게 말했다. "미정이 다이어리를? 내가 왜?" 미선이 받아쳤다. "내 말이. 준혁아 내가 이제야 기억났거든? 언니는 이거 받자마자 잃어버렸어. 근데 넌 어떻게 이게 언니 다이어리인 줄 아는 거니?" 준혁이 웃으며 말했다. "미정이가 들고 있는 거 봤다니까? 다시 샀나 보지. 왜 이래, 미선아." 미선이 고개를 저었다. 미선은 다이어리 커버 아래를 가리켰다. "구석에 찍힌 날짜 보여? 나는 각인 새길 때 항상 날짜를 남기거든."

준혁은 이해가 안 된다는 듯 반박했다. "그럼, 처음부터 잃어버린 게 아니었나 보지. 너 대체 나랑 뭐 하자는 거야?" 미선이 말했다. "나도 처음엔 없어졌다던 다이어리가 상자에 있길래 언니가 착각한 줄 알았어. 다이어리를 열어보기 전까지는." 미선이 단도직입적으로 물었다. "너 우리 언니 스토킹했니? 이것도 훔치고."

준혁이 화가 난다는 듯 말했다. "와~ 손님 있길래 조용히 물건만 찾아서 나가려고 했다가 도둑에 스토커로까지 몰릴 줄 몰랐다. 대체 무슨 근거로 이래?"

미선은 굽히지 않고 계속 몰아붙였다. "다이어리에 처음 보는 글씨로 그해 언니 일정이 전부 적혀 있어. 놀라운 건 영국으로 간 2년 동안 일정이 없다가 언니가 한국에 온 후부터 다시 기록되기 시작했다는 거야. 솔직하게 말해. 필적 감정할 거니까." 준혁이 눈을 내리깔고 조용히 따졌다. "그러니까. 내가 미정이를 훔쳐보고 그걸 그 다이어리에 다 써놨다? 너 무슨 탐정 놀이하냐?" 미선은 계속 몰아붙였다. "그거 아니면 이 모든 게 설명이 안 돼. 너 팔찌 얘기도 언니한테 들은 거 아니지?" 준혁이 바닥에 침을 탁하고 뱉더니 미선을 비웃었다. "미정이가 왜 너한테서 떨어지려고 했는지 이제 알겠네. 너 생사람 잡는 스타일이구나? 질린다. 진짜. 미안한데 미정이 사망 소식 듣기 전까지 난 미정이가 한국에 온 줄도 몰랐어. 사고 난 날 그 기획사 근처는 가지도 않았다고." 미선이 준혁을 가증스럽다는 듯 바라보았다. "기획사 간 줄은 네가 또 어떻게 알아? 사고 지점 사거리에 건물이 수십 개야." 의기양양하던 준혁의 표정이 순간 변하더니 고개를 푹 숙였다.

한참 뒤 얼굴을 들고는 미선을 향해 비릿한 웃음을 날렸다. "아이 씨. 그러니까 누가 위험하게 막 뛰쳐나가래? 내가 다 설명하려고 했다고." 준혁의 말이 끝남과 동시에 분노한 미선이 소리를 지르며 준혁에게 달려들었다. 유도로 단련된 미선이었지만 준혁의 힘도 만만찮았다. 둘은 엎치락뒤치락 몸싸움을 벌이다가 결국 미선이 계단 아래 마당까지 굴러떨어졌다.

그 광경을 본 황은 놀라서 삑삑 울어댔다. 미선은 바닥에 머리를 부딪쳐 그대로 정신을 잃었다. 준혁은 계단 아래로 내려와 미선의 손에서 다이어리를 빼어 들고는 뻔뻔하게 말했다. “미정인 피곤하게 도망이나 다니고. 너도 그래. 그냥 가만있으면 내가 어련히 알아서 이거 가지고 사라져 줄까. 나대긴 왜 나대?”

그때였다, 황의 비명에 집으로 뛰어든 후가 쓰러진 미선을 보고 준혁의 다리부터 붙잡았다. 그는 지난번에 온 프로듀서의 모습을 하고 있었다. “넌 또 뭐야?” 준혁은 후를 떨쳐버리려고 발길질을 해댔다. 후는 준혁의 다리를 꼭 붙잡고 놓지 않았다. 황이 소리쳤다. “저하! 저자가 바로 미정씨를 죽게 만든 자예요.”

준혁은 있는 힘껏 후를 발로 차내고, 씩씩거리는 숨을 몰아쉬었다. 황은 답답한 마음에 한 번 더 소리쳤다. “어서 권능 안 쓰고 뭐하세요? 계속 당하기만 하시잖아요.” 후는 준혁의 허리를 꽉 껴안은 채로 말했다. “좋은 말로 할 때 스스로 멈추어라. 내가 화나면 너에겐 죽음밖에 없으니.” 준혁이 코웃음을 쳤다. “뭐래, 이 땅딸막한 꼰대 새끼가. 죽긴 누가 죽냐? 어? 빨리 이거 안 놔?” 준혁은 자신을 끌어안은 후의 얼굴을 주먹으로 마구 때렸다. 후의 코에서 코피가 줄줄 흘러 얼굴은 이미 피범벅이었다. 황은 점점 잔인해지는 준혁의 행동을 보고 몸이 덜덜 떨리기 시작했다. 저 몹쓸 인간의 무자비함은 상상을 초월했다. 아스파르에서는 단 한 번도 본 적 없는 폭력적인 장면이었다.

그때 귓가에 후의 목소리가 크게 들렸다 “황아, 뭐 하느냐? 검을 뽑거라.” 검이라뇨? 검이 어디 있다고요? 추상같은 호령에도 불구하고 황은 두 다리로 연신 새장 문만 차댔다. 후가 다시 비틀거리며 일어나 끈질기게 준혁을 덮쳤다. 준혁은 후의 맹공에 맥을 못 추는가 싶더니 용케 후의 품을 빠져나와서는 후를 다시 마구 짓밟았다. 안절부절못하는 황에게 또다시 목소리가 들렸다. “서둘러라!”

후가 당하는 걸 더 볼 수 없었던 황은 목소리가 들림과 동시에 저도 모르게 자신의 날개를 창살에 대고 내리쳤다. 그 순간, 날개에서 불꽃이 일어나 거세게 뛰는 황의 심장과 공명하기 시작했다. “두근두근.” 불꽃은 심장박동에 맞춰 계속 크게 자라났다. 황은 혼란 속에 드디어 모습을 드러낸 힘을 바라보았다.

황은 그제야 알았다. 그토록 바라던 마음의 힘은 명상으로 얻는 무아지경이 아니라 오직 누군가를 진심으로 도우려 할 때만 얻어지는 보상이었다. 황은 불꽃을 자신 있게 검의 형태로 바꾸고는 날을 세워 창살을 쓱~하고 깔끔하게 잘랐다. 그러고는 새장을 빠져나와 거침없이 적을 향해 날아갔다.

황이 달려들자, 준혁이 팔을 뻗어 황을 움켜잡았지만 이제 황은 하나도 두렵지 않았다. 황은 그대로 준혁의 두 눈을 일자로 베었다. 준혁은 큰소리를 지르더니 본능적으로 눈을 감쌌다. 그 소리를 듣고 정신이 든 미선은 황이 깃털이 뽑힌 채로 새장 밖에 나와 있는 것을 보고 망설임 없이 달려가 엎어치기 한판으로 준혁을 넘겨 버렸다. 후가 질세라 준혁 위로 사뿐히 몸을 던졌다. 준혁은 다시 일어나지 못했다. 미선이 소리쳤다. "용서는 꿈도 꾸지 마. 이 더러운 스토커 자식아."

모두를 힘들게 한 하루가 지나간 뒤 드디어 아침이 밝았다. 후는 자신이 새의 주인이라며 젊은 남자의 모습으로 미선을 찾아왔다. 황과 미선은 그렇게 아쉬운 작별을 했다. 검을 만들어낸 황은 후와 함께 아스파르로 돌아왔다. 듣자 하니 미선은 운동을 다시 시작했고 준혁은 구치소에서 자꾸 맹금이 눈앞에 달려든다며 살려 달라고 빌다가 정신과 병동으로 옮겼다고 했다. 후는 무사히 즉위식을 치르고 왕이 되었으나 평소 하던 대로 문구점을 운영했다. 황은 훤에게 찾아가 솔직한 마음을 전했고 훤은 기다렸다는 듯 반갑게 황을 안았다. 모든 것이 아무 문제 없이 잘 흘러가는 듯했다. 딱 하나. 황의 검만 빼고.

어떻게 된 일인지 오백 살이 되고 며칠이 지나도록 황의 검이 사라지지 않는 것이었다. 봉황 가문에서는 황을 주작으로 인정할 것인지 말 것인지를 두고 날마다 갑론을박이 이어졌다. 가신들은 황이 반인반신이라 그렇다며 수런댔고 오직 가주 화조만이 '두고 보면 알 일'이라는 한 마디를 남기고 친우인 동현 선생을 만나러 삼신산으로 가버렸다.

정작 당사자인 황은 검을 얻은 사실이 그저 만족스러울 따름이었다. 세상에 꼭 필요한 존재가 된 기분이었다. 그토록 주작이 되길 원했던 황은 이제 주작으로 인정받지 못하더라도 크게 상관없을 것 같다는 생각마저 들었다. 황은 마음을 비우고 일상을 회복하기 시작했다. 약초를 키워 친구들에게 나눠주고 날씨가 좋으면 햇볕을 쬐었다. 그런 다음 좋아하는 나무 밑에서 명상하며 지냈다.

그렇게 한참의 시간이 흐른 어느 날, 황이 후의 문구점을 찾아왔다. 황은 자신의 검에 소원 문구를 하나 새기고 싶다고 했다. 후가 무슨 소원인지 묻자, 황이 고백했다. "잊고 있던 기억을 되찾았어요." 황의 고백에 후가 떨리는 목소리로 물었다. "무슨 일인지 자세히 얘기해줄 수 있니?" 황이 고개를 끄덕이며 검을 내밀었다. 후는 조심스럽게 검 끝을 잡았다. 그들은 황의 기억 속으로 빨려들어갔다

250년 전 도도산

"흑흑." 황을 찾던 휜과 참 그리고 후는 오동나무 아래서 울고 있는 황을 발견했다. 휜이 황에게 말을 걸었다. "황아, 왜 울고 있어?" 황은 그들을 보자 얼굴을 감싸고 곧장 그들에게 뛰어들었다. "내가 키운 약초를 나눠 주려고 청연이네 찾아갔는데 친구들이 나만 빼고 모여서 놀고 있었어요." 후가 물었다. "너만 빼다니? 왜?"

황이 울면서 고백했다. "내가 지난번에 청연이한테 심한 말을 했대요. 난 그냥 청연이가 한동안 마음이 힘들었다길래 네가 정말 죽을 듯이 힘들었으면 벌써 털어놓았을 거라고 했거든요." 후와

참이 이마를 짚었다. "아이고, 황아." "저런, 아가씨."

황이 모르겠다는 얼굴을 했다. "힘들면 속에 담아두지 않고 말하잖아요. 난 그래요." 그때 훤이 황의 편을 들었다. "그래, 넌 그게 매력이야." 그러자 참이 훤의 옆구리를 쿡 하고 찔렀다.

황이 후에게 물었다. "난 솔직하게 말했을 뿐이에요. 그게 잘못인가요?" 후가 고개를 저었다. "솔직한 건 좋은 거다. 그러나 기왕이면 사정을 살피면 더 좋단다." 황이 고개를 갸웃했다. "어떤 사정이요?"

후가 다시 차근차근 설명했다. "아픔을 이겨내는 법은 한 가지가 아니거든. 어떤 이들은 슬픔이 지나가고 난 뒤에 얘기하고 싶어지기도 한단다." 황이 비로소 알아들었다. "그렇구나." "그래, 앞으로는 친구가 말할 준비가 되었다고 하면 그때 네가 두 팔 벌려 안아주려무나." 황이 속상해하며 울었다. "흑, 나는 만날 친구들을 당황하게 만들어."

참이 황을 다독였다. "아니에요, 아가씨. 아가씨도 곧 잘하실 거예요. 필요한 건 단지 시간이랍니다." 황이 고개를 저었다. "흑흑 이게 다 아버지 탓이야. 나한테 아무것도 안 가르쳐 주시고 인계로 가셔서 그래. 그래 놓고 여태 소식도 없으시단 말이야." 황은 아버지와의 약속이 새겨져 있는 오동나무를 발로 툭툭 찼다. "아버지는 대체 언제 돌아오시는 걸까? 아무리 청동거울로 인계를 들여다봐도 아버지가 보이지 않으니 이젠 화가 나. 이따위 약속이 다 무슨 소용이람. 매일 오동나무에 물을 주며 기다려도 엄마 데리고 온다던 아버진 오시지 않고." 황은 손으로 계속 애꿎은 잎사귀만 뜯어댔다. 순간 약초밭이 무거운 침묵으로 가득 찼다.

훤이 말했다. "황아, 사실 우리가 여기 온 건…." 잠시 시간이 흐르고 후가 어렵게 얘기를 꺼냈다. "너에게 말할 게 있어." 황이 의아한 얼굴로 물었다. "왜요? 무슨, 일인데요?" 후가 어렵게 입을 뗐다. "인계에 가셨던 아버지가…." 그러자 참이 눈물을 참지 못하고 울기 시작했다. 황의 눈에 두려움이 번졌다. 후가 어렵사리 말을 이었다. "신력이 흩어져 그만 소멸하셨어." 황이 충격받은 얼굴로 말했다. "예? 신력이 흩어지다뇨? 그럴 리가. 저하 왜 그런 무서운 말씀을 하세요?"

황은 충격에 몸을 휘청였다. 훤이 얼른 황을 부축했다. 황이 후에게 화를 냈다. "그럴 리가 없어요. 저한테 무슨 장난을 치시는 건데요?" 후가 어쩔 수 없이 청동거울을 들어 황에게 보여주며 말했다. "할아버지께서 수습하러 인계로 가셨어. 아버지가 인간들이 모는 차에 그만 치이셨대." 황이 거울을 보았다. 거울 속에서 할아버지가 아버지의 옷을 안고 울고 있었다. 아버지는 이미 소멸해 버린 뒤였다. "어떻게 이런 일이…." 황은 길바닥에 흥건하게 고여 있는 아버지의 피를 보고 그만 혼절하고 말았다.

그 일 이후 황은 급격히 말수가 줄었다. 세 신수는 황을 위로하려고 애썼지만, 아무 말도 안 하는 황을 그저 지켜볼 수밖에 없었다. 그렇게 몇 개월이 지난 어느 날 약초밭에 불이 났다. 약초밭으로 뛰어 올라간 셋은 불타는 오동나무 앞에 서 있는 황을 보았다.

황이 오동나무에 불을 낸 것이었다. "거짓말쟁이. 꼭 돌아온다면서 왜 아직도 안 오는 거냐고, 나 이젠 더 이상 아빠를 기다리지 않을 거야."

저만치 떨어져서 황과 함께 과거를 지켜보고 있던 후는 불타버린 나무를 가리키며 물었다. "저 나무에 뭐라고 쓰여 있었는지 기억나?" 황이 고개를 끄덕였다. "내가 없어도 슬퍼하지 않기, 꼭 돌아올 테니까."

황이 후를 보며 말했다. "저하, 문구점에 일부러 수첩을 놔두신 거죠? 제가 혹시 기억을 떠올리지 않을까 해서요." 후가 고개를 끄덕였다. "오동나무가 불타고 난 뒤 너는 변했어. 슬픔을 숨기고 자꾸 괜찮은 척했지. 우리는 네가 본래의 모습을 찾기를 또 기억을, 찾기를 바랐어. 하지만 시간만 자꾸자꾸 흘렀고 너의 왜곡된 기억은 돌아오지 않았어. 그래서 우리 셋은 각자의 방식으로 네 곁에 남은 거란다. 네 기억이 돌아오길 기다리면서 말이야." "제가 아주 이상했어요?" "너답지 않아 걱정했어. 너는 슬퍼하는 아버지를 위해 꽃을 꺾어다 드리던 정 많은 아이였거든. 또 자신도 엄마가 보고 싶다며 울던 솔직한 아이였지." 후가 말을 이었다. "그러다 얼마 전 네가 나한테 인간을 좋아하다가 신력이 흩어져 소멸할지도 모른다고 했을 때, 또 참에게 명상 중 아이 울음소리를 들었다고 말했을 때 우린 드디어 네 기억이 조금씩 돌아오고 있다는 걸 눈치챘어. 그래서 다 함께 뜻을 모았지. 네 기억을 되찾아 주기로." 황이 그제야 깨달았다는 듯 말했다. "그럼, 그날 자세히 말해보라고 하신 게.” 후가 끄덕였다. “그래. 기억이 어느 정도 돌아왔는지 알고 싶었다.”

황이 물었다. “그럼, 휜도 참도 같은 마음이었던 거예요?” 후가 고개를 끄덕였다. “할아버지도 도우셨지.” “세상에.” “다들 속이느라고 혼났다. 휜이 가장 반대했어. 그러다 너랑 진짜로 헤어지면 누가 책임지냐고.” 황이 옅은 미소를 지었다. “어쩜, 전혀 몰랐어요.” “다들 널 위해 용기를 내기로 한 거야.” “감사해요. 인계에 다녀오지 않았다면 저는 그 울음소리를 계속 외면했을 거예요.”

후는 황의 표정을 살피며 조심스럽게 물었다. “기억 다시 찾은 거 후회돼? 아직도 널 두고 소멸하신 아버지가 원망스럽니?”

황이 고개를 저었다. “아니요. 아버진 절 버린 게 아니라 못 돌아오신 거니까요. 다신 아버지를 보지 못한다는 사실을 받아들였어야 했는데. 제가 오랫동안 용기가 없었어요.”

사실 황은 자신이 다른 신수들과 다른 것이 단지 반신이라서만은 아닐 거라는 것은 언제부터인가 짐작하고 있었다. 그럭저럭 무리를 흉내 내게 된 뒤에도 결국 그들에게 속하지 못했던 것은 현실을 있는 그대로 받아들이지 못해 어른이 될 기회를 놓쳤기 때문이라는 것을.

“그리고 아버지가 엄마를 왜 사랑했는지 이젠 조금 이해돼요. 인간들은 부족한 시간만큼 상대를 더 열심히 챙겨요.” “맞아. 인간은 최선을 다해.”

후가 물었다. “황아, 신수는 왜 오래 사는지 알아?” “아직 거기까진 모르겠어요.” 후가 답했다. “신수는 길 위에 삐져나온 돌을 빗겨 걷기보다 그 사연을 일일이 보듬으며 걸어간단다.” 황이 동의했다. “그러네요? 다들 저한테 그렇게 해주셨어요. 제가 몰랐을 뿐이죠.” 후가 환하게 웃었다. “기억을 찾은 거 축하해. 이제 훨훨 날 거라.”

황이 과거의 자신을 가리키며 물었다. “이제부터 저 아이는 상처를 똑바로 마주하며 살겠죠?” “그러겠지? 눈물이 나면 실컷 울고, 슬프면 그 슬픔이 끝장을 보도록 내버려둬라. 상처가 다 아물 때까지. 우리가 기다려줄 테니까.” 황이 웃으며 말했다. “그러다가 늦게 철들면요?” “괜찮다. 늦은 계절에 피는 꽃도 모자람 없이 제 시절을 누리다가 갈 것이다.” “그럼, 저 앞으로도 막 엄살 부려요?” “얼마든지.”

늦은 계절에 피는 꽃도 모자람 없이 제 시절을 누린다. 황은 왠지 그 말이 갈피를 잡지 못하고 헤매는 이들을 위해 보내는 신의 응원처럼 느껴져 가슴이 뭉클했다. 한바탕 장난 같은 대화를 주고받은 뒤 그들은 현재로 돌아왔다.

문구점으로 돌아온 그들은 함께 따뜻한 차를 마셨다. 황이 차를 한 모금 마시고는 잘못을 고백했다. “미정씨를 두고 하찮다고 한 말은 취소예요. 제가 나빴어요. 미정씨는 절대로 하찮지 않아요. 자신의 복수보다 남겨진 동생의 행복을 원했잖아요. 그 나쁜 자식 때문에 죽음에 이르렀는데도요. 저하가 개입해 주셨기에 그나마 그 못된 놈이 죗값을 치른 거죠." "미정씨 같은 고결한 이들의 소원을 들어주느라 내가 인계로 가는 걸 못 그만둔다."

후는 미정을 생각하니 슬퍼지는지 잠시 말을 멈추고 천장을 보았다. 잠시 뒤, 후가 눈물을 집어넣고 물었다. "검에 뭐라고 새길까?" 황은 말했다. "<잊지 않을게>라고 새겨 주세요. 어리석었지만 사랑받았던 시절을 잊지 않으려고요." 후가 알았다며 검을 들고 각인 기계로 가서는 정성스럽게 각인을 새겼다. 각인이 끝나고 나자 검을 감쌌던 붉은 검기가 점점 출렁이더니 거센 불길로 자라나 천장까지 치솟았다. 검은 문구점 안을 맴돌다가 황의 손바닥 안으로 스르륵 사라져 버렸다.

후가 황의 손을 보며 말했다. "너는 이렇게 주작이 되는 거구나." 황이 후에게 감사 인사를 했다. "다 저하 덕분이에요. 그날 저한테 검을 뽑으라고 안 하셨으면 오늘의 저는 없었을 테니까요." 후가 말했다. "너도 급했나 보더라. 한마디 하니까 얼른 뽑던데?" "에이, 겸손하시긴. 저하가 두 번이나 제 옆구리 찌르셨잖아요?" 후가 무슨 소리냐는 얼굴을 했다. "두 번? 난 한 번밖에 말 안 했는데?" 황이 되물었다. "예?"

알쏭달쏭한 얼굴을 한 황에게 후가 다가와 만년필 하나를 건넸다. "그나저나 황아, 이번에 새 각인 의뢰가 들어왔는데 말이야. 우리가 가봐야 할 것 같아." 황이 안 간다는 말 없이 만년필에 새겨진 소원을 보며 답했다. "어휴~ 이번엔 더 빨리 인계에 적응해야 할 텐데." "그럼, 이제 인계는 하루면 적응 끝이다." 황과 후는 웃으며 문구점을 나왔다. 누군가의 간절한 소원이 그들을 기다리고 있었다.

| 04 |

내 나이에서 20년을 빼기로 했다

이올라스

에세이

이올라스

1985년 서울에서 태어나 잠깐 인천으로 이사 간 뒤, 다시 돌아와 지금까지 살고 있으며 중증 우울증으로 인해 병원 가는 일만 빼면 밖에 나가지도 못하고 언어 구사 기능도 함께 떨어져 재활 차원에서 글을 배우기 시작했다. 8주동안 비록 힘들었지만 재미있었던, 그래서 또 글을 적어가는 전업 작가가 되기 위한 길을 걷고 있다.

내 나이에서 20년을 빼기로 했다

(부제 : 2회차 스무살 스트리머)

1부 : 지금의 내 모습이 만들어지기까지

이 나이 되도록 무엇을 한 건가

어느새 2024년이 되었지만 나는 방에서 나오질 못하고 병원에서 주는 10알이 넘는 약을 먹으며 버티고 있다. 그나마 나갈 때는 일렉기타 배우러 학원에 가거나 약 처방을 받기 위해 병원에 가는 것 외엔 아무것도 하지 못했다. 문토라는 모임앱을 통해 파티에 참여하면서 사람들과 교류하고 싶었지만 나가서도 결국 소파에서 술이나 마시고 아무것도 못한 채로 터덜터덜 집으로 들어가고 말았다. 학교에서는 따돌림과 폭력에 시달렸고 가족의 빚은 계속 늘어나고 있었고, 그걸 메꾸기 위해 소집해제 후 바로 취업전선으로 뛰어들어 6년간 CS업무를 했지만 나에게 돌아온 것은 PTSD, 우울 스펙트럼, 쇼크, 공황장애였다.

집 근처 정신과에 오랜 시간 다녔지만 차도가 없어서 강남세브란스에 가서 진료를 받았고 처방 받은 약은 10알이나 되었다. 밖에 나가기 어려웠지만 그나마 집에서 병원으로 가는 버스 노선이 있어 반복하다 보니 병원에 가는 건 겨우 적응되었지만 치료 부작용으로 언어구사 능력이 떨어졌고 CS라는 커리어가 있어도 말을 못하니 쓸모없는 사람이 되고 말았다. 그런 와중에 또 알콜농도가 40도 넘는 술을 진창 마셔대니 몸무게가 111kg에 달할 정도로 살이 쪘고 한 번도 느껴보지 못한 비만증세로 인해 몸의 고통은 극에 달했다. 삶을 포기하고 싶었다. 하지만 내 마음 속에서 SOS를 외치고 있었다. 나머지 삶은 포기할 거냐고.

떠올리기도 싫은 학교생활

지금도 그렇지만 정말 떠올리기 싫다. 초등학교 때 선생님이 나에게 책을 던지고 분노했던 일이 있었고 같은 반 학생이 상시 구타를 했다. 게다가 숙제 대리 같은 걸 시키면서 점점 내 마음에 고통이 스며들기 시작했다. 이에 대해 담임선생님에게 도움을 요청했지만 되려 '네가 수습해야지, 왜 그만한 일을 네가 수습하지 못하냐'는 핀잔과 함께 도움 요청을 무시했다.

정말 어디에서도 손을 빌릴 수 없었고 결국 내 학교 생활은 그렇게 잊지 못할 상처를 남긴 채로 졸업했다. 지금도 꿈에 학교가 나오면 바로 일어나서 나 혼자 소리지르거나 욕설을 하게 된다. 사실 이보다 더 디테일하게 적고 싶지만 아물지 않는 마음의 상처를 다시 끄집어 내기가 고통스럽고 힘들기에 언급조차 못하는 상태가 되었다.

사회를 배우다

아버지가 쓰러지고 사업도 실패하면서 온 가족이 빚을 청산하기 위해 집도 팔고 다니던 대학교도 그만 두고 생활전선에 뛰어들게 되었다. 그 동안 아버지는 빚을 갚으라는 독촉전화에 '어떻게 돈을 끌어 모을 수 있을까?' 하며 돈을 벌 궁리를 했고, 나 역시 사람을 무서워하고 일이 힘들어도 생활비와 빚을 갚아야 하기에 꾹꾹 참아가며 일을 했다. 내 능력을 벗어난 인바운드(고객이 회사에 도움 요청하는 파트) 뿐이라 일이 힘들어도 생활비와 빚을 갚아야 하기에 힘들면서도 꾹꾹 참아가며 일 열심히 하려고 야간근무도 자청해서 했는데 회사에서는 성적이 나쁘다며 말도 안되는 퇴직권유를 받고 결국 회사를 떠날 수밖에 없었다. 일을 구하기 위해 시에서 운영하는 개발자 코스를 다녔지만 그 마저도 따라가지 못해 포기했다. 그럴수록 돈에 대한 갈망이 명확해지고 돈이 없어 생활할 수 없음에 자괴감이 더 들 뿐이었다.

'나'라는 존재가 점점 사라지고 있다

집에서나 회사에서나 거기에 알맞게 움직여야 해서 '사회화'에 대한 요구와, '둘째 아들' 이라는 역할에 맞게 행동해야 하니 정작 나를 챙기지 못하고 그저 스케줄대로 움직이는 꼭두각시가 되어 버렸다. 결국 '나'의 자존감은 어느새 바닥이 나고 그저 '직원1' 또는 어린 아들로 남게 되었다. 그렇게 나와 맞지 않는 직장을 1시간이나 걸리는 통근시간을 꾹꾹 참아가며 일했지만 돌아온 건 **말더듬과 번아웃**이었다.

결국 밖에 나가지 못하는 사람이 되었다

밖에 나가서 걸어다닐 때마다 남들의 시선이 무서워 고개를 푹 숙이고 가다가 마침내 밖에도 안 나가는 백수가 되었다. 물론 이 시기에도 어떻게든 돈을 벌기 위해 재택근무 위주로 여기저기 신청했지만 그것도 프로젝트 형식이라 일감이 정해진 것이 없고 마감시간도 불규칙해서 계속해서 일을 할 수가 없었다. 그 외에도 인터넷 방송, 스마트스토어, 코인, 주식 등 여기저기 손을 뻗었지만 돌아온 건 **창업대출 2000만원이라는 빚** 뿐이었다. 생계를 위해 많은 나이에도 출근하시는 부모님의 뒷모습을 그저 바라볼 수밖에 없었고 나도 생계에 보탬이 되기 위해 집 근처직장에 지원했지만 불안증세로 인해 구직을 포기해야만 했다. 1인분이라도 하고 싶었기에 계속 구직을 했으나 이미 내 상황은 풀타임 8시간도 못 버티고 사람과의 관계도 무너졌다.

2부 : 나 스스로 일어서야만 했다

이렇게 살 수 없다 : SOS

집에만 있다 보니 부모님 낯을 보기 힘들었다. 부모님은 우리가 돈을 벌고 있으니 걱정하기 말라고 했지만 예순이 넘는 나이에 그 몸으로 고생하는 모습과 40이 넘는 나이에도 직업을 구하지 못하고 돈도 벌지 못한 채 내 마음은 피폐해지고 몸은 가누기도 어려울 정도로 비만이 심해졌다. 그제서야 '내가 심각한 상황에 놓였구나' 하는 것을 깨달았고 일단 구직은 뒤로하고 **살기 위한 전쟁**을 시작했다.

FC안양의 마스크맨이 되다

때는 코로나로 인해 무관중 시합만 보다가 겨우 관중석이 조금씩 열리기 시작했던 2020년 어느 날이었다. 그 때가 늦은 가을 오후 경기라 새벽 6시에 일어나 지하철을 두 번 갈아타고 또 버스를 타서 경기장 앞에서 내려 홈구장까지 걸어가야 했다. 도합 2시간 가깝게 걸려 도착, 그야말로 원정 아닌 원정길을 간 셈이 되었다. 출발 전에 유니폼과 머플러를 챙겼는지 그 외에도 응원도구가 따로 있는지 살펴봤고 마침 팀색깔에 맞는 루차 마스크(멕시코 레슬러들이 사용하는 복면)와 미리 만든 깃발을 들고 구장으로 갔다.

구장문이 열리는 시간이 경기시작 2시간 전이라 미리 예약한 티켓을 보여주고 레드 존(응원석)에 올라갔지만 거기엔 곧 누울 것 같은 햇빛과 산을 넘어 몰려오는 쌀쌀한 바람 뿐이었다. 그래서 안면을 다 가릴 수 있는 루차 마스크와 깃발을 정리하고 멍하니 앉아있던 도중에 사진기를 대포급으로 소지하고 있던 스텝분이 나에게 사진 찍어도 되는지 물어봤고 난 그저 구단에 사진 하나 보탠다는 마음으로 응해줬는데 그 사람이 스텝이 아닌 기자였었고 내 사진이 스포츠 신문에 걸리게 되었다.

사실 **공황장애**를 견뎌보고자(속마음은 눈에 뜨이고 싶어서) 마스크로 나를 가린 것이었다. 이후로는 맨 얼굴로 가려고 했는데 **'마스크맨'이라는 호칭이 붙으면서** 사진에 인터뷰까지 신문에 나와버리니 레드 존에 가는 내내 루차 마스크를 써야만 했다. 재밌었지만 마스크 특성상 숨쉬기도 힘들고 난시임에도 안경을 쓰지 못한 채 루차 마스크만 쓰다 보니 계단에서 내려가다 앞으로 나자빠지는 일도 있어서 다음번에는 '라식하고 오리라' 는 계획도 생겼다.

지금 돌이켜 보면 그냥 맨 얼굴로 가면 일개 FC안양팬 중 하나였을 텐데 오히려 멕시코 복면 레슬링 선수의 가면을 사용한 것이 너무 튀어 버린 것이었다. 그러다가 팬들을 결집하는 이른바 **총동원령**이 떨어져서 목동경기장으로 가야 했다. 도착하기도 전에 육체고 정신이고 다 소모되어서 이러다 길바닥에서 쓰러질 수 있겠구나 하는 긴장감 속에 겨우 가고자 했던 목동경기장 원정석에 앉아 멍하게 쉬다 경기가 시작되는 휘슬이 울리자마자 온몸이 자동적으로 반응하여 90분 내내 고래고래 소리 지르면서 응원하곤 했다. 그 때를 떠올리면 마음 속까지 FC안양이 차지하고 있었구나 하는 경험을 했다. 물론 FC안양이 이기고 집에 돌아갈 때 어쩌지 했는데 거의 부활한 것처럼 쌩쌩하게 집으로 돌아갔다. 다른 축구 팬들도 언제 다시 출동할 거냐고 안부 차 물어봤는데 이제는 경기장을 가기가 힘들어졌다. 올해도 경기장에 가고 싶지만 멘탈과 건강이 다시 회복되거나 다음 **총동원령**이 떨어질 때 까지는 집에서 경기를 보고 있다. 그저 FC안양 샵을 운영하느라 고생하는 구단을 살리기 위해 새 물건이 들어오면 카드 빛이고 뭐고 사들이고 있다. 그러니 제발 1부 가자.

<이럴 줄 알았다면 눈주변에 검은색 발라서 눈 부분을 강조했을 텐데>

나에게 희망을 안겨 준 삼바스쿨, 에스꼴라 알레그리아

FC안양이 좋아서 거기에 힘을 보태주자는 마음으로, 마침 삼바스쿨이 있다는 이야기를 듣게 되자 개인적으로도 브라질 리우데자네이루에서 카니발 시즌에 연주하는 '삼바 엔하두'에 빠져있던 상황이라 흥분되는 마음으로 삼바스쿨에 가입했다. 홍대 거리 낡고 허름한 건물 지하에 아지트가 마련되어 있어 한 주에 한 번 2~3시간 정도 합주 하는 거였다. 지칠 만도 하지만 되려 쉬는 시간이 아까울 정도로 열심히 합주 연습을 했다. 사실 내가 하고 싶은 악기가 있었지만 삼바 비트가 꽤 빠르고 그 비트를 쫓아가질 못해 결국 3번 큰북(보통 수루두라고 불림)을 맡게 되었다. 그 이후로 축구단에서 우리 삼바스쿨에 요청을 해서 올림픽 주경기장에서 공연도 하고,어린이날에는 어린이공원에 초청을 받기도 했고 소정의 금액도 받으니 좋아하는 일도 하고 알바비도 받고 그야말로 일석이조였다. 합주시간이 끝나면 바로 펍으로 가서 팀원들과 두런두런 이야기를 하곤 했다. 더욱 오래 이야기를 하고 싶었지만 지하철 막차시간이 다 되어 어쩔 수 없이 먼저 자리를 떠야 했다.

가끔 K리그에서 뛰기 위해 먼 거리를 달려온 브라질 선수들이 시즌 끝나고 에스꼴라 알레그리아에 와서 같이 브라질 음식도 먹고 연주도 했다. 다양한 사람들과 이야기를 나눌 수 있던 행복한 기회의 창이었다. 그러다 보니 거의 10년 가까이 활동했다. 아쉽게도 지금은 폐업해서 더이상 즐거웠던 순간을 만들 수 없지만 마음 속 한 켠에서는 행복했던 기억으로 자리를 차지하고 있다.

어? 이게? 되네?

원래 술을 거의 못 마시던 사람이었는데 5년 전부터 갑자기 위스키와 칵테일에 빠져서 스트레스를 풀기위해 40도가 넘는 술을 매일 즐기다 보니 몸무게가 100kg을 넘으면서 몸에 문제가 생기기 시작했다. 부종은 물론이고 화장실에서 뒤처리를 하는 것도, 경기장에 가는 것도 심지어 걷는 것조차 힘들어지니 이러다 내 생명까지 위험하겠다는 위기감이 들었다. 이런 저런 방법을 찾다가 마침 구 보건소에서 대사증후군 프로젝트가 진행중이라는 것을 알고 보건소에 도움을 요청했다. 혈액검사와 인바디 검사를 통해 내가 얼마나 망가져 있는지 적나라하게 나오니 그 동안 앞뒤 안 가리고 술을 마신 내 자신이 너무나 부끄러웠다. 그렇게 몸 상태 및 식단, 운동방법 등을 알려주셔서 내가 해볼 수 있는 프로그램을 공부하면서 찾아보니 **1일 1식**이 해볼 수 있는 방법이다 싶었다. 식사는 1일 1식 식단으로 정하고 운동도 무리하지 않는 선에서 30분이라도 **야외에서 걷기** 형식으로 플랜을 세우고 실천했다. 내 상태를 다시 살펴봤더니 점점 살이 빠지는 게 체감이 될 정도로 감량이 되었고 8개월만에 111kg에서 79kg로 줄어들어 나 조차도 믿기 어려운 결과를 보여줬다. 나를 전담하는 간호사님도 이런 경우는 처음 본다면서 매우 자랑스러워 하셨다. 부모님도 매우 기뻐

하셨다. 나 스스로 도전을 했고, 목표 이상의 결과를 보니 그제서야 '아, 나도 **할 수 있는 사람이었구나**'하는 것을 깨닫게 되었다. 물론 자신감은 덤으로 얻었다.

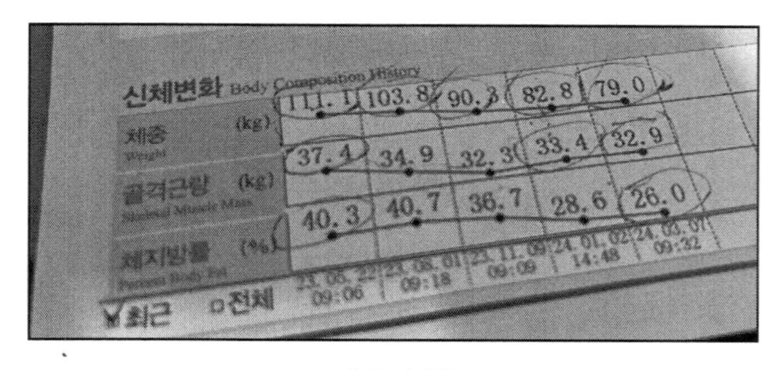

<진짜 되네?>

타로 카드를 통해 인생을 다시 보다

타로를 배운 이유는 직업으로 삼기 위해서지만 또한 타로가 말해주는 스토리가 흥미롭고, 한 팔을 타로 이미지로 채울 정도로 좋아해서 한 번 배워보자 마음으로 리엔 타로라는 곳을 방문했다. 타로를 배우고 수료증도 받아 이걸 수익화 하기위해 여기저기 운세 관련 회사에 입사 하고자 열심히 구직사이트도 찾아보고 내가 운영했던 스트리밍(인터넷 방송)에서도 이벤트 해봤지만 현실은 레드 오션을 넘어선 블랙 오션이었다. 거기에 신점 보는 사람도 많고 사주도 보는 사람도 많아서 말 그대로 '쌓여 있는' 환경이었다.

그렇게 타로 시장 진입에 실패하고 지인들의 요청으로 타로를 봐주는 수준으로 유지하고 있었지만 타로 상담을 통해 마음이 치유되는 내담자의 후기를 보며 되려 내담자보다 내가 더 치유 받는 경험을 하게 되었다. 그러다 타로 아이즈 우아현 대표님과 '타로'라는 개체를 통해 타로 샵을 어떻게 운영해야 하는지에 대해 배우면서 다시 타로에 대한 흥미가 생기기 시작했고 다음 글을 쓸 때는 이것을 테마로 배운 것을 참고해서 이야기를 만든다면 재미있겠다는 생각이 들기도 했다.

3부 : 벌어볼까? - 2회차 인생의 시작

나이는 속일 수 있다?

나를 힘들게 한 건 내 나이를 받아들이지 못하는 사회와 '그 나이에 아직도 일을 못하냐'는 핀잔을 들으면서 내 나이가 뭐라고 그런 말을 들어야 하는건지, 나이에 대한 고정관념은 나를 포함한 애매한 나이대의 사람들에겐 어찌 보면 하나의 속박으로 보인다. 그러다 보니 모든 사람들이 아예 나이에 대한 사전검열까지 하는 어찌 보면 나이에 갇혀버린 안타까운 상황이라는 생각이 들었다.

그래서 나이를 꼭 밝히는 것이 아니라면 **내 나이에서 20을 빼는 건 어떨까?** 라는 생각을 하게 되었다. 한 번 더 젊은 시절을 떠올리며 그 때 해보지 못하거나 놓친 것들을 다시 시도해보는 **2회차 인생**을 살아보는 것이다. 이 아이디어가 나온 이유는 따돌림을 당하고 선생님께 도움을 요청했지만 되려 혼나기만 했던 10대, 가정의 빚을 처리하기 위해 내 시간과 멘탈이 터지도록 일하다가 중증 우울증으로 약에 매달려야 했던 20, 30대를 보내며 그 고통스러웠던 순간들로 20년을 보냈기에 그 20세를 줄이는 시도를 함으로써 고통으로 인해 놓쳤던 시간과 그 가운데에 행복한 순간을 기억해 그 행복을 바닥에서 꺼내 새 인생을 만들어 가자는 것이다.

나쁜 기억도 있겠지만 **이럴 때 행복했었어, 같은** 좋은 기억도 생각이 나는 대로 단어건 문장이건 간에 적어보고 직접 해볼 수 있는 건 시도해보기로 했다. 오로지 나의 행복을 다시 찾아 보고자 한다. 그렇게 나라는 사람의 미로에서 탈출하기 위해 지금도 소득을 만들 수 있는 일을 찾고 있다. 그동안 놔두고 못했던 컨텐츠를 다듬어서 **2회차 인터넷 방송 진행자**로 데뷔하기 위해 준비 중이다.

스트리밍(인터넷 방송)을 다시 하는 이유

인터넷 방송이 좋은 이유는 스트리밍을 하던 시절이 행복했기 때문에 굳이 현실을 사는 나 자신을 드러내지 않아도 '부캐'를 통해 사람들과 소통이 가능한, 세상과 연결할 수 있는 얼마 없는 끈이기 때문이다. 한 장르에 갇혀 있지 않고 여러 컨텐츠 및 시청자와 교류를 만들어 다룰 수 있으며 무엇보다 바로 시작을 할 수 있을 정도로 세팅이 다 되어 있기 때문이다. 비록 하꼬(소규모 스트리며, 시청자 수가 적은 채널이지만 딱히 정해진 기준이 없다)로 다시 시작하겠지만 새로운 캐릭터로 방송을 재개할 생각만으로도 마음이 설렌다.

또 다른 나, 부캐 : 끌리는 인물 또는 내가 아름답다 생각하는 인물

부캐라는 단어는 게임계 커뮤니티에서 만들어진 단어다. 게임에서 자주 사용하는 **'주캐릭터'**가 있고 반대로 주캐릭터를 다 키우고 허무하거나 게임을 더 하고 싶어 다시 캐릭터를 만들어 놓은 것이 **'부캐릭터'**, 줄여서 '부캐'가 만들어진다. 스트리밍 컨텐츠에서 보는 '부캐'를 통해 또다른 **페르소나를 만드는** 작업이다. 아직도 부모님에게 매달려 사는 백수지만 나 만의 **'부캐'**를 통해 내가 하고 싶은 매력적인 사람으로 만들 수도 있다.

물론 또 다른 나의 모습을 만든다는 게 쉽지는 않다. 내가 말했던 20년을 되돌려서 이제 사회로 나온 시절을 떠올리면서 나를 불타오르게 하는 단어나 글귀를 정리해서 나만의 **'부캐'**를 만드는 것이 도움이 될 수도 있다. 뭘 치장하거나 외모를 꾸미지 않아도 된다. 어차피 나 자신이 있어야 부캐가 만들어지고 주캐가 단단하면 부캐도 탄탄하게 나온다.

너 자신을 알라는 소크라테스의 주장이 지금도 회자되는 것처럼 나 자신을 아는 것부터 시작이라고 보면 된다. '퍼스널 브랜딩'과 관련한 강연을 들으면 맨 처음부터 자기소개와 함께 나를 알아보는 시간을 빠지지 않고 거의 필수적으로 한다. 그만큼 '나'다움을 찾아보고 나와 부캐 간의 괴리감이 느껴지지 않도록 브랜드화 한다면 부캐로 활동하는 것이 오히려 본캐를 뚫고 부캐가 더 나아질 수도 있으며 그 과정에서 **또 다른 나를 발견**하고 수익도 본캐를 넘는 부캐가 더 얻을 수도 있다. 그래서 내가 선택한 캐릭터는 이올라스라는 이름을 가진 방구석 예술인이라는 컨셉이다.

스트리머? 그냥 데뷔하는 거 아닌가요?

그런 친구들도 많다. 하지만 대부분은 얼마 되지 않는 시청자와 소통이 되지 않아 그만두는 경우 역시 많이 봤다. 그렇게 흔들리지 않으려면 **플랜**을 짜야 한다. 예시를 들자면 부캐의 이름을 중심에 두고 마인드맵을 펼쳐서 특징 뿐만 아니라 어떻게 팬을 만들고 최종 목표인 **수익화**에 어떻게 접근할지 계속해서 고민해 보는 거다.

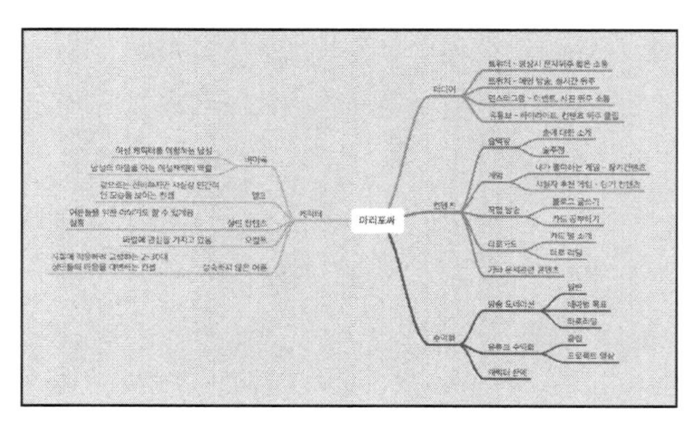

<이전에 했던 부캐 프로젝트 마인드맵>

단순하더라도 계획을 해서 만드는 게 좋은 것이 그저 상상속에서 벌써 성공할 생각에 김치국 먼저 먹는다면 문제가 생겼을 때 아무것도 못하게 되는 수가 있다. 또 평소에 열심히 하는데도 청자가 0명일때 그 외로움을 견디지 못해 졸업(버추얼 스트리머가 더 이상 활동하지 않는 것)하고 다시 현실로 돌아가는 일이 종종 있다.

물론 나도 저런 마인드맵을 가지고 본격적으로 스트리밍 플랫폼에 들어가서 마인드맵에 적힌 그대로 진행했고 나름대로 버티긴 했지만 결국 다시 재설계 하기로 하고 지금은 휴식 중이다.(졸업이 아니라 리브랜딩). 남들은 실패라고 말하지만 얻은 것도 많다. 그것이 후원이건 광고건 어쨌든 작긴 하지만 후원을 많이 받았고 무엇보다도 조그맣지만 10대 팬부터 40대 팬들까지 그리고 동료 스트리머와 함께 소통을 함으로써 요즘 트렌드를 따라가는데도 도움이 되었다.

부캐랑 수익화를 유독 강조하시는데 이유가 뭔가요?

사실 이 글을 쓰게 된 **계기** 중 하나로 더러 속물이라고 보일까봐 걱정되기도 했다. 하지만 가정의 빚에 허덕여 탈출 하고자 하는 몸부림으로 나이를 20년 줄이는 것도 부캐를 만드는 것도 책 만들기에 참여하는 것도 결국 일종의 **파이프라인**(돈이 들어오는 길)을 구축하기 위한 시도로 봐주시길 부탁드린다. 순수문학에서까지 감히 소득이나 수익화를 언급하는 것이 좋게 받아들여지지 못하는 경우도 있지만 클래스에 등록하는 것도, 글을 배우고 책을 내는 것도, 나라는 향기를 남기기 위해 사는 것도 결국 자신의 색채를 이용해 수익을 창출하는 것이라 생각하는 이유이기도 하다.

물론 꼭 스트리머가 되라는 것은 아니다. 세상엔 자신만의 성공을 이루는 길과 적성이 맞는 길이 있다. 그걸 찾기 위해 엄청난 비용과 긴 시간을 할애해도 성공이 보장되기 어렵기에 자신만의 스타일을 만들어서 사람들이 좋아하는 것과 함께 내가 좋아하는 것을 합쳐서 아이디어를 얻고 나도 모르게 시간이 훌쩍 지나는 경험을 해봤다면 이것을 메모해두고 어떻게 써먹을지 고민해서 준비한 이벤트를 공개해서 팬들에게 즐거움을 선 보인다면 그 걸로 밀어붙여야 한다. 스노우볼을 굴리자는 것이다. 무엇보다 일을 다 마치고 오는 공허함보다 익숙한 환경에서 한계 없는 성장을 시도하는 것이 더 좋아서 부캐라는 캐릭터를 만들어서 다시 시작하는, 이른바 경력 있는 신입이 되는 것이다.

4부 : 돈은 쉽게 꺼내지 않는다 - 스트리머 + 작가 루트

트위치 스트리머로써 1년 4개월 동안 게임, 타로, 시청자와 같이 대화를 나누는 컨텐츠를 통해 시청자들을 모으는 방식으로 어느정도는 수익이 들어왔지만 내가 사용하는 방송 플랫폼 중 하나인 '트위치'라는 사이트가 한국에선 더이상 운영 못하겠다면서 도망갔고 어느새 많은 시간을 들여 방송했던 1년 4개월이 그야말로 눈 녹듯이 사라져버렸다.

덕분에 강제 휴식을 가지는 시간이 되어 이 기간동안 인사이트를 얻기 위해 참고하고자 다른 대형 스트리밍 사이트를 찾아보는 동안 스스로를 되돌아 봤다. 처음부터 얼마 못 가서 채널이 망할까봐 플랜을 짜면서까지 데뷔했지만 내 집처럼 아꼈던 트위치라는 플랫폼이 사라지고 실패했던 순간을 떠올리며 방송을 망친 이유를 생각해봤을 때,

1. 수익화만 생각하다 보니 매일 방송을 해야만 했고,
2. 컨텐츠가 빨리 소진되어 나만 재밌는 방송을 하거나 매일 방송해야 했기에 스트레스로 지쳐버린 것이다.

그래서 다른 대형 채널들을 보면서 힌트를 찾았고 지치지 않고 방송을 계속 이끌어 갈 수 있는 기준을 새로 세웠다.

1. 시청자가 나의 **팬**이 되어주고
2. 그런 팬들이 모여 **커뮤니티**가 형성되고
3. 팬들을 즐겁게 한다면 팬들은 자신의 지갑사정이 좋든 안 좋든 **후원(도네이션)**에 참여 한다.

꼭 인터넷 방송이 아니라도 **나만의 컨텐츠**로 **팬**을 먼저 만들어

야 나머지는 팬들이 알아서 움직이기 때문에 다음 구상으로 넘어갈 수 있는 것이다. 컨텐츠나 이야깃거리가 소진되지 않도록 한 주에 한번만 방송하고 빈 시간은 책을 내기 위한 조사 및 원고를 작성해서 또 다른 컨텐츠를 생성하고 이걸 다시 방송에 오픈하고 한편에서는 책도 만드는 스트리머이자 작가로 삶을 만들고자 한다. 그렇게 나의 유산을 꼭 책이 아니더라도 차곡차곡 모으는 재미도 있겠다. 마치 달리기가 좋아서 여러 대회에 참가하면서 완주메달과 기념티를 박스에 가득 채우는 사람처럼 말이다.

한 스트리머와 깊은 정을 나누다

과거 라이브 스트리밍을 진행하던 중에 갑자기 채팅창에 '어 방송 그렇게 하는 거 아닌데'하면서 마치 어르신들이 훈수 드는 것처럼 이야기를 하는 사람이 있었다. 처음엔 저 사람은 뭐길래 그런 말들을 하지? 하고 차단을 하려는 찰나 생각해보니 타인의 피드백이기도 하고 문제점을 적나라하게 알려주니 잘 듣고 고쳐보자고 생각했다. 그 친구가 **'핫짜'**라는 스트리머였는데 내가 활동하는 플랫폼은 트위치(인터넷 방송 특화 사이트)였고 핫짜라는 친구는 유튜브에서 활동했다.

핫짜와 이야기 하면서 느낀 것은 이 친구의 스트리밍 분석하는 능력이 뛰어나다는 것이었다. 다만 몇몇 이슈에 대해서는 의견이 완전 반대성향이라 그리 오래갈 친분은 아니겠다 싶었지만 후에 그 친구가 사기를 당해 1억에 가까운 손실을 입고 멘탈이 완전히 나가 있는 상태여서 안타까운 마음에 일단 정신과에서 지금 상태를 점검하라는 말과 생활비로라도 써라 하고 10만원을 보냈는데 핫짜가 나를 시청자 중 하나로 보다가 같이 가야하는 **동반자**로 인식하기 시작했다. 지금은 방송은 잠깐하고 직장인이 됐지만 돈을 벌면 나에게 위스키도 사고 밥 먹으라며 소정의 금액을 이체해주기도 했다. 요즘엔 내가 백수이다 보니 핫짜가 어려울 때 내가 준 10만원에 어떤 마음이 되었을지 십분 이해할 수 있었기에 현실 친구로 맺을 수 있었다.

한 채널만 보지 않더라

내가 방송하지 않을 때는 다른 채널의 방송을 보고 있는데 내 방송에 자주 오던 사람들이 보였다. 심지어 친분 있는 스트리머끼리 레이드(일종의 시청자 몰아주기) 해줘서 시청자는 이어지는 다른 방송을 시청할 수 있는 것을 보았다. 심지어 한 화면에 8개의 채널을 켜서 시청하는 사람도 있다. 이 전에는 나를 팔로잉 해서 내 채널만 보는 건 줄 알았는데 그게 아니었다.

이런 스트리밍 생태계를 이해하지 못하면 레이드가 오는 것도, 레이드를 하는 것도 무용지물이 된다. 그래서 시간이 맞고 친분이 있는 타 스트리머가 있다면 넌즈시 요청을 해 볼 수도 있겠다. 하지만 레이드를 받았다고 그 시청자들에게 재미를 주지 못하거나 자신의 매력을 노출할 수 없다면 그저 시청자가 줄어드는 모습만 볼 수 밖에 없다.

나는 다행히도 핫짜와 방송시간에 맞춰 레이드를 하기로 해서 기존 핫짜 방송에서 내 채널로 온 시청자들과 이미 친분이 있어서 팬들과 소통하기가 매우 수월했다. 그래서 이 상황을 나는 **시청자 쉐어(공유)**라고 말한다.

방송도 힘겨울 텐데 글을 쓴다고?

예전에 한 번 방송을 켠 채로 서로 소통하면서 작업을 한 적이 있는데 시청자들도 **같이 방송을 보면서 일하거나 공부하면** 혼자 있는 것 보다 온라인이나마 같이 한다는 느낌으로 각자 공부나 일거리를 꺼내 같이 작업하는, 이 것도 방송이 되는구나 하는 것도 알게 되었다. 원고를 쓰는 모습을 보여주되 원고는 방송에 안 보이게끔 해서 같이 공부하는 모습을 보여주며 방송과 일을 엮어 시청자와 함께 글쓰기, 일감, 그리고 공부하는 방송도 유익하겠다 싶다.

글감은 어떻게 구하는 걸까

언제 한 번 브라질에서 온 퍼커션 마스터 발치뉴씨와 함께 술을 마실 기회가 있어 두런두런 이야기 하다가 갑자기 나에게 물어봤다. 너는 삼바연주를 할 때 다른 사람의 결과물을 참고해서 연주하냐고, 그래서 삼바 동영상을 참고해서 연습한다 하니 발치뉴가 **네 마음에서 우러나오는 연주**를 해라, 연주는 따라 할 수 있어도 그건 다른 사람의 곡을 연주하는 것이지 않나, 네 마음을 실어서 연주해보라며 그럼 알아서 잘 될 거라고 조언을 했다.

당시엔 그게 될까? 하고 이해를 못한 채 헤어졌는데 지금은 마음속에서 말하고자 하는 문장들을 놓치지 않도록 메모하고 그것을 어떻게 펼칠까? 하고 고심하는 시간이 많아졌다. 이미 다음 책과 그 다음 책의 주제와 장르가 정해졌고 그 이후에도 책으로 만들고 싶은 마음 속 울림에 집중하려 한다.

앞으로의 계획

먼저 브런치에 작가로 등록해서 통과된다면 바로 다음 작을 위해 공부하고 원고를 작성하면서 조금씩 에피소드 형식으로 책 내용에 맞는 글을 쓸 계획이다. 꼭 브런치 작가가 되지 못하더라도 글쓰기를 멈추지 않고 자비출판을 해서라도 고마운 분들에게 가능한 한 내가 지은 책을 직접 만나서 드리고 싶다.

가능할 지 모르겠지만 출판강연회나 초대를 받아 책의 내용과 깨달은 것들을 나눠보고 싶다. 굳이 강연이 아니라도 소규모로 책을 읽은 사람들과 함께 모여서 서로가 서로에게 느꼈던 점을 공유하는 이벤트를 열고 싶다. 그렇게 스스로 자존심(멘탈)을 채워서 다음 작품도 작업할 때 어떻게 채워야 할지도 모르고 글감도 떨어져서 힘든 것보다 내 책을 기다리는 팬들을 떠올리면서 글을 계속해서 적을 것이다.

글을 마무리 하며

1. 글감이 풍부하지 않아 아래로 갈 수록 **에세이가 아닌 실용서적** 같은 느낌을 줘서 정말 책을 많이 읽어야겠다는 깨달음을 얻었다. 짧은 글과 짧은 영상에 절여진 환경을 바꿔서 실용서적이 아닌 순수문학 위주로 책을 읽고 주변에 독서모임이 있다면 참여해보고 싶다. 그만큼 책은 지겹고 어렵다는 고정관념이 변했고 이 클래스를 통해 책에 대한 애착이 생겼다.

2. 첫 책이고 공동저서이기도 하고 짧은 공간을 내 원고로 채울 수 있을까 하는 불안함으로 작성을 시작했지만 하루에 한 장 원고 작성 만으로도 5000자가 넘는 글을 쓸 수 있었다. 그 빈 공간을 채울 수 있게 1인분은 한 것 같아 조금은 마음이 편해졌다. 프로젝트를 함께 달려온 수강생 여러분과 방현희 작가님에게 정말 감사드린다.

3. SNS를 하다가 광고가 나와 그냥 넘기려 했지만 **'그래서 왜 내 돈과 시간을 들여서까지 네 인생을 봐야 하지?'** 라는 카피에 뒤통수를 맞은 것처럼 큰 충격을 받았다. 그래서 원고 작성할 때 이 카피를 떠올리면서 적었다. 이 책을 쓰는 것도 책을 어떻게 짓는지 배우고 작문을 통해 내 언어기능이 치유될 수 있도록 하기 위해서였다. 겸사겸사 책을 수익화의 일원으로 접근했지만 그동안 내가

쓰고 읽었던 것들은 SNS에서 100~500글자 밖에 안되는 짧은 글인 데다 책도 문학 작품이 아닌 실용서적만 읽다 보니 내 글이 빈약해보여 계속해서 글쓰는 연습을 해야겠다는 결심을 했다.

4. 첫 페이지는 도저히 수정 할 수 없었다. 글을 쓰기 위해 고통받았던 그 시간을 다시 떠오르게 만들어 첫 페이지를 마주 하기 너무 힘들었다. 하지만 도입부를 적어야 했기에 그때를 떠올리고 글을 쓸 때마다 책상을 주먹으로 내려치면서 적었었다. 조롱과 차가운 시선 그리고 도움을 거절당한 이야기까지 말을 해야 하니 지금도 마음이 너무 아프다. 약을 먹어도 잊혀지지 않는다.

5. 정말 할 말이 많았다 보다. 문단 별로 따로 책을 내도 되겠다, 라는 생각이 들 정도다. 이야기를 하고 싶지만 말도 더듬고, 대화 중에도 무슨 이야기인지 잊어버리게 되어서 소통에 어려움이 있었기에 이런 책을 만드는 프로그램을 통해 내가 말하고자 하는 부분을 쏟아내다 보니 뭔가 대나무 숲에서 외치는 기분도 들었다.

6. 글을 읽는 독자가 누구인지를 정하지 못한 채로 글을 쓰다 보니 SNS를 잘 활용하는 어린 친구나 서브컬쳐를 잘 아는 사람들에게 대충 알아듣는 말을 굳이 이렇게 장황하게 쓰냐고 할 수도 있지만 아직 이런 컨텐츠에 익숙하지 못하는 독자라면 단어부터 막힐 수 있어 최대한 친절하게 알려주려다 보니 이도 저도 아닌

글로 보일수도 있겠다. 타겟을 미리 선정해서 글을 쏟아내듯이 적지 말고 계획을 세워서 탄탄한 이야기를 만들어야겠다.

7. 3편에서 스트리머와 작가로 나눠서 글을 쓸 때 작가 보다는 스트리머에 집중되어 있다. 그것에 대해 변명을 하자면 스트리머는 경력도 있고 이야기 할 것도 많지만 작가는 이제 시작인지라 작가로써 앞으로 어떻게 길을 걸어야 할지에 대한 정도로만 글이 끝나게 되었다.

| 05 |

초록색 고백 외 3편

이인영

소설

이인영

슬프고 아름다운 것이 삶이라면,
가려져 보이지 않는 어둠도 사랑하고 싶습니다.

유약한 이들이 속삭인다면,
커다랗게 귀를 열어 경청하고 싶습니다.

작고 새들한 존재가 머뭇거린다면,
가장 용감한 발걸음을 보태고 싶습니다.

부디 당신의 모든 날이 다정하기를 바랍니다.

초록색 고백

이름을 부르는 쪽에
이름이 저무는 쪽에

긴 문장을 새긴 채 대답을 비워둔다
벗어나려고 찾은 입구와
굳어지기 싫어하는 발목

여기는 거기가 아니라는 소리로
반복해서 찾아오는 기억에게 인사하며
받을 것이 없는데 사라진 표정을 기다린다
<도달할 미래> 中, 정영효

매미가 세상을 집어삼킬 듯이 울어대던 여름이었어. 장마가 끝난 뒤 본격적인 더위가 막 시작되던 8월의 초입이었지. 장맛비를 흠뻑 삼킨 나뭇잎들은 색이 너무 선명해서 손가락이 닿으면 초록색이 묻어날 것만 같았어. 국민학생이던 우리 마음도 그렇게 선명한 초록이었을까?

하정아. 내 기억이 맞다면 너의 이름은 김하정이었던 것 같아. 넌 내 이름을 기억할까?

우리가 다니던 국민학교는 88년 서울 올림픽 유치 계획에 따라 준공된 대단지 아파트 내에 있었어. 나를 비롯한 대다수 아이는 단지 내 아파트에 살고 있었지. 아파트 단지와 인접한 곳에 울타리 하나를 사이에 두고 비닐하우스가 있는 논밭이 있었는데 학교 정문을 나와 조금만 걸어가면 울타리 옆쪽으로 논밭과 연결되는 샛길이 있었어. 반 친구들 말로는 너희 집이 그 논밭에 있는 비닐하우스 중 하나라고 했어. 네가 정말 거기 사는지 본 적은 없었지만, 친구들이 하는 말들을 듣고부터는 너에 대해 호기심이 생겼던 것 같아. 비닐하우스에서 식물을 키운다는 것은 알았지만 사람이 살 수도 있다는 생각은 못 해봤기 때문이었어.

우리는 4학년 1반이었어. 말도 표정도 없이 창가 쪽 책상 두 번째 왼쪽 자리에 늘 앉아만 있던 너를 기억해. 같은 분단 네 번째 오른쪽 자리였던 나는 늘 너의 뒷모습만 볼 수 있었지. 그래서일까 네 말투와 목소리는 내 기억에 남아 있지 않아. 가끔 너를 생각할 때면 난 네 목소리가 궁금해지곤 해.

왜 말 한마디 붙여볼 생각을 못 했을까. 사실 많이 망설였던 것 같아. 반 친구들은 네가 사는 곳, 네가 입는 옷 등 단정하지 못한 네 모습을 두고 아무렇게나 거친 말들을 뱉어냈었으니까. 난 그 말들이 참 불편했었는데 넌 얼마나 싫고 아팠을까. 길바닥에 까맣게 눌러붙은 껌딱지처럼 네 마음에 검은 흉터로 끈적하게 남아있겠지. 생각 없이 질러대던 친구들의 모진 말들을 외롭게 견디고 있던 너의 등이 무척 시릴 것 같았어. 난 친구들의 말에 목소리를 보태지는 않았지만 내 눈빛과 시선은 이미 친구들과 같은 말을 하고 있었어. 나도 알고 있었어. 용기가 나지 않았던 것 같아. 너에게 간단한 말이라도 건네 볼 용기도 친구들의 말에 합류할 용기도 친구들을 멈추게 할 자신도 없었던 것 같아. 친구들이 던지는 말에 내 목소리를 보태는 것은 네가 너무 고통스러울 것 같아 할 수 없었던 것인지, 일말의 양심은 지키고 싶어 자신을 보호하고 싶었던 나의 이기적인 선택이었던 것인지 나도 잘 모르겠어. 아마 둘 다였던 것 같아. 그리고 너에게 말을 건네지 못한 것과 친구들을 멈추게 할 말을 꺼내지 못한 것은 친구들의 공격 대상이 내가 될까 두려워서였던 것 같아. 그 기저에서 나를 가장 괴롭히던 마음은 아마도 죄책감이었던 것 같아. 아무것도 하지 않았다는 것에 대해서 말이야.

어느 날 하굣길에 친구들과 집으로 가는 길이었어. 난 그날의 너를 잊을 수가 없어. 아니, 정확히는 그날의 네 표정이 잊히지 않아.

나와 눈이 마주쳤을 때 네 눈빛은 도와달라는 말을 하는 것 같았어. 너는 그 말을 차마 입 밖으로 꺼내지 못하고 꽉 다문 입안에 가두고 있던 것 같았지. 난 매일 지나다니던 길이 너무 낯설게 느껴졌어. 구원을 바라는 너의 눈빛이 나를 적막 속에 가둔 것 같았거든. 고막이 터질 듯 시끄럽던 매미 소리와 다르게 난 모든 감각이 차단된 것 같은 적막을 느꼈지. 난 그 순간의 감각을 너무 생생하게 기억해. 너도 그랬을까?

나와 함께 걷던 아이들은 네가 사는 곳을 확인하겠다며 너를 따라가자고 했지. 깔깔대며 뒤를 쫓는 아이들이 너를 향해 내뱉던 사나운 말투에서 혐오와 멸시가 느껴져서 난 한여름에 춥기까지 했어.

"야, 쟤 신발 봐. 더러워."

"아 진짜 더럽네. 야 옷도 그래 잘 봐봐~"

"야야 빨리 따라가자. 쟤 저기로 내려가는지 봐야 해! 야 쟤 진짜 비닐하우스 사나 봐!"

넌 얼마나 무섭고 모욕적이었을까. 나는 어떤 말도 하지 않았지만 아무 말이라도 해야 했어. 그런 걸 아마 방관이라고 하는 거겠지. 맞아. 난 무력한 방관자였어.

몇 해 전 초등학생이던 딸아이가 친구들과의 관계에서 어려움을 겪은 적이 있었어. 딸을 포함한 네 명이 사총사라며 자기들끼리 돈독하게 지내더라고. 그러다가 어느 날부터 갑자기 한 아이가 차가워지기 시작했대. 우리 딸은 정확한 이유도 알 수 없었는데 말이야.

사총사 중 한 명이 시작했지만, 나중에는 세 아이 모두 우리 딸을 조금씩 외롭게 했어. 그래서 딸이 오해라면 풀어보고 싶어 친구들에게 대화를 시도했지만 잘되지 않았던 것 같아. 요즘 아이들의 세계는 온라인이 실제 세계만큼이나 중요해서 딸아이는 하교 후에도 카톡으로 이어지는 네 명과의 관계에서 풀지 못한 이야기로 힘들어했어.

혼자 소외되는 딸아이를 보며 은근한 따돌림이 얼마나 외롭고 아픈 것인지 알 수 있었어. 딸아이를 소외시키는 세 명 중 적어도 한 명은 어릴 적의 나처럼 방관을 선택했겠지. 나는 너무 도와주고 싶었지만, 딸아이는 원하지 않았어. 나 역시 고민되었지만, 섣부른 개입이 딸아이에게 더 큰 상처를 줄까 조심스러웠어. 도움이 필요하면 꼭 엄마한테 말하겠다는 약속을 받고 담임 선생님께 사실을 알린 후 나는 한 발자국 멀리서 지켜보았지. 딸아이는 2학기 개학과 동시에 있었던 그 일로 한참을 힘들어하다가 학기 말에 겨우 관계를 회복하게 되었어.

나는 딸아이가 통과하는 적막을 지켜보는 것이 힘들었어. 우리 딸아이는 그 중심에 있었으니까 더 괴로웠겠지. 그 일을 겪고 보니 나는 자연스럽게 네 국민학교 3학년 여름도 생각하게 되었던 것 같아. 적막과 모욕을 견디던 너의 국민학교 3학년이 얼마나 아프고 외로웠을지 생각하면 방관과 회피를 선택했던 내가 너무 수치스러워.

방관자. 방관자가 무엇을 뜻하는지 알지만 난 내 눈으로 그 뜻을 직접 확인하고 싶었어. 그 무서운 단어를 사전에서는 뭐라고 하는지 읽어보며 나 자신에게 벌을 주고 싶었던 것 같아.

방관자 傍觀者

어떤 일에 직접 나서서 관여하지 않고 곁에서 보기만 하는 사람.

나는 작은 소리로 따라 읽었어. 그랬더니 정말 벌을 받는 느낌이 들더라. 소용돌이처럼 휘몰아치는 불안 속에 잰걸음을 걷는 너와 뜨거운 8월에 차갑게 식은 얼굴로 너의 뒤를 걷는 멍청한 방관자인 나를 느낄 수 있었어. 온몸에 열이 나더라고. 그때의 내가 너무 수치스럽고 바보 같아서. 그리고 너에게 너무 미안해서.

보내지도 않을 편지에 이제야 고백하는 내 말들은 용기가 없었다는 핑계 뒤에 숨어 비겁한 방관자를 택한 나 자신에게 하고 싶은 말인지도 몰라. 네게 용서를 구하는 것이 우선이지만 내가 나를 용서하는 것이 네게 용서를 구하는 용기로 이어질 수 있을 것 같았어. 보내지 않을 편지에 말하는 것은 오지 않을 답장도 포함하겠지. 이렇게 보낼 수도, 받을 수도 없는, 공중에 부서지는 독백 같은 편지로 용서를 구해서 미안해. 이렇게라도 내 마음 전하고 싶었어. 아주 오래전의 일이지만 '방관'이라는 단어가 내 기억 깊숙한 곳에 부조된 것 같아. 물론 그 이후에도 난 방관자였던 적이 있었겠지. 하지만 어릴 때의 기억이란 게 훨씬 선명할 수 있잖아. 어쩌면 난 그날 이후 죄책감이라는 강렬한 감정으로 오랜 시간 괴로웠던 것 같아. 이렇게 첫 기억부터 써가다 보면 내가 왜 부당한 일 앞에서 회피를 선택했는지 알 수 있을 것 같았어.

오늘은 8월의 초입이야. 하정아, 요즘 너의 날들은 어떻게 흘러가는지 궁금하다

무더위가 시작되는 8월이면 늘 네가 생각나. 내가 감히 너의 근황을 궁금해해도 되는지 모르지만 이제 너의 여름은 거멓게 타버린 것이 아닌 선명한 초록이 형형한 날들이길 바라.

정연이가

장소 없는 장소

자기 이외의 모든 장소들에 맞서서, 어떤 의미로든 그것들을 지우고 중화시키고 혹은 정화시키기 위해 마련된 장소들. 그것은 일종의 반反공간이다. 아이들은 그것을 완벽하게 알고 있다. 그것은 당연히 정원의 깊숙한 곳이다. 그것은 당연히 다락방이고, 더 그럴듯하게는 다락방 한가운데 세워진 인디언 텐트이며, 아니면-목요일 오후-부모의 커다란 침대이다.

미셸 푸코, <헤테로토피아>

꿈속의 꿈

찢어질 듯한 쇳소리가 날카롭게 선영의 귀를 파고들었다. 눈을 떠보니 사위가 어둡게 내려앉았다. 소리의 정체는 키 큰 나무의 우듬지에 앉아 울고 있는 커다란 새였다. 공기가 매우 습해서 바람을 타고 날아온 나뭇잎이 끈끈해진 피부에 달라붙었다. 불과 몇 분 전까지 선영은 꿈속에서 낯선 곳을 어지럽게 헤매는 중이었다. 이곳은 어딜까.

선영은 눈이 어둠에 익숙해질 때까지 기다리자, 주변이 조금씩 보이기 시작했다. 발을 떼지 못하고 제자리만 빙빙 돌았다. 온통 빽빽한 나무들뿐이다. 하늘을 올려다보니 쏟아질 것 같은 별들이 빼곡하다. 마치 칠흑 같은 바다 위에 보석처럼 박혀있는 오징어잡이 배의 불빛 같았다. 바람에 스치는 나무가 이리저리 휘청이는 모양은 거인의 춤 같았다. 나뭇잎은 자기들끼리 비비며 소리를 내는데 선영에게는 그 소리가 몹시 스산하게 들렸다.

어떻게 이곳에 닿게 되었나. 기억을 더듬어보지만, 어찌 된 일인지 알 수가 없다. 조심스럽게 걸음을 떼는데 묵직한 것이 발길에 차인다. 발아래로 내려다보니 색이 바랜 조악한 배낭 하나가 보인다. 낯선 듯 익숙한 가방이다. 선영의 것이었다. 아니 정확히는 꿈속의 선영이 메고 있던 가방이었다. 배낭을 열어보니 노트북과 텀블러 하나가 덩그러니 있다.

와이파이가 연결될 것 같지 않았지만, 선영은 일단 노트북을 꺼내 전원을 켜본다. 전원을 켜자마자 종료되지 않은 문서가 하나 열렸다. 열린 문서는 신기하게도 꿈 밖에서의 선영이 작업하던 소설이었다. 선영은 소설 작업을 하며 여러 번의 갈등이 있었음을 기억했다. 선영이기 이전에 엄마이자 아내, 딸, 며느리, 선생님 등 여러 겹의 페르소나로 분주했기 때문에 온전한 소설 작업을 위해서는 그 모든 역할 안에서 충돌하고 갈등해야만 했다. 그러다 보니 소설 작업은 1년이 넘도록 중반부를 넘기지 못하고 있었다. 이 문서는 선영의 것이 확실했다.

선영은 헷갈리기 시작했다. 이쯤 되니 지금의 상황이 꿈인지 현실인지 도저히 분간할 수 없었다. 미세한 두통이 느껴져 앉을 곳을 찾아야 했던 선영은 크고 울창한 나무로 빼곡한 숲과 시꺼먼 하늘을 구분할 수 없어 허공에 손을 저으며 앞으로 나아갔다. 사위는 무척 고요하면서도 아주 시끄러웠다. 정체를 알 수 없는 온갖 생명체들이 자신들의 살아있음을 증언하는 소리가 숲 안에 가득 찼기 때문이었다. 아주 느리지만 매우 바쁘게 자신이 해야 할 일들을 하는 것 같았다. 살아있음을 증언하는 소리.

선영은 그 소리가 마치 자신이 작업을 하는 순간의 감각과 비슷하리라 생각했다. 느리고 지난하지만, 어느 때보다 강한 에너지를 느낄 수 있는 순간이 자신이 작업을 하는 동안이라는 것을 생각했기 때문이었다. 선영에게는 그것이 바로 자신이 살아 있음을 증언하는 소리였다.

제법 크고 평평한 바위를 찾은 선영은 자리를 잡고 앉았다. 이곳이 어디인지 왜 여기에 있는지 생각하는 것은 나중의 일이었다. 문서가 열렸으니, 작업을 완성하는 것이 우선이었다. 꿈속에서는 길을 헤매느라 배낭에 메고만 다녔고, 현실에서는 자유롭지 못했던 돌봄의 굴레로 작업을 완성할 수 없었다. 아무도 없는 지금이 절호의 기회였다. 선영은 눈을 감고 사위를 에워싸는 온갖 소리를 감각했다. 피톤치드로 가득한 공기를 폐 깊숙이 들이마셨다.

서서히 말들이 흐르기 시작했다. 삼키고 삭히던 말들, 발화되지 못했던 심연의 소리가 하나둘씩 문서 위에서 춤추기 시작했다. 부유하던 생각과 말들은 정리되어 문장이 되고 갈피를 찾지 못하던 나선의 문장들이 선형의 형태로 가지런히 자리 잡았다. 완성이다.

거실

선영은 꿈속의 꿈 이야기를 완성했다.

꿈속의 꿈 이야기가 완성된 곳은 숲이 아닌 거실이다. 정확히는 거실 한가운데 자리 잡은 식탁. 선영의 집에서 식탁은 자기력이 작용하는 공간이다. 식사는 물론이고 아이들의 공부와 작은 대화를 나누는 시간, 넷플릭스 시청 까지 모든 것이 이루어지는 공간이기 때문에 구성원을 끌어당기기도 하고, 하루를 마무리하는 밤이 되면 각자 방으로 흩어지기 때문에 구성원을 밀어내기도 하는 공간이다. 이 모든 것이 이루어지는 복잡하고 포괄적인 식탁 위에서 선영이 가장 위시하는 것은 식탁 위 한 구석 선영의 작업 공간으로서의 모퉁이다. 모두의 공간이자 돌봄의 영역인 식탁, 모두와 일부를 아우르는 그 결핍의 귀퉁이에서 선영은 매일 갈등하고 창작한다. 희와 비가 교차하고 애와 증이 공존하는 모두이자 일부인, 합집합이고 교집합인 식탁에서 선영은 생명력이 넘치는 에너지로 살아 있음을 느낀다. 넘침도 부족함도 없이 잉여와 결여 사이의 어딘가를 유영하면서.

내 속엔 내가 너무도 많아서

내 속엔 내가 너무도 많아서 당신의 쉴 곳 없네
하덕규 작사/작곡, <시인과 촌장>

느지막이 교실 문을 열고 들어오는 지훈은 평소와 다름없이 잔뜩 속이 상한 얼굴이다. 초등학교 3학년인 지훈이는 기쁜 날도 많지만, 슬픈 날이 조금 더 많은 편이다. 지훈이가 슬픈 이유는 다양하다. 그날 무슨 일을 겪었는지, 친구가 무슨 말을 했는지, 자신이 좋아하는 만화 캐릭터를 두고 친구가 거슬리는 말을 했다든지, 집에 가고 싶다든지 혹은 그냥 특별한 이유 없이 등 너무 많아서 선영은 지훈에게 슬픈 이유를 반드시 묻지는 않는다. 선영은 지훈을 살피고 달래 주어도 소용없다는 것을 이제는 안다. 그리고 자신의 마음이 지훈의 기분과 같지 않음을 알기에 일단 지켜보기로 한다.

살피고 달래고 싶은 것은 선영의 마음이고 그것이 지훈에겐 섣부른 친절일 수도 있기 때문이다. 지훈은 슬프다가도 곧잘 기뻐기도 했는데 잦은 감정의 변화가 힘들어 보이지는 않는다.

먼저 등교해서 구구단 학습지를 풀고 있던 진우는 교실로 들어서는 지훈을 보자마자 달려 나간다. 아침 등교 후에는 교실에 앉아 선영이 나눠주는 학습지를 푸는 것이 원칙이지만 지훈을 보면 하던 것을 멈추고 달려 나가는 진우로 인해 조용하던 교실이 어수선해진다. 집중이 흐트러진 반 아이들은 선영의 눈치를 본다. 선영은 아이들이 지훈과 진우의 행동을 보고 선영의 눈치를 본다는 것이 무엇을 의미하는지 알고 있다. 다른 아이들에 비해 집중 시간이 짧고 돌발 행동을 보이기도 하는 지훈과 진우를 보는 반 아이들의 시선에는 긴장과 호기심이 미묘하게 교차하기 때문이다.

지훈이와 진우에게는 특별한 능력이 있다. 감정의 기복이 잦은 지훈은 말과 표정으로 마음의 표현을 아끼지 않는 능력이 있고, 말하는 것을 좋아하는 진우는 마음의 소리를 실시간 언어로 생중계하는 능력이 있다. 지훈과 진우 모두 능력이 과하게 표출될 때는 제어를 위해 선영의 개입이 필요하다. 지훈은 약한 자폐가 있고, 진우는 최근 ADHD 진단을 받아 상담 치료를 받고 있다. 지훈과 진우 모두 증상이 약한 편이라 일상생활에 아주 큰 지장은 없지만 주의가 필요한 경우이다. 선영은 지훈과 진우의 이런 진단을 치료가 필요한 증상으로만 보고 싶지 않았다. 생각을 조금만 전환해 보면 그것은 증상이 아닌 특별한 능력으로 보였기 때문이다. 물론 지훈과 진우에게 치료가 필요 없다는 것은 아니지만 병리적 인식의 틀 안에 지훈과 진우를 가두고 싶지 않았다. 우리 모두는 비슷한 듯 보이지만 분명한 차이는 있다. 지훈과 진우도 비슷한 듯 다른 다양함 중 하나일 뿐이라고 생각했다.

"지훈아, 내가 포켓몬 그려줄까?"

이면지를 들고 와서 눈을 맞추지 않는 지훈을 들여다보며 진우가 묻는다. 지훈의 반응이 영 시큰둥하니 이번엔 지훈이 좋아하는 파란색 색종이를 들고 온다.

"친구야, 잠깐 기다려 봐, 내가 대왕 딱지 접어줄게!"

번잡스럽게 움직이는 진우의 행동에서 지훈을 향한 애정이 느껴진다.

지훈의 마음을 유난히 살피는 것을 보니 진우도 지훈이의 마음이 어지러운 상태라는 것을 아는 것 같다. 지훈은 금세 기분이 나아지는 듯 보인다. 선영은 지훈과 진우는 슬픔과 기쁨을 표현하는 것에 유능한 아이들인 것을 안다. 친구의 기분을 알아봐 주고 기쁨도 슬픔도 서로 나눠 가지는 일. 그것이 서로에게 얼마나 큰 위로가 되는지 부지런히 아끼고 사랑하는 행위로부터 자연스레 알게 된 것이다.

업무를 보는 척하며 유심히 지켜보던 선영은 지훈과 진우에게 수업 첫날부터 빠지지 않고 지켜오던 규칙들을 이야기한다. 규칙은 세 가지다.

하나. 교실에 들어오면 선생님과 친구들에게 눈을 맞추며 인사한다.

둘. 자기 자리로 가서 가방 정리 후 바르게 앉는다.

셋. 선생님께서 주시는 구구단 학습지를 한다.

어려운 규칙은 아니지만 지훈과 진우에게는 기본적인 규칙도 버겁게 느껴질 수 있다는 것을 선영은 알고 있다. 그러나 혼자서는 살아갈 수 없는 것이 인간이기 때문에 선영은 지훈과 진우가 자신이 가지고 있는 특수성을 지키면서도 타인들과 잘 지낼 수 있도록 연습하기를 바랐다. 건강한 자존감을 길러야 출렁다리처럼 흔들리는 세상에서 자신을 잘 지켜낼 수 있기 때문이었다. 선영은 오늘도 지훈과 진우가 세상을 향해 나아가기 위해 용기 있게 배우고 익혀가는 모습을 섬세하게 관찰하며 작은 응원을 보탠다.

한편 대부분의 아이들은 이런 지훈과 진우가 조금 낯설다. 지훈과 진우도 때때로 친구들이 보이는 불편한 시선을 알고 있고 그것에는 애정이 부족하다는 것을 본능적으로 아는 것 같다. 선영은 그런 관계가 그 둘을 더 불안하게 한다는 것을 알기 때문에 종종 생각이 많아진다.

어느 날 지훈은 무엇 때문에 화가 난 것인지 갑자기 발을 세게 구르며 눈물을 왈칵 쏟는 돌발 행동을 보인 적이 있었다. 2교시와 3교시 사이 쉬는 시간에 있었던 일이었다. 자유 놀이로 쉬는 시간을 보내던 아이들의 시선은 순식간에 지훈에게로 쏠렸고 교실에는 정적이 흘렀다.

"선생님, 지훈이 왜 저래요?"

궁금함을 참지 못한 진희가 선영에게 묻는다. 지훈이 무엇 때문에 발을 구르며 울음을 터뜨린 것인지 물어봤지만, 진희가 진짜로 알고 싶었던 속내는 지훈이 보통의 아이들과 다른 이유가 무엇인지 선영이 말해주기를 바란다는 것을 잘 알고 있다.

"선생님, 재 원래 저래요. 작년에도 그랬어요." 선영이 지켜보는 사이 작년에 지훈과 같은 반이었던 유준이 기회를 잡아 이야기한다. 선영은 지훈에게 화가 난 이유를 묻지만 대답하지 않아서 더 이상 물어보지 않는다. 지훈이 안정될 때까지 기다려 줄 뿐이다.

새 학년이 시작되면 으레 하듯 <나를 소개합니다>라는 학습지를 완성한 날이 있었다. 나를 소개한다는 활동이지만 나에 대해 알아가는 과정의 일부일 수도 있는 활동이었다. 한창 자아가 확장하는 시기라서 몸의 변화도 생각의 변화도 너무 많고 빨라 자기 자신에 대해 잘 모르고 지나갈 수도 있기 때문이었다. 선영은 활동지를 검토하는 중 '내가 하고 싶은 말'이라는 질문에 답한 지훈과 진우의 문장을 읽은 날을 잊을 수가 없다. 삐뚤빼뚤 연필을 쥔 손에 잔뜩 힘을 주고 썼던 지훈과 진우의 마음은 이랬다.

'실수해도 괜찮아.'

'우리 잘 지내자.'

지훈이 '실수해도 괜찮아'라고 쓴 마음에는 친구들의 눈에 낯설게 보이는 자기 행동이 실수라고 생각했고 그래서 조금 외로웠던 자신을 스스로 보듬는 건강함이 느껴졌다. 진우가 '우리 잘 지내자'라고 쓴 것에는 하고 싶은 말이 너무 많은 진우가 부담스러워서 멀어진 친구들에게 전하고 싶었던 진우의 속내가 느껴졌다. 선영에게는 실수로 외로웠던 지훈의 마음과 친구들과 잘 지내보고 싶었던 진우의 마음이 너무도 온전하고 순수하게 다가왔다.

반의 모든 아이와 잘 지낼 수는 없지만 서로의 작은 결핍을 알아보았던 지훈과 진우는 요즘 둘도 없는 친구가 되었다. 어쩌면 지훈과 진우는 서로의 모습에서 자기 자신을 보는지도 모르겠다. 그것은 마치 거울 속에 있는 내가 낯설게 느껴지는 순간과 비슷하다고 해야 할까. 거울 속에 비친 나도 나 자신이고, 그것을 바라보는 나도 나 자신이지만 그 둘이 너무 다른 사람처럼 느껴져 눈, 코, 입 하나하나 자세하게 탐색하며 어색해진 나 자신에게 하고 싶은 질문이 많아지는 순간 말이다. 지훈과 진우는 <가시나무>라는 노래의 가사처럼 자기 안에 있는 수많은 자아를 마주하지만, 서로를 위한 쉴 곳은 아낌없이 내어놓는 중인지도 모르겠다.

선영은 늘 교사로서의 사명이 무엇인지 고민한다. 교사와 많은 아이와의 관계에서 신중해야 하는 말과 행동은 무엇인지 매일 배우고 성장한다. 그리고 배움은 아이들로부터 시작되는 것 또한 안다. 선영은 자기가 해줄 수 있는 것은 아이들을 향한 관심과 애정이 전부인 것을 확인한다. 수없이 넘어지고 구르며 남긴 상처들에 새살이 돋아날 즈음 또 다른 상처를 남기면 서로를 보듬고 살펴 쉴 곳을 내어주던 그 힘으로 세상을 딛고 나아갈 마음의 탄력을 쌓아가길 응원해 주는 것 말이다.

잃어버린 가제 수건

진실을 회피하지 않고 대면하려는 삶에서도
내밀한 상상을 간직하는 일은 필요하다.
상상은 도망이 아니라, 믿음을 넓히는 일이다.
한정원, <시와 산책>

띵동띵동띵동!!!

이른 아침부터 요란하게 울리는 초인종 소리에 민영은 숨고 싶어진다. 같은 아파트 옆 라인 3층에 사는 이웃집 여자 다희가 눌러대는 소리였다. 남편이 출근하는 7:30분이 지나면 어김없이 민영의 집으로 찾아와 초인종을 눌러댔다. 민영과 다희는 같은 관사에 산다. 남편들이 근무하는 직장에서 제공하는 관사였다. 같은 회사 같은 부서에서 근무하다 보니 남편들의 출근 시간이 겹쳤다. 다희의 남편 성우는 얼마 전 승진해 민영의 남편과 같은 부서의 차장으로 부임했고 민영의 남편 지오는 같은 부서의 과장으로 있다. 지오의 대학 선배이기도 한 성우는 매일 아침 지오의 차로 함께 출근한다.

민영보다 한 해 먼저 결혼한 다희는 얼마 전 난임 진단을 받았다. 민영은 올해 결혼하고 6개월 만에 임신이 되어 현재 임신 3개월 차에 접어들었다. 아직은 초기 단계라 안정을 위해 몸을 아껴야 하는 상태였다. 다희는 아이가 생기지 않아서 스트레스를 받아왔는데 최근 난임 진단을 받은 후부터 더 불안한 모습이었다. 얼마 전 성우를 통해 민영의 임신 소식을 알게 된 다희는 민영에게 카톡으로 커피 교환권과 함께 축하 메시지를 보냈다. 다희의 메시지에는 민영을 향한 질투심과 안정되지 않은 마음이 고스란히 드러났다.

"민영씨 임신했다며. 축하해~ 임신 초기에 유산 가능성도 높다는데 조심해야겠네.

근데 유산되면 어떻게 하는 거지? 그래도 수술 하나?

입덧은 안 해요? 입덧하면 먹고 싶은 것도 못 먹을 텐데 힘들겠다. 아무튼 축하해요."

카톡 창에 뜬 메시지를 한참 들여다보던 민영의 눈동자가 복잡한 마음으로 흔들렸다. 다희의 메시지에는 민영을 향한 축하의 마음보다 민영이 유산되기를 바라는 희미한 바람이 드러나는 것 같았기 때문이었다. 민영은 다희의 비뚤어진 마음이 선연하게 드러나는 것 같아서 기분이 언짢았다. 그리고 어쩐지 이런 기분이 뱃속의 태아에게 전달이 될 것만 같아 벌써 아기에게 미안한 마음이 들었다. 민영은 임신 초기라 커피를 중단하고 있어서 다희에게 받은 커피 쿠폰을 점심시간에 마시라며 지오에게 보냈다.

그 메시지를 보낸 이후 다희의 행동은 점점 더 과감해졌고 민영의 심기를 불편하게 했다. 이를테면 민영의 집에 들어와서는 묻지도 않고 집안 곳곳 부부의 방까지 탐색하듯 둘러보고 새로운 장식품이나 미리 선물 받은 아기 물건이 있으면 이리저리 만져보고 뒤집어보는데 그 손길이 조심성이 없고 거칠었다. 식탁에 앉아서는 의자 한편에 있는 민영의 가방을 들고 뭔가 찾는 것이 있어 자기 가방을 뒤지듯 이리저리 뒤져보기도 했다. 어쩌다 남편들이 야근하는 날이면 다희는 밤 10시가 넘어가도록 집에 돌아갈 생각이 없어 보이기까지 했다. 임신한 탓에 졸음이 쏟아지고 피곤함이 가시지 않던 민영은 스트레스가 지속되면서 아랫배가 뭉치는 것 같아 불안하고 힘들었다. 민영은 그런 다희의 무례함이 점점 견디기 힘들어졌다. 게다가 아침마다 민영의 집으로 찾아왔던 다희는 민영이 내놓는 과일이며 쿠키, 커피를 채우기가 무섭게 먹고 마시고는 하소연을 늘어놓았다. 이야기의 대부분은 임신이 되지 않는 것에서 오는 걱정과 불안, 관사에 사는 다른 동료 가족들의 육아를 봐야 하는 것에서 오는 박탈감, 다른 관사 가족들의 외모나 입는 옷들을 두고 말하는 의미 없는 비난들, 늘 바쁜 남편에 대한 불

만들이었다. 다희는 그렇게 비슷한 말을 매일 같이 반복했다. 귀에 딱지가 앉도록 듣는 다희의 부정적인 말에 민영은 갈수록 힘들어졌다. 불편하다며 그만 찾아오라고 할 용기도 없었고 정중하게 거절할 말을 찾는 것은 더욱더 어려웠다. 누군가에게 이런 심경을 토로하고 싶을 때 민영이 가장 먼저 떠올린 사람은 남편 지오였다. 그러나 이런 복잡한 마음을 지오에게 말해봐야 이러지도 저러지도 못할 게 뻔했기에 지오의 마음만 더 불편해질 것 같았다. 관사에서 잘 지내오던 남편 동기 와이프에게 털어놓을까 생각하다가 관사 특성상 비밀은 없을 것 같아서 그마저도 포기하게 되었다.

'알아도 모르는 척, 몰라도 모르는 척, 귀 닫고 입 닫고' 이것이 관사에서 비교적 무탈하게 지낼 수 있는 최선의 방법이었기 때문이었다. 민영은 다희를 볼 때마다 제 기분에 제가 휩쓸리는 모습이 상대에게 어떻게 보일지 전혀 생각하지 않고 사는 사람 같았다. 민영은 현재 다희가 겪고 있는 어려움을 최대한 존중해주려고 했지만, 다희의 태도에서는 그런 것을 찾아볼 수 없었다.

고민하는 사이 계절이 흘렀고 민영은 임신 8개월 차에 접어들었다. 민영은 여전히 다희와의 관계를 정리하지 못하고 있었다. 5월, 계절이 한창 피어날 즈음 임신을 알았으니 내년 2월이 출산 예정일이었다. 몸도 힘들었지만, 정신적으로도 쉬지 못했던 민영은 남은 임신 기간을 친정에서 보내기로 하고 짐을 쌌다. 민영은 약간의 해방을 느낄 수 있었다.

다희는 민영의 부재가 꽤 크게 느껴졌다. 마음껏 이야기를 털어놓아도 언제 찾아가도 반겨주는 사람이었기 때문이었다. 관사에서 이렇다 할 관계를 지속한 적이 없던 다희에게 민영은 꽤 오랜 시간 다희의 이야기를 들어주던 사람이었다. 게다가 다희는 최근 임신한 민영의 집에 가면 구석구석 보였던 아기 신발이나 용품들에서 좋은 기운을 받아 가고 싶은 속내가 있었다. 사실 다희는 지난달 민영의 집 식탁 위에 가지런히 접혀 있던 아기용 가제 수건을 보던 중 갑작스러운 충동이 일어 민영의 눈을 피해 맨 아래쪽에 있는 수건 하나를 가져왔다. 민영이 화장실을 간 사이 식탁 한편에 잘 접혀 차곡차곡 쌓아 올린 수건 중 하나를 젠가 게임 중 아래쪽에 쌓여있는 나무 조각을 숨죽이며 빼내듯 가져온 것이다. 다희는 밤마다 머리맡에 그 수건을 두고 잠에 들곤 했다. 매달 산부인과에서 배란일을 받아왔던 다희는 병원에 갈 때에도 민영의 집에서 가져왔던 가제 수건을 부적처럼 들고 다녔다. 남편 성우는 그런 다희가 안쓰러우면서도 섬뜩했다. 성우는 사실 다희와 둘만의 삶을 사는 것도 나쁘지 않다는 생각을 해왔었다. 그래서 아기 갖는 것에 집착하는 다희를 이해하기가 어려웠다. 퇴근 후 맥주를 앞에 두고 각자의 하루를 이야기하던 중 다희는 산부인과에서 배란일을 받아온 이야기를 하며 그날이 내일이라고 미리 말해뒀다. 성우는 다희의 눈빛에서 기대와 불안이 교차하는 것을 읽을 수 있었다.

"다희야, 꼭 아이가 있어야 할까? 난 지금의 우리도 좋고 앞으로도 그럴 것 같아. 양가 부모님도 괜찮다고 하셨고." 성우는 조심스럽게 이야기를 꺼낸다.

"난 아니야. 자기랑 결혼하고는 계속 관사에 살고 있는데 관사에서는 아이가 마치 꼭 필요한 액세서리 같아. 그게 있어야 사람들과 대화도 할 수 있고 관계도 지속할 수 있는 필수 액세서리. 다들 아기띠에 안거나 유모차에 태워서 데리고 다녀. 그리고 이야기의 대부분은 육아 이야기야. 어쩌다 모임에 끼게 되면 난 아무것도 할 말이 없어. 대화의 흐름에 자연스럽게 낄 수가 없단 말이야. 그냥 입을 닫고 있게 돼. 그러면 누군가 눈치채고는 갑작스럽게 화제를 전환하거나 요즘 어떻게 지내는지 궁금하지도 않을 어색한 질문을 던지곤 해. 그 순간 대화가 끊기면서 잠시 정적이 지나가. 난 그런 상황들이 너무 불편하고 슬프고 싫어." 다희는 그간 담아왔던 솔직한 마음들을 쏟아냈다.

성우에게는 이해하기 어려운 감정이었다. 성우는 다희가 안쓰럽지만 한동안 말이 없다. 할 수 있는 말들은 한계에 부딪혔기 때문이었다. 어떤 말도 다희를 위로하기는 어렵다는 것을 꽤 오랜 시간 보아오던 터였다.

"그러면 마음을 좀 편안하게 갖고 노력을 해보는 것은 어떨까? 이를테면 꼭 배란일을 받아오지 않는다거나 임신 테스터기를 수시로 확인하지 않는다거나 이런 것들 말이야. 임신에 대한 기대가 크면 그만큼 실망감도 크잖아. 그게 임신을 더 어렵게 만드는 이유도 될 것 같아서 그래." 성우는 말한다.

말간 눈동자로 맥주잔만 돌리고 있는 다희는 대답이 없다. 다희는 모든 것이 정확하고 선명하기를 바랐다. 그것이 다희가 생각하는 임신 가능성을 높일 수 있는 가장 확실한 방법이기 때문이었다. 다희와 성우의 대화는 늘 이런 식으로 흐지부지 끝이 났다. 각자의 하루를 말하며 시작했지만, 끝은 어느새 임신 이야기로 전환되었고 결국은 희미한 안개처럼 공중으로 흩어져버렸다.

민영은 친정에서 남은 약 두 달간의 임신 기간을 채우고 예정일을 일주일 넘긴 2월 17일에 출산했다. 산후조리원 대신 친정에서 아기와 50일을 더 지낸 후 관사 집으로 돌아왔다. 돌아가기 일주일 전부터 민영은 다희에 대해 생각했다. 또다시 반복되는 다희의 집요한 방문이 이어질 것을 상상했다. 아기의 루틴에 맞춰 생활하느라 밤잠이 턱없이 부족한 민영은 아기가 자는 동안 함께 자거나 부지런하게 집안일들을 해야 했다. 독서가 취미인 민영은 아기가 태어나면서 현저하게 줄어든 독서 시간을 보내는 것도 절실했다. 시간을 미분해 생활해야 했기에 민영의 집이 마치 개미지옥인 듯 들어오면 나가지 않을 다희가 벌써 걱정이었다. 민영은 먼저 출산한 남편 동기 아내에게 관사 근처 산부인과에 대한 정보를 물으려 전화를 걸었다. 이런저런 대화를 나누던 중 동기 아내가 조심스럽게 이야기를 꺼냈다.

"민영씨, 그 이야기 못 들었지?"

"무슨 이야기?" 민영이 궁금한 목소리로 묻는다.

"나도 여행 중이어서 직접 보지는 못했고 옆집에서 들은 이야기야. 다희 씨가 지난달에 임신 4주 차에 유산이 되면서 아주 힘들었나 봐. 복도 창문에서 뛰어 내린다고 난동을 부리다 경찰차에 119 구급대까지 와서 대기 하고 있었대. 병원에 며칠 입원했다가 몸도 마음도 안정을 찾고 집에 왔는데 그 사건 이후 다희 씨가 아기만 보면 아기 엄마 몰래 살을 꼬집거나 숨을 못 쉬게 아기 가슴팍을 누르기도 한 대. 그래서 절대 아기와 다희 씨 둘만 있는 순간을 피하라고 하더라고. 민영 씨 집에 다희 씨가 자주 찾아왔었잖아… 그 생각이 나서 걱정이 되더라고."

"…"

민영은 굳은 얼굴로 수화기를 든 채 아무 말이 없었다.

무섭고 섬뜩한 생각이 민영의 머리를 스쳤다. 고개를 돌려 보니 옆에서 새근새근 자는 아기의 얼굴이 평온했다. 민영은 관사로 돌아가는 길 위에서 수없이 생각했다. 아기와 함께 집으로 돌아가는 상황에서 다희 씨의 무례함은 더 이상 미룰 수 없는 것이었다.

아기와 함께 집으로 돌아온 민영은 육아로 정신없는 일주일을 보냈다. 다행히 아직 다희의 방문은 없었다. 하지만 민영은 다희가 찾아오지 않아도 다희가 문을 두드리는 것만큼이나 불안했다. 언제 어느 때 찾아올지 모르고 이제는 민영의 곁에 사랑스러운 아기가 있었기 때문이었다.

띵동띵동띵동!

다희가 방문하면 어떻게 대처해야 할지 고민하던 찰나 민영의 마음을 읽기라도 한 것처럼 띵동 소리가 요란하게 울렸다. 다희였다. 민영은 머릿속이 복잡해졌다.

'문을 열어야 하나, 열지 말아야 하나, 만약 숨죽이고 있는데 아기가 울면 어쩌나?'

순식간에 민영의 머릿속에는 수많은 생각이 뒤섞였다. 그때 민영의 스마트폰으로 카톡이 왔다. 민영씨 집에 있는 거 아니야? 소리가 들린 것 같은데 왜 문 안 열어요? 화장실에 있나?

민영은 불안함에 입술을 뜯으며 카톡 메시지만 들여다보았다.

'병원에 왔다고 카톡을 보내볼까?'

'아기와 함께 잠들어서 벨 소리를 듣지 못했다고 해볼까?'

'문틈에 대고 제발 찾아오지 말라고 말해볼까… 아니야 이 방법은 너무 갑작스럽지. 그동안 거절해 본 적이 없으니.'

온갖 생각들이 민영의 머릿속에서 복잡하게 얽혔다. 하지만 짧은 순간 민영은 생각했다. 피하거나 무작정 견디는 것이 아기와 자신을 위한 길이 아니라는 것을 알았기 때문이었다. 민영은 혹시 모를 상황을 위해 아기띠로 아기를 안고 문을 열었다.

"어머, 안녕하세요? 들어오세요! 오랜만이에요 다희 씨! 아기가 보채서 문을 좀 늦게 열었어요. 미안해요." 민영이 다소 긴장된 미소로 다희를 맞았다.

"어머, 자기야! 오랜만이야. 건강은 어때? 괜찮아요? 아기는? 아기도 건강해요?"

다희가 아기에게 시선을 고정하며 묻는다.

“네, 저도 아기도 건강하게 잘 지내고 있어요. 고마워요.”

민영은 다희에게 민영 품에서 자는 아기를 보여주며 말했다.

민영은 마음에도 없는 말이지만 으레 고맙다고 말하는 자신이 이해되지 않았다. 아기를 키우느라 손님을 맞을 디저트가 충분하지 않았던 민영은 분주하게 손을 움직였다. 냉장고에 몇 개 남지 않은 과일을 따뜻한 루이보스 차와 함께 내왔다. 다희는 여느 때처럼 민영이 내놓는 과일을 집어 먹는 손이 바빴다. 출산 후 민영의 집은 아기용품으로 가득했다. 민영은 이것저것 둘러보는 다희의 분주한 눈동자를 보았다.

“민영 씨, 나 민영 씨 출산하러 간 사이에 유산했어. 혹시… 내 얘기 들었어?

다희는 누군가가 자신의 이야기를 전했을 것 같아 의심의 눈초리로 민영에게 물었다.

“아니요, 못 들었어요. 지금 다희씨한테 처음 들어요. 놀라셨겠어요. 몸은 괜찮아요?”

민영은 자신이 알고 있다는 것을 다희가 눈치챈 것 같아 불안했지만, 모르는 척 태연하게 대답했다.

민영과 다희는 한동안 말없이 앉아 있었다. 아기띠에서 자는 아기를 토닥이며 민영은 슬쩍 다희의 눈빛을 보았다. 짧은 순간이었지만 민영은 다희의 눈이 전보다 슬프고 지쳐 보이는 것 같았다. 민영은 다희의 방문이 불편하기만 했고 동기 와이프에게 다희의 소식을 듣고는 섬뜩하기까지 했었다. 그러나 다희가 직접 자기 이야기를 하는 것을 듣고 있자니, 민영의 마음은 조금 복잡했다. 민영은 그동안 다희의 입장에서 헤아려 본 적이 없었다는 생각이 스쳤기 때문이었다. 민영은 다희의 잦은 방문과 무례함이 매우 불편했고 힘들었지만 다희에게 일어났던 상실에 대해서는 헤아려본 적이 없었다. 다희가 아기들에게 해를 끼쳤다는 것도 민영이 누군가에게 전해들은 이야기이지 실제 민영의 눈으로 확인한 사실도 아니었다. 민영은 다희에게 섣부른 연민을 보태고 싶진 않았지만, 진심으로 위로 해주고 싶은 마음이 들기까지 했다. 그렇다고 다희를 향한 민영의 불편함이 없어진 것은 아니었다. 그저 미안한 마음과 두려운 마음이 양가적 감정으로 복잡하게 얽혀버린 것이었다. 민영은 어수선한 자신의 마음을 솔직하게 말하고 싶었지만, 입이 떨어지지 않아서 조금 다른 방식으로 다희에게 말을 건넸다. 민영이 그동안 다희의 하소연을 듣기는 했지만, 근황이나 상태를 물어본 적이 없었다는 것을 생각했다.

"다희씨, 요즘은 어떻게 지냈어요? 저는 배 속에 아기를 품는 순간부터 건강이 가장 중요하다는 생각을 더 많이 하게 됐어요. 엄마는 아프면 안 되잖아요. 그리고 유산은 아기가 건강하지 않다고 생각하면서 스스로 다짐을 하는 거래요. 다음에 다시 엄마와 만나기 위해서라고 해요. 유산하고 소파수술 후에는 자궁이 깨끗해져서 임신 확률이 높아진다고 들었어요. 건강 잘 챙기면 좋은 소식 있을 거예요."

민영은 자기 말이 오히려 상처가 되지 않을까 조마조마 하며 다희에게 말을 건넸다.

"고마워 민영씨. 사실 많이 힘들었어요. 몸도 힘들었지만, 정신적으로 더 힘들었던 것 같아. 정말 죽고 싶었어. 나에게만 이런 일이 일어나는 것 같아서. 민영씨 이야기 들으니까 그래도 조금 힘이 나네. 고마워요."

다희는 여전히 조금은 슬픈 얼굴로 대답했다. 다희는 가방에서 작은 상자를 꺼내 아기 신발이라며 민영에게 건넸다. 생각지도 못했던 선물에 민영은 당황했다. 상자를 열어보니 작고 귀여운 흰색 나이키 운동화가 들어있었다. 민영은 다희에게 미안한 마음이 들었다. 그동안 다희에게 가져왔던 자기의 생각들이 너무나 이기적이었다는 생각에서였다. 상실을 겪고 취약해진 다희의 마음을 이제야 아주 조금 헤아려보는 자신이 작게만 느껴졌다. 난임을 겪으며 유산이라는 상실을 경험한 다희의 슬픔은 날마다 새롭게 아픈 날들이 되어 매일 힘겹게 견디는 일이었을 것이다. 다희의 슬픔을 상상하는 것이 다희를 이해하는 것임을 민영은 이제야 알았다. 상대를 향한 너무 쉬운 상상은 때로는 섣부른 연민이 되어, 또 다른 상처가 될까 봐 조바심도 생겼다. 그러나 이런 상상조차 없었다면 민영은 영원히 다희를 미워하게 될 것만 같았다. 민영이 다희를 이해할 기회를 제공한 것도 다희 쪽이었다. 민영을 위한 출산 선물을 위해 아기 신발을 고르는 과정이 다희에게는 자신이 겪은 상실의 고통을 마주하는 순간이었을 것이기 때문이었다.

민영은 작고 귀여운 신발을 하릴없이 만지고 또 만졌다. 다희에게 무슨 말을 해야 할지 적당한 단어를 고르는 중이었다. 어떤 말로도 민영 자신의 미안함과 고마움을 다 전달할 수 없을 것 같아서였다. 다희는 마시던 차를 내려놓으며 산부인과 예약이 있어서 가봐야 한다며 가방을 정리했다. 유산 후 정기 검진을 꾸준히 받는 중이라고 했다. 민영은 평소보다 일찍 일어나는 다희에게 괜히 미안해졌다.

다희는 나가기 전 화장을 고치기 위해 파우치를 열었다. 민영은 과일 그릇을 치우다 열려있는 다희의 파우치 사이로 보이는 익숙한 물건에 눈길을 멈췄다. 가제 수건이었다. 출산하러 가기 전 민영은 온라인 쇼핑으로 보았던 붉은 잔꽃 수가 놓인 가제 수건이 너무 예뻐서 무지로 된 가제 수건을 사다가 직접 수를 놓은 적이 있었다. 마음 같아서는 여러 장에 직접 수를 놓아 출산 준비를 하고 싶었지만, 막상 하다 보니 쉽지 않아서 온라인으로 판매하는 같은 무늬의 가제 수건을 한꺼번에 주문했었다. 깨끗하게 삶아서 식탁 한쪽에 가지런히 접어 두었었다. 출산하러 가기 전 마지막으로 다희가 방문하고 난 뒤 가제 수건 하나가 비어 있다는 것을 알았다. 민영이 온라인으로 주문했던 가제 수건과 언뜻 보면 똑같아 보였지만 민영이 직접 수를 놓은 것은 살짝 서툴어 쌓아 놓은 가제 수건의 맨 밑에 접어두었었다. 민영은 다시 예전에 다희에게 가졌던 마음이 되살아나는 것 같은 묘한 감정을 느꼈다. 그러나 민영은 눈을 질끈 감았다. 그리고 짧은 순간 생각했다. 민영이 저 가제 수건에 정성스럽게 수를 놓으며 가졌던 아기에 대한 마음이 다희의 마음에 커다랗게 자리 잡은 구멍을 채워주기를 진심으로 바랐다. 겨우 손바닥만 한 가제 수건이지만 다희에게는 커다란 마음의 돛이 될 수 있을 거란 믿음으로 말이다.

| 06 |

유산

임지현

소설

임지현
적당히 논리적이고 문득 감성적입니다.
설렁설렁 살지만 치열한 순간을 사랑합니다.
날카로우면서도 위로가 되는 글을 쓸 수 있다면 좋겠습니다.
환하게 깨어 깊은 꿈을 꾸는 사람이고 싶습니다.

유산

3월의 골드코스트는 초가을에 접어들고 있었다. 아침과 저녁의 기분 좋은 선선함은 치열했던 여름이 있었기에 더욱 반갑고 기꺼웠다. 세연에게는 이번 출장이 딱 그랬다. 여섯 살짜리 아들을 겨우 재우고 일 더미 속에서 아침을 맞던 날들에 대한 보상이었다. 전전긍긍 준비했던 발표는 그간의 걱정이 무색하게도 잘 마무리되었다. 들끓는 불안을 잠재우려고 공항 서점에서 의식을 치르듯 책을 샀었다. 이성을 깨워 책을 고르게 함으로써 감정에 고삐를 채우려는 전략이었다. 그러나 서점을 나서는 세연의 손에 들린 책의 제목은 '불안이 나를 더 좋은 곳으로 데려다주리라'였다. 의식은 실패했다. 이미 머릿속은 고삐 풀린 불안이 망아지처럼 날뛰고 있었다. 비행기 안에서는 발표 내용을 중얼중얼 되새기느라 한순간도 눈을 붙이지 못했다. 물론 공항에서 샀던 책은 펼쳐보지도 못했다. 하지만 노력이라는 명목으로 쉼 없이 세연을 담금질했던 괴로움은 그 고통의 크기만큼이나 큰 해방감과 성취감을 함께 가져다주었다. 전반적으로 불안은 세연을 더 나은 곳으로 데려다주었다. 어린 나이에 쟁쟁한 경쟁자를 제치고 임원 자리를 차지했다거나, 시대가 원하는 아이템으로 유망한 창업자가 됐다거나 하는 소위 '성공한' 커리어우먼은 아닐지라도 세연은 현재 '커리어우먼'이라는 타이틀을 쥐고 있음에 만족했다. 그 타이틀 앞에 당당할 수 있어서 마음이 편했다.

고작 48시간 전의 세연은 두꺼운 코트를 걸치고도 유독 날이 선 인천공항의 칼바람에 떨었다. 하지만 이제는 얇은 원피스 차림으로 에어컨 바람 아래 떨고 있었다. 발표가 끝나자, 안도감과 성취감 그리고 만족감의 파도가 차례로 세연을 휩쓸고 지나갔다. 그 잔재 때문인지 아니면 과한 에어컨 바람 때문인지 세연은 살짝 떨려오는 몸을 진정시키려고 물을 한 잔 들이켰다. 목을 꽉 메우며 차 올라왔던 뜨끈한 감정들이 차가운 물과 함께 저 밑으로 미끄러져 내려갔다. 발표를 잘 마쳐야 한다는 중압감 뒤에서 우물쭈물하던 현실들이 한꺼번에 쏟아져 나왔다. 윙윙 에어컨 돌아가는 소리가 미팅 룸을 가득 채우고 있었다. 미팅 룸 안에 사람이 이렇게 많았었나 싶었다. 내내 명치께를 막고 있던 점도 높은 긴장감은 어느 순간 녹아 사라졌다. 몸무게마저 가벼워진 느낌에 허공에 살짝 떠 있는 자기부상열차가 된 것 같았다. 누가 등을 툭 친다면 눈 깜짝할 사이에 저 앞으로 미끄러져 나갈 것이다.

미팅은 거의 끝 무렵이었다. 사회자는 핸드폰을 이용해 화면에 뜬 QR코드로 들어가 미팅에 대한 피드백을 달라고 했다.

'아, 핸드폰.'

세연이 발표를 시작하고 얼마 안 돼 자리에 두고 온 핸드폰이 울려 댔었다. 하필이면 꼭 그 타이밍에 연락할 건 뭐란 말인가. 어지간하게 중요하지 않은 문제라면 푸념하듯 한소리를 해야 속이 풀릴 것 같다고 생각하며 액정을 켰지만, 핸드폰은 꺼져있었다. 한참을 울리다 꺼지더니 배터리가 다 됐었나 보다. 사람이 많아 최대로 돌아가고 있는 에어컨 때문인지 공기가 서늘하면서도 습했다. 책임감, 부담감, 두려움, 그리고 아마 조금의 설렘이 빠져나갔을 빈자리가 그 존재감을 드러냈다. 누군가 지금 자신의 가슴께를 벌컥 연다면 아마 까맣고 휑한 공간을 발견할 것이다. 짧은 소매 밖으로 드러난 팔에 오소소 소름이 돋았다. 반사적으로 숨을 크게 들이마시자 낯선 나라의 향기가 훅 들어왔다.

처음 회사에 입사했을 때는 모든 것이 낯설었다. 외국계 회사라 영어로 의사소통을 하는 일이 많았기 때문에 발음하기 쉬운 영어 이름을 사용하는 것이 좋겠다고 했다. 인터넷으로 '여자 영어 이름'을 한참 검색했다. '제시카' '리사' '엠마' '엘리자베스' '크리스티나' 수많은 이름 중에 도저히 하나를 고를 수 없었다. 예전에 세연은 엄마 경자에게 여러 가지 이름 후보 중에서 '세연'을 고른 이유를 물은 적이 있다.

"딸을 셋 낳기는 싫어서."

경자의 대답은 선뜻 이해가 가지 않았다. 그게 도대체 첫째 딸 이름이 세연인 것과 무슨 관계가 있단 말인가? 경자는 첫째 딸 이름에 '세'라는 글자를 넣어 이름을 지으면 삼신할머니가 이 집에는 이미 딸이 셋 있는 것으로 착각할 것 같았다고 했다. 그래서 다음 아이로는 아들을 점지해 줄 것이라는 '감'이 들었다는 것이었다. 터무니없고 비이성적인 사고 과정인 데다가 무엇보다 세연에 대한 배려는 전혀 없는 선택이었다. 심지어 '세연'이라는 이름의 '세'는 한자로 셋을 의미하지도 않았다. 그러나 터무니없고 비이성적이던 경자의 감은 대부분 놀랍도록 들어맞았다. 이듬해 경자는 둘째로 바라 마지않던 아들을 낳았다.

개운치 않은 작명 과정이 있었다손 치더라도 세연은 자신의 이름이 썩 마음에 들었다. '세연'이라는 이름은 발음할 때 부드럽고 섬세한 소리가 난다. 하지만 실제 세연 자신은 알게 모르게 강단이 있는 편이었다. 여기에서 오는 괴리가 매력적이라고 생각했다. 생각이 계속 이어지자, 상대에게 쉽게 불리기 위해 이름을 바꿔준다니 너무 지나친 배려가 아닌가 싶었다. 한글이 공용어가 되면 '제시카' '엘리자베스'가 '지영' '혜진'으로 불리는 것이 과연 올바른 일인가? 그래서 세연은 최대한 한국 이름과 비슷한 이름을 짓기로 했다. 적당히 타협했다. 회사에서의 영어 이름은 엄마가 '세연아-'라고 부를 때 연음되어 나는 소리와 비슷한 'Serena'가 되었다.

이렇게 심사숙고해서 지었는데도 이름은 낯설기만 했다. 처음에는 누가 불러도 대답을 못 하기가 부지기수였다. '크리스티나'라고 짓지 않은 것이 다행이었다. 스스로 정확하게 발음하기조차 쉽지 않았을 것이다. 다시 생각해 봐도 현명한 작명이었다는 결론이었다. 적어도 엄마보다는 이성적이고 논리적인 결정을 한 것 같았다. 그런데 입사 초기의 문제는 이름만이 아니었다. 늦은 밤에 오는 이메일들이 걱정되어 잠을 설쳤고, 새벽에 잡히는 미팅들은 어디까지 참석해야 하는 것인지 어림잡기가 힘들었다. 결국 세연은 입사 6개월 만에 상사의 방으로 불려 갔다.

'면접 때에 내가 세연 씨한테 많이 기대했었는데, 자기는 센스가 좀 부족한 것 같아. 아직 감이 잘 안 와?'

학교 선배이기도 했던 상사는 나름대로 배려를 담아 쓴 소리를 했다. 엄마는 기가 막히게 잘 잡던 그 '감'이 세연의 손은 자꾸 피해 갔다. 세연은 겸연쩍은 미소를 달고 상사의 방을 나오며 빨리 달리지는 못했으니, 앞으로 천천히 오래달리기로 결심했었다. 그것이 벌써 10년 전의 일이다. 그 결심이 아주 틀린 결정은 아니었는지 지금의 세연은 그때의 세연과 확연히 다른 사람이었다. 과거의 트라우마들을 그저 조금 특별한 기억들로 치환해 나갈 때마다 새 알을 깨고 나온 새로운 새가 되는 것이라고 생각했다. 더 나은 날개를 달고 보다 넓은 세계로 끝없이 날아갈 수 있을 것이다.

상념에 빠져있던 세연에게 옆자리의 동료가 말을 걸어왔다. 좀 전의 발표가 인상적이었다고 했다. 혹시 관심이 있다면 시드니에 있는 본사를 구경시켜 주고 싶다는 것이었다. 세연은 안 그래도 시드니 본사가 최근에 리모델링되어 좋아졌다는 소문을 들었던 터라 솔깃했다. 오페라하우스와 하버브릿지가 내려다보이는 곳에 있다고 해서 짧은 시간 안에 주변을 관광하기도 좋을 것 같았다. 세연에게는 딱 하루의 자유시간이 있었다. 우선 저녁에는 바깥으로 한 발짝도 나가지 않을 계획이었다. 푹신한 호텔 침구에 등을 딱 붙이고 고요한 밤을 보내고 싶었다. 그리고 다음 날 아침에는 느지막하게 일어나 호텔 조식을 먹고 스카이 포인트 전망대에 올라가 남태평양을 발아래로 내려다보는 호사를 누릴 예정이었다. 세연은 동료에게 고민을 좀 해본다고 하며 인사하고 미팅 룸을 나섰다. 행복한 고민이었다.

엄마가 자신의 이름을 석연찮게 지어서인지 세연은 언제나 자신의 행복은 어딘가 찌그러져 있다고 생각했다. 그러나 꼭 그런 것만은 아닌가 보다. 고향을 떠나, 부모의 그늘을 벗어나 혼자의 힘으로 쌓아 올린 행복들은 더 나은 모습을 하기도 했다. 시드니를 관광하거나 골드코스트에서 휴양하거나 뭘 하건, 모두 충분히 좋을 것이다. 세연은 다시 충전하여 그 힘으로 더 멀리 나는 새가 될 것이다. 그 전에 눈치 없던 핸드폰부터 충전시켜야 했다.

호텔 룸은 고요했다. 안으로 성큼 들어서자, 뒤에서 '탁'하고 문이 닫혔다. 마치 여태까지의 시간은 여기서 끝이라는 신호음 같았다. 바다 뒤로 넘어가는 노을이 하늘거리는 시폰 커튼을 환하게 밝혔다. 붉게 타오르는 때를 지나 한숨 식은 빛이 은은한 농도로 방을 비췄다. 노을빛이 지나는 벽을 따라 비스듬히 여유가 흘렀다. 하얗고 넉넉한 침대가 세연을 불렀다. 세연은 불편한 힐에서 내려와 망설임 없이 침대에 등을 비볐다. 그리고 핸드폰을 협탁 위의 충전기에 연결했다. 완전히 방전됐던 핸드폰은 바로 켜지지 못하고 뜸을 들였다.

씻으려고 세면대 앞에 선 얼굴이 길었다. 거울 속에는 굳게 다문 입매에 푹 꺼진 눈, 지친 얼굴을 한 자신이 마주 보고 있었다. 안 그래도 넓은 이마가 더 넓어진 것 같았다. 세연은 계란형이라고 하기에는 살짝 긴 자기 얼굴이 불만이었다. 잠을 잘 자지 못했더니 피부도 푸석해져서 얼굴의 모공들이 더 부각됐다. 세연은 돌아가면 열 일 제쳐두고 피부과부터 예약해야겠다고 다짐했다. 세연의 엄마 경자는 얼굴이 계란형이었다. 피부도 요철 하나 없이 매끈했다. 좋은 화장품이나 피부과의 인위적인 도움 없이도 항상 촉촉했다. 그러나 아빠 재욱의 얼굴은 폭이 좁고 그에 비해 길이는 살짝 긴 편이었다. 무엇보다도 만성 여드름성 피부였는데, 환갑이 훨씬 넘은 지금까지도 활발하게 얼굴 위로 크레이터를 생성 중이었다. 그리고 세연은 하필 그런 재욱의 외모를 빼다 박았다.

'어휴. 너는 여자애가 이런 걸 느희 아빠를 닮아서…'

세연의 이마에 여드름이 기승이던 시절 경자가 늘 하던 소리였다. 마치 이게 전부 뱃속에서 뽑기를 잘못하고 태어난 세연의 탓인 양 말이다. 부모의 유전자 중에서 좋은 것만 쏙쏙 골라 물려받으면 좋을 텐데, 세연은 항상 더 열등한 것을 받은 것 같다고 생각했다.

생물학적으로 터무니없는 생각일지라도 적어도 지금 거울 앞에 선 자신의 모습은 그래 보였다. 긴 얼굴형과 모공이 늘어난 피부가 도대체 어느 면에서 우월하다는 말인가.

세연이 샤워실로 들어가려던 찰나 드디어 핸드폰의 전원이 켜졌는지 웅웅대며 진동음이 들려왔다. 나중에 확인하려고 했지만, 어찌 된 일인지 진동 소리는 끊임없이 계속됐다. 손을 닦고 협탁으로 다가가니 핸드폰이 한시도 등을 붙이지 못하고 신경질적으로 몸을 떨어대고 있었다. 바닥에 등이 닿으면 큰일이라도 나는 신생아처럼 울어댔다. 핸드폰을 집어 든 손으로 전류가 흐르는 듯했다. 불쾌한 떨림이 팔을 타고 퍼져나갔다. 불안한 예감이 목을 간질였다.

'010-xxxx-xxxx (2)'

'시골 할머니 (2)'

'대구 고모 (3)'

'부산 고모 (3)'

'준호 (3)'

부재중 전화가 13통이나 와 있었다. 누군지 모를 전화번호로부터 시작되어 할머니, 고모들, 그리고 남편으로 이어지는 발신자의 흐름이 반갑지 않았다. 일 년에 연락을 한 번 할까 말까하는 이들이 한꺼번에 자신을 찾는다는 것은 좋은 일일 리가 없다. 남편 준호에게 전화하려는 순간 수많은 전화들의 등살에 밀려 제 때를 찾지 못했다는 듯이 메시지 하나가 다급하게 비집고 들어왔다.

'세연아 고모다. 전화가 왜 이렇게 안 되나. 아빠 돌아가셨다.'

부산 고모였다. 여유로운 시간을 상상하며 부풀었던 기대가 펑 터져 버렸다. 귀가 먹먹했다. 어쩐지 너무 반듯한 행복이 기다리는 것 같다 싶었다. 세연은 재욱의 부고를 전하는 메시지가 피싱 문자 같았다. 고모의 번호로 전화를 걸면 보이스 피싱범이 받을 것이다. 그게 더 그럴듯했다. 재욱은 자기관리에 철저한 사람이었다. 매년 꼬박꼬박 건강검진을 받았고 무엇보다도 꾸준히 운동했었다. '불안한 예감'의 범주 안에 '갑작스러운 부친의 사망'보다 더 최악인 경우가 얼마나 있을까. 아무리 감이 좋은 사람이라도 이번만큼은 절대 예감하지 못했을 것이다. 세연은 불현듯 엄마의 부고를 알리던 재욱의 전화가 떠올랐다.

"…."

"여보세요? 아빠?"

"어, 그래. 회사지? 내려와라… 엄마가… 방금 갔다."

"…."

재욱은 전화를 걸어놓고도 바로 입을 떼지 못했었다. 그 침묵의 무게가 불길했다. 창문으로는 풍요롭고 따스한 가을 햇살이 비스듬히 비추고 있었다. 퇴근을 하고 지금은 남편이 된 준호와 커플링을 보러 가기로 한 날이었다. 말이 없는 딸을 기다리던 재욱이 더는 지체할 수 없다는 듯 담담하게 말했었다.

"그래. 장례식장 주소는 문자로 보내줄게."

세연은 아무 말도 하지 않았지만 재욱은 '그래'라고 했다. 할 말을 마친 재욱은 망설임 없이 전화를 끊었다. 세연은 끊어진 핸드폰을 한참동안 쥐고 있었다. 통화를 하느라 따끈해졌던 핸드폰이 점점 식어갔다. 세연의 등도 서늘하게 식어가고 있었다. 세연은 오래전 그때처럼 핸드폰을 꾹 감아쥐었다. 밀린 메시지들이 연이어 들어 왔다.

'XXX 장례식장, 3층 304호.'

핸드폰 화면의 배경은 흰색이었으나 그 메시지만은 검은색이었다. 몇 번을 봐도 까맸다. 방을 밝히던 햇살은 얼마나 발 빠르게 달아났는지 삽시간에 온 방이 회색이었다. 빛을 잃은 사물들은 어스름한 그 형태 안으로 다 숨어버렸다. 형상만 남은 풍경은 생기를 잃었다. 세연을 둘러싼 눈앞의 모든 것이 다 허상 같았다.

세연이 재욱의 얼굴을 마지막으로 본 것은 작년 10월이었다. 세연이 나고 자란 고향은 감으로 유명한 곳이었다. 재욱이 평생을 산 곳이기도 했다. 매년 그렇듯 그 시기의 감나무들은 가장 어린 가지까지도 열과 성을 다해 그 열매를 부여잡고 있었다. 특히 작년 재욱의 감나무밭은 다른 밭에 비해 농사가 아주 잘됐다. 재욱은 감을 따는 시즌이 오면 사돈에 팔촌, 심지어 돈을 주고 일꾼을 불러 도움을 받는 것도 마다하지 않고 직접 감을 땄다. 그러나 그해에는 어쩐지 힘에 부친다며 나무에 달린 채로 감을 팔 예정이라고 했다. 그러면 감을 산 사람이 직접 따 간다고 했다. 세연은 일 년에 두어 번 고향에 갔는데 특히 추석이 지난 무렵 경자의 기일 전에는 꼭 고향에 있는 경자의 산소에 들렀다. 세연의 아들은 감을 따는 것이 퍽이나 신선한 경험이었는지 세 살 무렵 처음 해 본 후에 매년 잊지도 않고 또 하자고 졸랐다. 그래서 경자의 산소에서 내려오면 늘 재욱의 감나무밭으로 향했다. 감나무들은 가지마다 빼곡히 감을 달고 있었다. 거대한 노란 호박의 겉면에 무수히 많은 점을 찍어 놓은 '쿠사마 야요이'의 대표작, '호박'을 떠올리게 했다. 사방으로 주렁주렁 달린 감은 수많은 다홍색 점으로 변해 세연의 시야를 가득 메웠다. 환 공포증이 있는 준호는 살짝 어지럽다고 했다.

재욱은 사다리까지 들고 와서 손자가 실컷 감을 따 볼 수 있게 했다. 이제 제법 묵직해진 손자를 안아도 보고 아직은 조막만한 손을 쓰다듬어도 봤다. 그러다 손자가 지치자 재빠르게 세연, 세연의 시댁, 세연의 사돈처녀네 몫까지 감을 세 포대 가득 따서 안겨 주었다. 그 잽싸기가 영락없는 농부였다. 그리고는 올해도 택배비가 굳어서 좋다며 환하게 웃었다. 사실 세연과 세연의 아들은 감을 좋아하지 않았고, 세연의 남편은 감에 알레르기가 있었다. 하지만 재욱의 환한 웃음 앞에서 세연은 차마 거절할 수가 없었다. 얼마 안가 곯아버린 감들이 냉장고 구석에서 아무렇게나 뒹굴어 다닐 것을 알면서도 말이다. 그리고 세연은 재욱이 일단 결정했으면 세연이 뭐라고 하던지 결국에는 자기 뜻대로 할 위인이라는 것을 알았다. 그게 재욱의 방식이었다.

감나무밭은 찌그러진 사다리꼴 모양으로 삼면이 도로로 둘러싸여 있었다. 가장 긴 변은 깊은 도랑을 끼고 이 차선 도로를 마주하고 있었고, 다음으로 긴 면은 한 척 높이의 벽 위로 도로가 내달렸다. 그리고 앞쪽으로는 굴다리로 들어가는 비포장도로가 있었는데 차가 지나갈 때마다 뿌연 흙먼지가 일었다. 시골의 고즈넉함이나 청량한 공기에서 오는 낭만 따위는 한 줌도 찾아볼 수 없는 곳이었다. 농지 외에 다른 용도로는 사용하기 어려운 땅이었다. 경자는 시부로부터 이 애매한 땅을 상속 받았을 때 얼른 팔아서 서울에 집을 사고 싶었다. 재욱은 공무원이었고 집에는 마땅히 농사 지을 사람도 없었기 때문이었다. 무엇보다도 세연이 대학교 기숙사에서 나와 서울에 첫 집을 얻을 때 변두리에 방 하나짜리라도 사 주고 싶었다. 경자의 감은 역시나 무섭도록 정확했다. 얼마 안가 서울 부동산 가격이 치솟기 시작했던 것이다. 경자는 죽기 직전 제정신이 아닐 때조차 그 땅을 팔지 않는 재욱에게 잔소리를 했다. 그러면 늘 재욱은 '그 땅은 그렇게 쓸 땅이 아니지.'라고 하는 것이었다.

경자가 죽고, 다음 해 세연이 결혼하고 나자 재욱은 다니던 회사를 그만두었다. 그리고 그 땅에 감나무를 심었다. 한쪽에 자그맣게 자두나무와 복숭아나무도 심었다. 경자가 유독 좋아하던 과일들이었다. 찌그러지고 먼지 날리는 땅에서도 나무들은 쑥쑥 자랐다. 그 덕택에 세연의 집에는 초여름만 되면 씨알이 주먹 만 한 자두가 배달 됐고, 한여름에는 손톱으로 살짝 당기기만 해도 껍질이 저절로 벗겨지는 복숭아가 두 박스씩 왔다. 재욱은 마치 원래 농사를 업으로 삼았던 사람처럼, 자연스럽게 아주 성실한 감나무 농사

꾼이 되었다. 그때의 세연은 몸이 편한 직장을 뒤로 하고 고된 일을 하려는 재욱을 이해할 수 없었다. 이제야 생각해 보니 몇십 년이 지나도 그 나물에 그 밥인 회사를 뒤로하고 해사하고 뽀얀 감들이 반겨 주는 무해한 땅으로 향하며, 얼마나 행복해했을까 싶었다.

재욱이 발견된 곳은 바로 그 감나무 밭이었다. 밭 한쪽을 따라 깊고 길게 나 있는 도랑의 한 귀퉁이에 쓰러져 있었다고 했다. 사인은 심장마비라고 했다. 3월의 감나무밭은 손이 많이 갔다. 너무 많은 잔가지는 쳐 내야 했고, 바닥에는 거름을 넉넉하게 덮어 줘야 하는 시기였다. 재욱은 꽃샘추위가 기승인데도 매일 아침 묵묵히 감나무밭으로 향했을 것이다. 세연은 언젠가 인터넷 지도의 거리뷰로 재욱의 밭을 찾아본 적이 있었다. 지역 맘 카페에 어떤 회원이 무심코 고향 집 앞 거리뷰에서 돌아가신 엄마의 모습을 발견하고 펑펑 울었다는 글이 올라온 직후였다. 세연은 왠지 자신이 재욱의 모습을 찾는다면 거기를 봐야 할 것 같았다. 거리뷰에서 본 밭 입구에는 재욱의 차가 덩그러니 서 있었다. 재욱은 밭으로 걸어 들어가는 중이었다. 머리 부분은 모자이크 처리가 돼 있었지만, 세연은 한눈에 재욱을 알아봤다. 세연은 그 사진 속 재욱의 뒷모습이 자꾸 떠올랐다. 오른쪽만 살짝 팔자로 걷는 구부정한 걸음걸이가 눈에 선했다. 그날도 그렇게 밭으로 향했겠지 싶었다. 그것이 마지막이 될 거라고는 예감하지 못했을 것이다.

세연은 무슨 정신으로 한국행 비행 편을 알아봤는지 또 어떻게 공항에서부터 버스를 갈아타고 고향까지 내려왔는지 기억이 흐리터분했다. 머리에 곱이 낀 것처럼 뻑뻑해서 생각을 하기가 힘들었다. 비행기에서 좀 울었던가? 버스에서는 회사 매니저와 짧은 통화를 했다. 길게 말하기도 머쓱한 주제였다. 매니저는 회사일 걱정은 말고 아버님 잘 보내드리는 데만 신경 쓰라고 했다. 말이라도 고마웠다. 그러나 사실 세연의 업무는 혼자 하는 것이어서 인수인계도 없이 누군가가 갑자기 맡아 주기에는 무리가 있었다. 적어도 세연의 결정이나 답변이 필요한 일들에 대해서는 늦어질 수 있다고 알려두는 편이 나을 것 같았다. 물론 이 상황에 세연이 잠시 두문불출한다고 해서 면전에 대고 뭐라고 할 리는 없겠지만 그냥 그렇게 하는 것이 더 나은 사람이 하는 처신이라고 생각했다. 버스의 히터 때문에 드러난 얼굴과 손이 퍼석했다. 렌즈를 오래 낀 눈이 뻑뻑했다. 흔들리는 버스 안이라 얼른 이메일을 보내고 랩탑을 꺼야겠다고 생각했다. 하지만 업무가 지연되는 이유를 쓰려고 하자 어떤 표현이 적당할지 한참 생각하게 됐다. '부친상으로 인해'라고 쓰기에는 무거운 현실을 일부 떼어 넘기는 것 같아서 죄책감이 들었고, '개인적인 사유로 인해'라고 쓰면 무책임한 사람처럼 보일 것 같았다. 30분을 넘게 고민하던 세연은 결국 '불가피한 개인 사정으로 인해'라고 적어 보냈다. 불현듯 부친이 사망한 마당에 누구에게 점잖은 이메일을 보내고 또 자신이 어떻게 보일 것인가를 신경 쓰는 것이 자기 기만적 행동 같다 싶었다. 그러다가 세연은 아이러니하게도 새삼 자신의 그런 부분이 재욱을 닮은 것 같다고 생각했다.

세연은 꼬박 23시간이 걸려 고향 땅을 밟았다. 끊임없이 땅속으로 꺼져 들어가는 기분을 느끼기에 너무 긴 시간인 것 같았다. 하늘에서 땅으로, 공항에서 고향으로 세연은 계속 추락했다. 멀쩡히 날던 비행기가 갑자기 떨어진다고 해도 이상하지 않았다. 어차피 내려가는 길이었다. 이제 곧 있으면 저 밑 땅속까지 들춰볼 것이다. 그 뿐인가. 세연은 면적 774만 ㎢의 호주에서 10만 ㎢의 대한민국으로, 그리고 다시 고작 700 ㎢의 고향 땅으로 내몰리고 있었다. 세연의 고향은 정말 작았다. 그리고 너무 답답했다. 비밀이 존재하기에는 무리인 곳이었다.

세연은 이 느낌을 알고 있었다. 더 이상의 바닥은 없을 것 같은데 시간이 갈수록 상상도 못 한 더 한 나락을 발견하던 때. 경자의 투병 생활이 그랬다. 감이 좋은 경자였지만, 본인의 건강에는 무감했다. 세연과 세연의 동생 모두 취업에 성공하고 경자와 재욱은 인생의 황금기에 막 들어선 참이었다. 오롯이 자신의 삶을 즐기고 살 일만 남아 있었다. 그래서 더 불행이 보내는 신호에 둔감했을지 모른다. 경자의 가슴에서 출발한 암세포들은 쓸데없이 부지런히도 분열하여 종국에는 뇌까지 점령했다. 경자는 암세포들에게 머리와 가슴을 모두 내어주고도 가끔 세연과 세연의 동생을 걱정했다. 잠깐 정신이 돌아올 때면 본인이 가족들의 짐이 되고 있다는 죄책감에 어서 밤이 오기만을 기다린다고 했다. 밤에는 모두가 현실을 잊고 잠들 수 있으니까. 본인도 모두 잊고 자겠다고 했다. 경자가 할 수 있는 건 고작 그것뿐이라는 걸 그 와중에도 그녀는 너무 잘 알았다.

또 세연의 핸드폰이 울렸다. 세연은 나쁜 소식이 더 남은 건지 문득 두려워져 선뜻 받기가 꺼려졌다.

"어디야? 내가 데리러 갈까?"

준호였다. 목소리를 들으니 세연은 얼른 준호가 보고 싶었다. 달려가서 아무 말 없이 안기면 맞붙은 배에 눅진하게 땀이 밸 때까지 한참을 안아줄 것이다.

"아니야. 그냥 택시 타고 갈게. 이제 버스에서 내렸어."

"밥은 먹었어?"

"어. 기내식. 오다가 커피도 한잔 마셨어."

"잘했네. 캐리어는? 짐 잘 챙겨서 오고 있는 거지?"

"뭐야. 설마 내가 그 정신도 없을까 봐."

"그래. 조심해서 와."

준호의 다정한 목소리를 들으니 내내 종종거리느라 움츠러들었던 새가슴이 좀 펴지는 것 같았다. 고맙게도 준호는 아들을 데리고 먼저 장례식장에 가 있었다. 경자는 암 진단을 받은 후로 상태가 나빠지기만 했다. 단 한 순간도 희망적인 순간이 없었다. 그런 경자를 보며 세연도 일상생활을 하기가 힘들 정도로 점점 감정이 널을 뛰었다. 준호는 옆에서 이 모든 것을 지켜보면서도 변함없이 세연의 곁에 있던 속 깊은 남자였다. 종국에 경자는 가족을 알아보지도 못할 지경이 되어 이 병원 저 병원을 전전하며 희망 없는 입원 생활을 계속했다. 처음에는 재욱이 간병했다. 그러다가 1년이 넘도록 입원 생활이 길어지자, 재욱은 간병인을 구했다. 그리고 주말에만 서울로 올라와 간병인과 손을 바꿨다. 시간이 좀 더 흐르고 어느 때부터 재욱은 주말에도 이런저런 사정이 생겨 잘 오지 못했다. 세연은 그저 누워있을 수밖에 없는 경자를 대신해 재욱을 원망했다.

나중에야 세연은 그때 부터였나 보다고 짐작했다. 처음 그 소리를 들었을 때, 듣고 싶지 않았던 현실을 알려준 이들에게 고맙다고 해야 할지 아니면 세상에서 가장 불행한 사람이 되어 펑펑 울어버려야 할지 난감했다. 재욱이 경자가 있는 서울 병원은 가보지 않고 고향에서 다른 여자를 만나고 다닌 지 벌써 몇 달이 됐다는 것이었다. 세연은 어쨌든 알려줘서 고맙다고 대답했다. 그게 더 성숙한 사람이 할 법한 행동이었다. 소식을 전한 이는 세연을 걱정했던 것인지 아니면 동정했던 것인지 알 수 없었다. 그러고 보니 처음 그 소식을 알려준 이가 누구였는지도 가물가물했다. 너 댓에게 들은 것 같은데 이제는 누구누구였는지도 흐릿했다. 요는 세연 빼고는 대부분 이미 알고 있더라는 것이었다. 세연은 들키지나 말든지 싶었다. 이게 다 그 고향의 좁아터진 땅덩이 탓이었다.

세연의 속에서 가장 먼저 치고 올라온 것은 배신감이었다. 사람 고쳐 쓰는 거 아니라더니. 오늘내일하는 경자였는데 재욱은 뭐가 그리 급했을까 싶었다. 무엇보다 그 좋던 감은 가족에게만 다 쓰고 지금은 꼼짝없이 누워 있는 것이 전부인 경자의 인생은 뭐가 되는가. 세연은 마치 본인이 경자인 양 그렇게 분개했다. 그래서 오랜만에 경자의 병원에 온 재욱에게 물었다.

"아빠, 요즘 딴 여자 만나?"

"… 아니. 무슨 소리냐. 그게."

"엄마 아직 저렇게 누워있는데?"

"아니라니까. 누가 그러드나?"

"그러느라 병원에 못 오는 거였어?"

"아, 아니라니까."

재욱은 아니라고 했다. 고개까지 절레절레 흔들었다. 세연은 그 순간 예전 경자와의 대화가 생각났다. 세연이 대학에서 처음 사귄 남자 친구와 2년쯤 된 어느 날이었다. 경자는 딸의 연애에 대해 미주알고주알 묻곤 했다. 그렇다고 해도 이번에는 너무 거리낌이 없었다.

"너 걔랑 잤지?"

"… 뭐? 무슨 소리야. 아니야."

"왜에 솔직히 한번 말해봐."

"뭘 솔직히 말해. 아니라니까"

아니긴 개뿔. 사실 세연은 뜨끔했다. 그러면서도 거세게 고개를 저었었다. 세연은 아니라고 말하는 재욱의 심리를 알 것만 같았다. 낮은 확률로 맞아떨어지는 감이지만 불행한 순간만큼은 기가 막히게 정확했다. 재욱은 마음만 먹으면 다른 이들의 앞에서는 얼마든지 뻔뻔해질 수 있는 사람이었으나 어떤 이유에서인지 늘 딸의 눈치는 살폈다. 그 후로 재욱은 경자를 고향에 있는 병원으로 데리고 내려갔다. 그나마 경자가 죽고 나서 살림을 합친 것이 경자에 대한 예우였는데, 세연은 눈 가리고 아웅 인 그 작태가 보기 싫어 외면해버렸다. 그렇게 재욱이 그 여자와 함께 산지도 햇수로 어언 10년이었다. 요즘은 5년만 지나도 강산이 변한다는데, 강산이 두 번이나 변할 동안 재욱과 세연은 아직도 그 대화 언저리 어디쯤에 머물러 있었다.

대부분의 괴로움은 크건 작건 그에 대한 보상이나 배움을 준다. 그러나 부모가 주는 고난만은 예외였다. 마음을 다해 버티고 나면 또 다른 고난이 나타나고 종국에는 진이 빠진 쭉정이가 됐다. 세연은 부모의 무한한 사랑과 믿음을 딛고 티 없이 밝은 사람들을 볼 때면 패배감을 느꼈다. 그래서 세연은 경자가 죽은 후 재욱과 자신의 삶을 최대한 분리하고 싶었다. 오가다 예의 갖추어 인사 정도 하는 옆집 사람처럼 지내는 게 제일 속 편할 것 같았다. 무엇보다 이제는 경자의 자리를 성공적으로 대체한 것처럼 보이는 그 여자와 마주칠 일을 만들고 싶지 않았다. 경자의 시모는 며느리 역할을 할 아무개가 있기만 하면 그만이었던지 세연에게 그 여자를 새엄마라고 불러야 한다며 호통을 쳤다. 그러나 그것을 받아 줄 경자가 없으니 아무리 크게 소리를 쳐봐야 노망든 노인의 혼잣말일 뿐이었다. 세연은 그 독한 시집살이를 모두 견디고도 종국에는 이런 취급을 받는 경자가 안쓰러웠다. 그래서 세연은 그 여자의 이름도 얼굴도 모르고 살기로 했다. 그것이 죽은 경자에게 해줄 수 있는 세연의 마지막 배려였다. 자신만은 경자의 부재를 감당하며 살겠다는 무언의 시위였다. 재욱은 세연이 자신과의 사이에 그어나가는 선에 대해 가타부타 말을 하지 않았다. 그에게는 병상에만 누워 있는 조강지처보다 매일의 끼니를 챙기고 일 년 열두 번 제사상을 준비하며 가끔 부부 동반 여행도 같이 다닐 수 있는 아무개가 더 필요했을 것이다. 세연은 그렇게 이해하기로 했다.

버스에서 내린 세연은 택시 타는 곳을 찾지 못해 좀 헤맸다. 버스터미널이 리모델링된 모양이었다. 그도 그럴 것이 버스를 타고 온 것은 결혼하고 처음이었다. 산에 빙 둘러싸인 지형 때문에 이른 저녁 시간인데도 사위가 어두웠다. 유독 울퉁불퉁한 보도블록을 따라 걷는 걸음마다 캐리어가 달달 따라왔다. 손을 통해 울려오는 떨림이 팔을 저릿하게 했다. 캐리어 안에는 여름 옷가지 몇 개가 전부였는데도 마치 추를 매단 것 같았다. 천근만근이었다.

그 와중에도 세연은 캐리어를 끌고 장례식장에 가는 자신의 모습에 호기심 많은 택시 기사가 사연을 묻지나 않을지 신경이 쓰였다. 누구와도 말하고 싶지 않았다. 그러나 다행히 택시 기사는 아무것도 묻지 않았다. 세연은 그래도 혹시나 해 고개를 푹 숙이고 핸드폰을 쳐다봤다. 회사 사람들로부터 메시지가 여러 개 와 있었다. 회사에 부친의 부고 소식이 공지되었나 보다. 멀리까지 찾아온다는 사람도 있어서 세연은 거북스러웠다. 정말 오지 않아도 된다고 진심을 꾹꾹 눌러 담아 답변을 보냈지만 그래도 누군가는 올 것이다. 이제 더 피할 수도 없었다. 그 여자를 마주해야 했다. 경자가 살아있었다면 서 있었을 그 자리에 그 여자가 있을 것이다. 세연은 상주 자리에서 그녀와 함께 지인들에게 인사를 하는 자기 모습을 생각하니 너무 거북했다. 정말 어디라도 숨고 싶었다.

택시가 신호에 걸려 잠시 정차하는 중 도로 건너편으로 세연이 초등학생 때 살던 아파트가 비죽 보였다. 신축이었던 아파트가 이제는 구축이 됐다. 택시가 출발하자 건널목에서 시작해 아파트까지 이어진 좁은 골목이 보였다. 학교를 가려면 그 길을 지나야 하는데 경자는 종종 세연 방 창문을 통해 길 끝으로 세연이 사라질 때까지 한참 바라보곤 했었다. 그때의 경자는 지금의 세연보다 어렸다. 고작 30대 초반이었다. 재욱이 경자보다 3살 어렸으니, 당시에 재욱은 정말 청춘이었다. 재욱은 세연이 기억하는 모든 시간 속에서 열심히 운동하는 사람이었다. 주말에는 조기축구를 한다고 이른 아침부터 집을 비웠고 주중에는 회사가 끝나고 테니스를 친다며 늦은 밤이 돼서야 집에 들어왔다. 테니스 실력은 수준급이어서 회사 배 혹은 지역 테니스 대회에서 종종 트로피를 가져왔다. 그래서 세연은 재욱의 얼굴을 보기가 힘들었다. 같이 살지만 아침이나 늦은 밤에 드문드문 봐서 그런지 부녀는 언제나 서먹했다. 재욱은 아마 경자와도 그렇게 서먹해져 갔을 것이다. 종종 깊은 밤 거실에서는 큰소리가 났는데, 좀 길게 이어진다 싶으면 이내 경자가 방문을 벌컥 열고 들어와 세연과 동생의 손을 잡아끌었다. 경자는 올망졸망한 아이 둘을 옆에 끼고 결연한 표정으로 집을 나섰다. 이번에야말로 이 지긋지긋한 고리를 꼭 끊고야 말겠다는 얼굴이었다. 경자가 그렇게 가출하여 간 곳은 대부분 지척에 있던 둘째 오빠네 집이었다.

경자는 아들 부잣집의 귀한 막내딸이어서 세연은 외삼촌만 셋이었다. 세연의 둘째 외삼촌 부부는 세연보다 두 살 어린 아들이 하나 있었다. 그 집에 가면 세연은 늘 그 외사촌의 방에서 잤다. 만나는 빈도에 비해 세연의 동생과 외사촌은 그리 친하지 못했다. 세연의 외사촌은 욕심이 많았고 동생은 눈치가 없었다. 열에 아홉은 세연의 동생이 외사촌의 장난감을 만지다가 싸움이 났다. 예민한 외사촌은 세연의 동생이 그의 장난감을 쳐다보기만 해도 감추기에 급급했다. 그럴 때마다 세연은 불청객이 된 기분이었다. 어린 마음에도 야밤에 남의 집에 불쑥 오는 것이 실례인 줄은 알았다. 그래서 세연은 외삼촌의 집이 영 불편했다. 동생과 외사촌의 사이에 누워 잠이 올 리 없었다. 울분이 가득한 경자의 목소리가 문틈으로 새어 들어왔다.

"전화로는 도저히 말이 안 통한다 싶어서 어제 직접 만났어."

"누구를? 그 여자를? 세상에, 고모도 참 대단하다. 그래서 뭐래?"

세연의 외숙모는 경자를 고모라고 불렀다. 경자가 고모니, 재욱은 자연스럽게 고모부가 됐다. 자다 깨서 맞은 시댁 식구가 편하지만은 않을 텐데 참 살가웠다.

"말로는 뭐 애까지 있는 줄 몰랐다. 미안하다. 다시는 안 만나겠다, 하지."

"몰랐다고? 그럼, 고모부가 총각행세를 하고 다녔단 말이야? 이 좁은 촌구석에서 그걸 모를 수가 있나."

"재욱 씨 말로는 아니래. 그 여자 혼자 착각하고 일방적으로 자꾸 연락 한 거래. 그냥 직원들이랑 다 같이 밥 두어 번 먹은 게 다라고…."

"하이고, 고모… 사람들이 그거도 구별 못 할까. 들킬 거 같으니까 뭐 한둘 끼워서 같이 먹었나 보지."

"아니! 뭐 예쁘기나 하면 몰라. 얼굴도 길 다래 가지고. 말상이야, 말상!… 내 팔자야. 들키지나 말던가!"

말할수록 울분이 치솟는지 경자의 목소리가 격양돼 갔다. 세연은 낭패감이 들었다. 허락되지 않은 것을 몰래 들은 것 같아 덜컥 무서워졌다.

'아빠가 아니라고 했다면 정말 아닌 게 아닐까?'

세연은 그렇게 바랐던 것 같다. 엄마의 오해이기를 빌었다. 아빠의 외도를 기정사실로 몰아가는 외숙모도 얄미웠다. 시선이 닿은 벽지에는 푸르스름한 야광 별 스티커들이 무질서하게 붙어있었다. 시간이 지날수록 빛이 점점 바래지는 것이 경자와 재욱 같았다.

세연과 동생을 동반한 경자의 가출은 그 후로도 몇 번 더 있었다. 참다못한 경자는 어느 날 밤 이제는 시댁으로 쳐들어갔다. 이래서 못 사네 저래서 못 사네, 하며 시부모에게 신세 한탄을 했다. 호랑이 같은 시부는 재욱을 불러 한소리를 했다. 그렇게 살 거면 앞으로 본인의 재산은 한 푼도 기대를 말라고 엄포를 놓았다. 재욱은 그 나이에도 아버지가 무서웠는지 얼굴이 말처럼 길다던 그 여자를 정리했다. 세연의 집에서는 한 번도 열린 적이 없었던 가족회의가 열렸다. 재욱은 세연과 세연의 동생에게 다시 한 번 기회를 달라며 앞으로 다시는 너희가 불안할 일은 없게끔 하겠다고 했다. 재욱이 말하는 동안 경자는 마치 그 말이 자신을 향한 말인 양 아무 말 없이 뒤에서 고개를 끄덕였다. 다행히 그 후로는 세연이 한밤중 외삼촌 집에 갈 일은 없었다.

재욱의 외도가 모두 몇 번이었는지 세연은 모른다. 그저 가장 처음의 것과 가장 마지막의 것만 기억했다. 그리고 세연은 재욱의 마지막 외도에 더 크게 동요했다. 경자의 취약한 신변이 그 이유였을 것이다. 그러나 둘 중 어느 것이 더 이성적으로 이해가 되냐고 묻는다면 그 역시 마지막 것이라고 대답할 것이었다. 세연은 재욱의 선택들에 대해 이해를 하면 할수록 어쩐지 자신은 그렇게 좋은 사람이 될 수 없을지도 모른다고 생각하게 됐다. 더 나은 새가 될 수 없을 것 같았다. 극심한 스트레스 상황이 왔을 때 자신 역시 최소한의 도리를 외면하고 현실에서 도피해 버릴 수도 있을 것 같다는 불안감이 들었기 때문이었다. 이런 것도 얼굴형이나 피부 결처럼 대물림 되는 것이겠지 싶어 덜컥 겁이 났다. 사실은 경자의 신변보다 이런 자각이 세연을 더 분개하게 했을지도 모르겠다. 스스로에 대한 불신과 그에 대한 불안이 재욱에 대한 심한 화로 표출된 것일 수 있다. 그렇다면 세연은 재욱에게 좀 더 살가워야 했을까? 그게 아니라면 누구에게로 향하는지 모를 이 죄책감과 안쓰러운 감정은 어디서 온 것일까. 세연은 자신이 경자와 재욱 그 누구로부터도 평생 자유로울 수 없을 것 같아 절망스러웠다. 그들은 이제 이 세상에 없음에도 세연이 하는 매 순간의 선택에 함께할 것이다. 이미 그래 왔던 것처럼 말이다.

택시에서 내리자, 칼바람이 불었다. 코트 깃을 세워 여며도 바람이 새어 들어왔다. 사방이 깜깜했다. 30분 남짓한 시간이 지났을 뿐인데 버스터미널에서 장례식장까지 오는 사이 해가 완전히 넘어갔다. 별조차 보이지 않았다. 서울보다 남쪽이었지만 주변이 너무 휑해서 그런지 바람이 찼다. 어디라도 몸을 숨기고 싶던 세연의 바람과는 달리 장례식장은 언덕배기에 덩그러니 서 있었다. 지대가 높아서 더 커 보였다. 누군가 이 동네 사람이 한 번에 모두 죽는다고 예언이나 한 것일까. 노인 인구가 많은 동네인 것을 감안하더라도 이 작은 동네에 5층짜리 장례식장이라니 어울리지 않았다. 허공에 캐리어 바퀴 굴러가는 소리가 크게 울렸다. 세연은 호주에 있었던 시간이 너무도 까마득했다. 캐리어 속의 여름옷들도 마치 허망한 꿈같았다.

가뜩이나 어두운데 장례식장의 일층 홀에는 전구가 반은 나가고 반만 켜져 있었다. 개 중 몇 개는 깜빡거려서 눈을 더 침침하게 했다. 커다란 건물의 크기가 무색하게 너무나도 조용했다. 귀를 기울이면 깜빡이는 전구 소리도 들릴 것만 같았다. 세연은 삼 층까지 걸어 올라가기에는 아무래도 발을 헛디딜 것 같아서 엘리베이터를 타기로 했다. 엘리베이터는 지하 일 층에 있었다. 그리고 아주 천천히 올라왔다. 걸어가는 게 빠를 것 같은 속도였다.

한참을 걸려 일 층에 도착한 엘리베이터는 문도 마치 슬로우 모션처럼 열렸다. 문이 열린 엘리베이터의 한쪽 구석에서 검은 치맛자락이 보였다. 너무 조용해서 아무도 없을 줄 알았는데 누군가 있는 것이 오히려 의외였다. 세연은 혹시 고모 중 한 명인가 싶어 얼굴을 확인했지만, 모르는 사람이었다. 눈이 마주쳐 가볍게 목례했다. 얼굴이 긴 여자였다. 코가 길어서 얼굴이 길었다. 세연은 '모딜리아니'의 그림 속 여자들이 떠올랐다. 긴 얼굴뿐만 아니라 어딘지 모르게 쓸쓸해 보이는 분위기도 그 이유 중 하나였다. 3층 버튼을 누르려고 다가갔지만 이미 눌려있었다. 이 여자가 누른 모양이었다. 세연은 여자의 반대쪽 구석으로 가서 자리를 잡았다. 서서히 문이 닫힌 엘리베이터는 한 번 꿀렁이더니 이내 힘겹게 올라가기 시작했다.

그런데 세연은 갑자기 이상한 기시감이 들었다. 자신과 함께 3층으로 향하고 있는 상을 당한 얼굴이 긴 여자. 경자는 이 상황도 예감하고 그렇게 소리를 질렀던 것일까. 미래의 세연에게 귀띔해 주려고 그때 그렇게 힘주어 소리쳤던 것인지도 몰랐다.

"말상이야! 말상!"

귓가에 경자의 목소리가 울리는 동시에 세연의 심장이 덜컥하고 내려앉았다. 불쾌한 예감이 스멀스멀 올라왔다. 세연은 아직 마음의 준비가 안 돼 있었다. 이렇게 무방비하게 그 여자를 마주하리라고는 생각해 본 적이 없었다. 무엇보다도 그 여자는 아무개여야 했다. 그렇지 않다면 재욱은 세연의 생각보다 더 질 나쁜 남자가 된다. 그리고 맥 빠지게도 그가 그럴 수도 있겠다는 것에 수긍이 되려고 했다. 세연의 심장이 두근거리기 시작했다. 재욱과 이 여자는 언제 처음 만났을지 궁금했다. 죽은 경자가 더 비참해지는 일은 없어야 했다. 세연은 재욱과 이 여자 사이가 재욱과 경자 사이보다 더 진한 서사로 얽혀 있을까 봐 겁이 났다.

"뭐… 뭐… 뭐야!"

갑자기 얼굴이 긴 여자가 소리쳤다. 괄괄한 목소리였다. 엘리베이터가 덜컹거리며 조명이 일부 꺼졌다. 세연은 세차게 뛰는 자신의 심장 때문이 아니라 엘리베이터 때문에 바닥이 흔들리고 있다는 것을 그제야 알아챘다. 조금 올라가나 싶던 엘리베이터가 갑자기 하강하기 시작했다.

"아아아악!"

여자는 급기야 소리를 지르며 엘리베이터 구석에 몸을 웅크렸다. 흔들리는 엘리베이터 때문에 세연이 놓친 캐리어가 굴러가 여자의 몸에 쿵쿵 부딪혔다. 세연도 얼른 엘리베이터 안쪽의 손잡이를 붙잡았다. 내려가나 싶던 엘리베이터는 갑자기 멈추더니 모든 불이 꺼져버렸다.

"살… 살… 살려주세요. 살려주세요."

여자가 흐느끼는 소리가 들렸다. 세연은 핸드백을 더듬어 핸드폰을 찾았다. 핸드폰 플래시를 켜고 엘리베이터의 문 열림 버튼을 눌러봤지만, 미동이 없었다. 세연은 비상벨을 찾아 눌렀다. 연거푸 벨을 눌렀는데도 반대편에서는 아무 반응이 없었다. 불안감이 엄습했다.

"살려주세요. 살려주세요. 약… 약… 내 약… 약을…"

구석에서 여자가 무슨 소린지 모를 말을 중얼거리며 자기 옷을 뒤적였다. 웅크린 자세 때문에 그 긴 얼굴은 더 이상 보이지 않았다. 불현듯 세연은 운이 없으면 저 여자와 자신의 장례식이 함께 치러질 수도 있겠다는 생각이 들었다. 그것만은 정말 전혀 예상하지 못한 최악의 결말이었다. 세연은 이렇게 기가 찬 상황을 만든 재욱에게 다시금 실망했다. 실망할 일이 아직도 남아있다는 것이 세연을 더 지치게 했다. 심지어 재욱의 장례식 중이 아니던가. 세연은 마지막이라고 생각하고 다시 비상벨을 눌렀다.

"여보세요. 여보세요. 들리세요? 호출하신 것 맞아요?"

그때 비상벨 너머에서 개미 만 한 목소리가 들려왔다. 세연은 소리가 작게 들려 다급한 마음이 들었다.

"여기 XXX 장례식장 엘리베이터에요. 엘리베이터가 갑자기 멈춰서 갇혔어요. 제 목소리 들리세요?"

최대한 침착하게 말하려고 했지만, 두근거리는 심장 때문에 목소리가 떨려 나오는 것은 어쩔 수 없었다.

"지금 갇혀 있다고요?"

"네! 네! 갑자기 아래로 떨어지더니 문도 안 열리고…"

"막 문 열고 그러시면 안 돼요. 조금만 기다리세요. 기사 보낼게요."

"네. 오시는 데 얼마나 걸려요? 갑자기 또 떨어지거나 그러지는 않나요?"

"한 30분이면 가요."

다급한 세연과는 달리 비상벨 건너편은 심상한 목소리였다. 그리고 통화가 끊겼다. 해결해 준다는 누군가와 연결이 되니 마음이 좀 놓였다. 그래도 문이 열리고 밖으로 나갈 수 있을 때까지 계속 불안할 터였다. 세연은 우선 남편 준호에게 연락했다. 곧이어 준호가 식구들에게도 이야기했는지 엘리베이터 위쪽에서 웅성거리는 소리가 들렸다. 저마다 얼른 나오게 해 줄 테니 조금만 기다리라고 소리를 치는 것 같았다.

"엄마. 걱정 말고 조금만 있어요. 금방 열어드릴게요!"

그중 엄마라고 부르는 성인 남자의 목소리가 들렸다. 세연은 얼굴이 긴 이 여자도 아들이 있나 보다 싶었다. 새삼 이 여자는 세연이 상상했던 것만큼 재욱과 그렇게 애절한 사이는 아니었을지도 모르겠다는 생각이 들었다. 적어도 젊은 날의 재욱을 잊지 못해 평생을 결혼도 하지 않고 기다렸다든가 하는 삼류 소설 같은 상황은 아닌 것이다. 그러다 문득 세연은 지금 자신의 생각이 엘리베이터에서 무사히 빠져나가는 데에 아무런 도움도 안 된다는 것을 깨달았다. 일단 적어도 30분은 암흑 속 밀실에서 이 정체불명의 여자와 함께 있어야 한다는 것이 현실이었다. 사방이 너무 깜깜해서 무서움이 도질 것 같아 준호에게 메시지를 보냈다.

'사람들 오고 있대?'

'어디서 오는 거래? 왜 30분이나 걸린대?'

'근데 지금 나랑 같이 있는 이 여자가 아빠랑 같이 살던 아줌마 맞대?'

준호는 여기저기 전화하느라 바쁜지 메시지를 확인하지 않았다. 반갑지 않게 대구 고모에게 전화가 왔다. 그때였다.

"저기 세연 씨…"

고모의 전화를 받으려는 찰나 갑자기 여자가 말을 걸어왔다. 세연은 이 여자가 지금 정말 자신의 이름을 부른 것인지 당황스러웠다. 고모의 전화가 경보음처럼 계속 울려서 정신이 없었다.

"… 네? 지금 저 부르신 건가요?"

"저기 혹시 무… 물 좀 있으세요? 제가 지금 물이… 물이… 물 있어요?"

"네? 아. 물. 물이요."

세연은 여자가 먼저 아는 척을 해 오는 상황에 대해서는 생각해 본 적이 없었다. 그런데 여자는 너무 횡설수설했다. 폐소공포증이라도 있는 건가 생각하며 가방에서 물을 꺼내는 사이 고모의 전화가 끊겼다.

"여기요. 먹던 거긴 한데…."

세연은 물을 건네주면서 캐리어를 제 쪽으로 끌어왔다. 여자는 다급하게 가방에서 뭔가를 꺼내더니 물과 함께 입으로 털어 넣었다. 세연은 자신도 모르게 어디가 아프냐고 물을 뻔했다. 무엇보다 자신이 세연인 것을 어떻게 알았냐고 물으려다가 관뒀다. 지금 이 여자가 살고 있는 집은 세연이 고등학교 3학년 때까지 살던 집이었다. 경자는 집안 곳곳에 세연과 세연 동생의 사진을 꽂아뒀었다. 그게 아니더라도 재욱 성격에 명문대 나와 외국계 기업 다니는 딸이라고 기회만 있으면 자랑했을 것이었다. 재욱은 한 번도 세연에게 잘 커줘서 고맙다거나 네가 자랑스럽다고 말해 준 적이 없었다. 하지만 밖에서는 늘 '우리 딸이 이번에…'하며 사소한 것이라도 자랑하고 다녔다. 세연은 그것을 알았기에 자신은 재욱에게 훈장 같은 딸이구나 하고 짐작했었다. 분명히 이 여자에게도 인이 박히게 자랑했을 터였다. 세연은 다른 말은 차치하고라도 캐리어로 의도치 않게 여자를 친 것에 대해서는 사과를 해야 하는데 어떻게 말을 꺼내야 할지 막막했다.

"하아… 제가 공황, 장애가 있어요."

세연이 말을 고르는 사이 한동안 조용하던 여자가 꺼져가는 목소리로 말했다. 세연은 물과 함께 먹은 약이 진정제였나 보다 했다. 재욱은 연락이 없다가도 어딘가 여행을 가면 꼭 사진을 보내왔었다. 그러면서 여기가 너무 좋으니 세연보고도 가보라는 것이었다. 그래서 세연은 둘이 여기저기 여행이나 다니며 행복하게 잘 사는 줄 알았다. 공황장애라니 생각지 못한 병명이었다. 경자도 투병 생활 때문이었지만 마지막에 우울증으로 고생했던 것이 떠올랐다.

"그리고, 저기… 와 줘서 고마워요."

"네?"

"장례식이요. 안 올지도 모른다고 생각했어요."

"아…"

"참 좋아하겠어. 세연 씨 아빠가요."

세연은 자신이 그은 선이 그 정도였던가 싶었다. 자신은 재욱에게 자기 생각보다 더 매정하고 매몰찬 딸 이었나 보다. 재욱은 이 여자에게 섭섭하게 구는 딸에 대해 우는소리를 하며 수없이 신세 한탄했을지도 몰랐다. 술을 한잔 걸치고 약한 소리를 늘어놓는 재욱의 모습을 쉽게 상상할 수 있었다. 아마도 재욱은 세연의 아빠이기보다 이 여자의 남편으로서 더 마음이 편했을 것이라는 생각이 들었다. 두 번째 남편이었을지 세 번째 남편이었을지 모를 일이지만 재욱에게는 별로 의미가 없었을 것이다.

"그 감나무밭. 만날 거기를 그렇게 가더라고요. 거기 가면 마음이 편하다고."

잠시 침묵하던 여자가 불쑥 입을 열었다.

"뭐 복숭아, 자두? 살군가? 그거 철마다 보내고, 감 따주고 한다고 그렇게 좋아했어요. 다른 건 몰라도 이거는 내가 꼭 말해 주고 싶었어."

도대체 뭘 말해 주고 싶다는 건가. 세연은 냉장고에서 굴러다니던 처치 곤란한 감들이 떠올랐다. 재욱에게 부정이란 그런 것이었다. 재욱은 외모도 성격도 자신을 꼭 빼닮은 딸을 사랑했다. 하지만 자기 자신은 더 사랑했다. 그렇다고 하더라도 여자가 가타부타 입에 올릴 주제는 분명히 아니었다. 여자는 점점 자신의 감정에 심취해 훌쩍이기 시작했다.

"날도 추운데… 혼자 거기 얼마나 누워 있었을까 생각하면 내가…."

부정을 운운하던 여자가 갑자기 연정을 떠올린 듯했다. 울음이 나오는 것을 참을 수 없는지 여자에게서 끅끅거리는 소리가 새어 나왔다. 세연은 점점 듣기가 거북해졌다. 위로해 줄 처지도 아니었다. 혼자 남은 재욱 옆에 있어 줘서 고마웠다며, 덕분에 재욱에 대한 걱정은 접어두고 필요할 때마다 원망이나 하며 살 수 있었다고 여자를 달래는 자기 모습을 떠올리자, 머리가 삐죽 서는 것 같았다. 세연은 애초에 이런 상상을 하는 자신도 지금 제정신은 아닌 것 같다고 생각했다.

"그 추운데 거기서… 전화 안 받을 때 바로 가봤어야 하는 건데, 나 때문이야. 다 나 때문이야. 세연 씨…"

어딘가 불안정해 보이던 여자는 잠금장치가 풀린 양 끝도 없이 말을 이어갔다. 그러다 급기야 세연을 부르며 가까이 다가오려고 했다. 갑자기 물리적으로 훅 가까워져 오는 여자에게 깜짝 놀란 세연은 자신도 모르게 손을 내 저었다.

"어. 움직이시면 위험할지도 몰라요. 엘리베이터요. 더 떨어질

지도 몰라요."

"어머. 그런가. 아휴. 미안해요, 미안해. 아니 왜 아직 아무도 안 오는 거야."

여자는 깜짝 놀라 뒷걸음질을 치며 중얼거렸다. 염치가 없는 여자인 줄 알았더니 눈치도 없는 여자였다. 그런데 묘하게 어딘가 연민을 일으키는 부분이 있어서 세연을 혼란스럽게 했다. 여자는 급기야 바닥에 철퍼덕 주저앉아 버렸다.

"다 내 팔자가 사나워서야. 내가 미안해… 서방 없는 팔잔데 내가 욕심을 부렸어. 내가…."

여자는 자신의 불행을 드러내는데 스스럼이 없었다. 어쩌면 그녀에게만 유달리 인색했던 운명 앞에서 더 이상 고상한 척, 괜찮은 척하기에 지쳤을지도 몰랐다. 여자의 논리에 의하면 욕심을 부려 쟁취했던 재욱이 죽음으로써 자신의 박복한 팔자를 다시금 확인했다는 것이었다. 재욱이 아니었으면 세연과는 전혀 접점이 없을 유형의 사람이었다. 그와 동시에 만약 여자도 재욱을 만나지 않았더라면 또 다른 한 번의 실패는 없었을 것이라는 생각이 들었다. 그것 또한 여자의 결정으로 인한 것이라 할 수 있겠지만, 세연은 그런 여자에게 묘한 연민만큼이나 기묘한 동질감이 들었다. 세연은 얼른 엘리베이터 밖으로 나가고 싶어졌다. 여자의 혼잣말을 끊기 위해서라도 누군가에게 전화를 걸어야겠다고 생각하던 참이었다.

"그래서, 그 감나무밭 말이에요."

여자가 다시 감나무밭 이야기를 시작했다. 어쩐지 눈빛이 전보다 또렷해서 무슨 말을 할지 긴장감이 돌았다. 살짝 은밀한 느낌마저 들었다. 세연과 여자 사이에 은밀함이라니 당치도 않았다. 그때 밖에서 반가운 소리가 들렸다. 아무래도 엘리베이터 기사가 도착한 모양이었다.

"저기요! 안에 계세요? 괜찮으세요?"

"네! 네! 이제 나갈 수 있는 건가요?"

세연은 이 여자의 파괴적인 자기연민에서도, 유전자 하나하나마다 미운 자국을 새겨 둔 것만 같은 부모의 굴레에서도 이제 그만 나가고 싶었다. 이 엘리베이터에서 조금이라도 빨리 나가야 했다. 마침내 그럴 때가 온 것이다.

엘리베이터에서 나온 세연은 준호의 얼굴을 보자마자 그 품으로 허물어졌다. 안 그래도 피곤한 몸에 갑자기 긴장이 풀리니 버텨낼 재간이 없었다. 세연이 정신을 차리고 일어났을 때는 창밖으로 어스름하게 해의 기운이 돌고 있었다. 여기가 어딘지 현실감이 없었다. 왼쪽 옆에 그 여자가 세연 쪽으로 몸을 웅크리고 자고 있었다. 밤새 얼굴이 더 길어진 것 같았다. 세연은 순간 자신이 아직도 엘리베이터에 갇혀있는 줄 알고 등골이 서늘해졌다. 다행히 반대쪽에는 세연의 아들과 준호가 자고 있었다. 장례식장에 딸린 옆방이었다. 한밤중에는 조문객이 없으니 다들 잠깐 눈을 붙이고 있는 모양이었다. 아침 6시가 좀 지난 시간이었다. 방바닥이 절절 끓어서 그런지 온몸에 땀이 흥건했다. 상중에는 머리도 감는 게 아니라고 하지만 세연은 왠지 강렬하게 몸을 씻어내고 싶은 충동이 일었다. 그러면 당장 이 케케묵은 껍질을 한 꺼풀 벗겨 내고 가벼워질 수 있을 것 같았다.

간단히 샤워하고 나온 세연은 혼자 재욱의 영정 사진과 마주했다. 몸이 가뿐했다. 흰머리를 염색하면 피부가 뒤집어진다고 불평하더니 영정 속 사진에서도 재욱의 머리는 온통 희끄무레했다. 이제는 제대로 인사를 해야 할 시간이라는 생각이 들었다. 세연은 마음을 담아 향을 피우고 공을 들여 절을 했다. 장례식장으로 오면서 했던 오만가지 생각들이 정처 없었다. 그간의 원망이 무색하게도 막상 마지막이 오자 세연은 재욱이 좋은 곳으로 가기를 진심으로 바랐다. 갑자기 자신이 지금 재욱의 장례식장에 있다는 현실이 온 피부로 실감이 됐다. 이제 재욱은 세상에 없었다. 세연이 덮어놓고 화를 낼 수 있던 대상은 사라졌다. 사실 세연은 자신이 무엇에 그토록 늘 화가 나 있었는지 분명히 말하기가 어려웠다. 그저 재욱과 관련된 것은 떠올리는 것조차 피곤해서 저 구석에 대충 덮어두고 있었다. 혹여나 누가 들춰볼까 두려워 회피해 왔다. 그 이유를 묻는다면 망설임 없이 재욱의 외도라고 하겠지만 그것이 세연이 나서서 단죄해야 하는 상륜이었는지를 짚어 묻는다면 단호히 그렇다고 말할 자신은 없었다. 어쩌면 세연은 자진하여 부모의 그늘에서 허우적거린 것인지도 모르겠다는 생각이 들었다. 부모의 그늘이 아니라 자신의 그늘을 가리기 위한 비겁한 도피의 일종으로서 말이다. 한심했다.

"일어났네요? 몸은 좀 어때요?"

상주 자리의 벽에 기대 멍하니 앉아 있던 세연을 현실로 불러낸 것은 그 여자였다. 여자는 세연을 향해 구부정한 자세로 무릎에 손을 짚고 있었는데, 긴 얼굴이 너무 가까워 부담스러웠다. 새삼 세연은 자신이 아직 이 여자의 이름도 모른다는 것을 깨달았다. 세연의 얼굴을 좀 살피나 싶던 여자가 세연의 옆에 털썩 주저앉았다. 너무 자연스러워서 세연은 자신도 모르게 곁을 조금 내주었다.

"아? 어 네. 저는 괜찮아요."

"덕분에 어제 무사히 나왔어요. 나는 아무 생각이 안 나더라고요. 그냥 딱 죽는구나 싶었는데, 고마워요. 고마워."

"뭘요."

세연은 말은 그렇게 하면서도 미안한 것도 고마운 것도 참 쉬운 여자구나 생각했다. 고마울 것은 또 뭐란 말인가. 그저 세연 자신도 무사히 밖으로 나와야 했을 뿐이었다. 이래서 재욱이 여자에게 쉽게 마음을 열었던 걸까. 또 생각이 무용한 것들로 뻗어가려고 했다.

"저기, 근데, 지금 아니면 또 말하기가 어려울 것 같아서…"

여자는 말끝을 늘리며 혹시 누가 듣는지 확인이라도 하듯 주변을 두리번거렸다. 여자가 머뭇거리는 것이 곤란한 부탁을 하려는 건가 싶었다. 그렇다면 재욱에게 더 실망할 것 같았다. 이런 여자를 만나려고 누워 있는 엄마를 혼자 뒀어야 했냐고 아직 세연의 안에 머물러 있는, 정체 모를 울분에 찬 딸이 따져 물을 것이다.

"네, 말씀하세요."

세연은 뭐든 쉽게 말하는 여자답지 않게 계속 뜸을 들이는 여자를 조금 재촉했다.

"그 감나무밭 말이에요."

또 그 감나무밭 타령이었다.

"혹시 아빠한테 들었어요?"

"뭘요?"

"이거 봐. 내 이럴 줄 알았어."

여자의 얼굴에 잠깐 연민이 스쳤다. 이 상황에 누가 누구에게 연민이란 말인가.

"세연 씨 아빠가 살아생전에 맨 날 그 밭, 그거는 딸 거라고. 자기 죽으면 꼭 딸 주라고…."

"…"

"술주정이라고 면박이나 줬지… 진짜 이렇게 나보다 먼저 갈 줄 누가 알았나."

세연은 여자의 말을 끝까지 듣지 못하고 고개를 돌렸다. 영정 사진 속 재욱의 얼굴이 태평했다. 본인은 세상에 없음에도 끝까지 세연에게 말을 전해줄 누군가를 남겨뒀다니 철두철미하지 않을 수 없었다. 이 철두철미한 점은 또 억울하게도 세연이 닮지 못한 부분이었다.

"… 자기 꿍한 거는 자세히 말하는 사람도 아니고… 알죠? 근데 술만 먹으면 그러더라고. 딸한테 말을 못 하니 허구한 날 나를 그렇게 들들 볶았나 보네."

세연은 머릿속이 복잡했다. 명쾌하고 단순한 것을 좋아하는 세연에게 부모와의 관계는 답이 없는 문제였다. 항상 정리되지 않은 옷장이었다. 경자의 말을 귓등으로 듣던 재욱이 사실 경자의 원망만큼은 늘 마음속에 품고 있었던 걸까. 왜 하필 다른 것도 아니고 본인이 애지중지 아꼈던 그 땅을 주고자 고집했는지 세연은 재욱을 완전히 이해하기는 힘들었다. 그것도 자신이 죽은 다음에야 주고 싶다는 마음은 부정, 부채감 그 무엇으로도 충분히 설명하기가 힘들었다. 한 가지 분명한 것은 재욱은 끝까지 자기 방식대로였다는 것이다. 재욱은 그런 결정을 하는 데 있어 세연의 마음 따위는 헤아리지 못했다. 마치 경자가 다음에는 아들을 낳고 싶다는 마음만을 담아 세연의 이름을 지은 것처럼 말이다.

"아휴, 어쨌든 직접 말해 주고 싶었어요. 팔든지 어쩌든지 그냥 받아요."

어제도 오늘도 이 여자는 재욱의 대변인을 자처했다. 뭐라고 대답을 해야 할지 또 막막했다. 재욱의 외도를 전해줬던 그 사람들에게처럼 알려줘서 고맙다고 해야 하는 걸까. 이 여자는 왜 자신에게 이런 이야기를 전하는 걸까. 재욱에 대한 연민 때문인지 아니면 이것을 자신의 마지막 도리라고 생각하기 때문인지 그 이유는 모를 일이었다. 하지만 세연은 여자가 이야기를 전하면서 조금은 마음의 짐을 덜었을지도 모르겠다고 짐작했다.

"안녕하세요?"

"네. 오셨어요?"

장례식장에 식당 도우미들이 도착했다. 여자는 도우미들에게 마주 인사를 건네며 자연스럽게 자리를 떴다. 그리고 여자와 세연은 장례식이 끝날 때까지 다시는 대화를 나눌 일이 없었다. 여자는 재욱의 말을 전하는 것이 마치 정말 마지막 미션이라도 됐던 듯 그 미션이 완료되자 더 이상 세연에게 거리를 좁혀 다가오지 않았다. 세연은 남은 장례식 기간 동안 여자와 함께 사람들을 맞는 것이 생각만큼 곤욕스럽지는 않았다. 세연이 늦게 도착했던 만큼 재욱의 장례식은 일찍 끝났다.

"자기! 혹시 우리 여권 어디 있는지 알아?"

"큰방 서랍 오른쪽 제일 위 칸일걸."

세연이 새로운 집으로 이사를 한 지 사흘째 날이었다. 세연은 아직 어디에 뭐가 있는지 익숙하지 않았다. 그나마 준호가 꼼꼼해서 매번 세연이 급하게 물건을 찾을 때마다 곧잘 기억해 냈다. 여권은 준호가 말한 자리에 잘 있었다. 하지만 집은 여전히 적당한 자리를 찾지 못한 물건들로 어질러져 있었다. 여기 저기 조금 더 정리가 필요했다. 세연은 하루 휴가를 내고 집을 싹 치우고 싶었지만 당장 내일부터는 또 출장이었다. 세연과 준호는 세연이 출장에서 돌아오면 함께 휴가를 내고 구석구석 정리하기로 약속했다. 이 집은 세연과 준호의 첫 집이었다. 그동안 월세와 전세를 전전하며 살아오던 둘은 아들이 초등학교에 입학을 하자 한곳에 정착을 하기로 결정했다. 그리고 운 좋게도 집을 알아보러 다닌 지 얼마 안 돼서 급매로 나온 매물을 저렴하게 계약할 수 있었다. 여기에는 재욱이 고집스레 물려준 감나무밭도 한몫을 했다. 세연은 경자의 숙원대로 그 감나무밭을 받자마자 바로 팔아버렸다. 처음으로 사고 싶다는 사람이 나타났을 때 이것저것 따지지 않고 그냥 팔아치웠다. 그 후련함이 이루 말할 수가 없었다. 말이 안 되기는 하지만 경자의 후련함까지 세연이 함께 느끼고 있는 것만 같은 기분이었다. 그리고 밭을 팔아 받은 돈은 역시 경자가 원했던 대로 어디에도 허투루 쓰지 않고 집을 사는 데 보탰다. 급매를 원하던 전 집주인은 집을 계약하며 이른 시일 안에 잔금까지 모두 받기를 원했다. 그리고 세연은 그 감나무밭 덕에 조금은 더 수월하게 자금을 마련할 수 있었다. 모든 게 경자의 뜻대로 됐다. 그리고 세연은 직접 전하지 못한 재욱의 마음도 결국에는 경자와 같지 않았을까 짐작했다. 재욱은 세연을 만날 때마다 그래서 올해는 집을 샀는지를 꼭 빼놓지 않고 물었던 것이다. 그때는 일 년에 한 번 보는 딸에게 그다지 할 말이 없어서 그냥 묻는 말이라고 생각했지만 이제 와 생각해 보니 어쩌면 꼭 그 이유만은 아니었을지도 모르겠다는 생각이 들었다. 그러나 아무렴 어떤가. 비록 세연의 짐작이 틀렸다고 하더라도 세연은 이제 괜찮았다.

여름옷을 찾는다고 집안을 여기저기 뒤졌더니 먼지가 일었다. 세연은 기관지가 약한 아들이 걱정되어 환기를 시키려고 창문을 조금 열었다. 서늘한 바람이 솔솔 들어왔다. 11월도 말일을 향해 가고 있었다. 이제는 겨울이었다. 점점 차고 있는 달이 둥글었다. 차갑지만 청량한 바람 덕에 세연은 머리가 개운해졌다. 지금 호주는 여름에 접어들고 있을 것이다. 이번 출장지는 시드니였다. 지난 출장 때 가보지 못한 본사에도 방문할 예정이었다. 세연은 캐리어에 여름 옷가지들과 가벼운 겉옷을 함께 챙겼다. 그리고 책장 앞에 섰다. 이사를 하면서 보니 사놓기만 하고 읽지 않은 책들이 꽤 있었다. 비행기와 출장지에서 읽을 책을 한 권 고를 작정이었다. 책장을 훑던 세연의 눈이 한쪽 구석에서 멈췄다.

'불안이 나를 더 좋은 곳으로 데려다주리라'

세연은 시커먼 책의 표지를 보자 책을 살 때의 감정들이 떠올랐다. 딱 그 표지만큼 캄캄했었다. 그러나 이미 지난 시간들이라 그런지 돌이켜 보니 사실 그렇게까지 불안해할 건 없었는데 싶었다. 과도한 자기 불신이 스스로를 극도의 불안으로 내몰았던 것임을 알았다. 그러다 세연은 불현듯 자신이 지금 콧노래를 흥얼거리고 있었다는 것을 깨달았다. 다가오는 출장이 꽤 기대됐다. 출장 준비와 새집으로의 이사를 위해 정신없이 바쁘게 보내온 날들이 드디어 결실을 맺고 있었다. 무엇보다도 세연은 지금 불안하지 않았다. 행복이 완벽하게 둥그런지 아니면 어딘가 찌그러졌는지 고민할 필요는 없었다. 누구에게나 공평한 저 달처럼, 둥글게 차올랐다가 어느 순간 찌그러들 것이다. 그리고 틀림없이 또다시 차오르리라. 이제는 안다. 세연은 새로운 새였다.

| 07 |

멀리서 온 약속

정원

소설

정원

통속, 신파, 유치찬란함을 사랑한다.
열심히 사랑해왔지만 나는 여전히 사랑을 잘 모른다.
잃었던 나를 찾아가는 길에 융을 만났고,
지금은 프로이트에게 연민을 느끼며 라캉에게 샘내는 중이다.
늙어 글 적는 어느 오후 3시쯤에는
더 많은 사랑이 존재하기를.

멀리서 온 약속

1. 차용증

퇴근하자마자 남편이 내민 건 누런 봉투였다. 갑자기 가슴이 두근거렸다. 최대한 천천히 뜯고 싶었다. 설레는 마음을 조금 더 오래 가져가고 싶었고, 봉투가 상하지 않게 뜯고 싶었다. 그 안에 든 것을 아껴 보고 싶었다. 봉투 안에 하얀 A4지 한 장이 보였다. 이자율 연 2.6%. 눈을 몇 번이나 떴다 감았다 하며 보고 또 봤다. 대학원 입학금과 등록금에 대한 차용증이었다. 사람이 살면서 상상조차 해 보지 못한 일들을 마주하게 될 때면 모든 정서와 신체감각이 정지되곤 한다. 나에겐 남다른 의미를 갖고 있는 누런 봉투가 내 맘속에서 갈기갈기 찢겨진 날이었다. 나 또한 산산이 부서진 날이었다.

오늘 저녁엔 아껴두었던 2018년도 산 오퍼스 원 와인과 함께 남편과 조촐한 축하파티를 할 참이었다. 양고기가 특별히 맛있는 조금 먼 곳 단골 정육점까지 다녀왔다. 올리브유에 정성껏 숙성도 해두고 같이 구우려 했던 야채들에 밑간도 막 마쳤는데 나는 가장 받고 싶었던 축하 대신 태어나서 처음으로 갚아야 할 빚이 생겼다. 난생 처음 내 손에 차용증이란 걸 받게 된 날이다. 꿈에 그리던 대학원 합격을 하게 되면서 나는 남편과 부부라는 관계 말고 또 다른 관계가 하나 더 생겼다. 채무관계!

스물다섯이라는 어쩌면 다른 사람들보다 빨랐던 결혼으로 마음속에 품고만 왔던 꿈을 10년 만에 이루던 날이었다. 그날 오후 싱그럽던 초가을 바람의 감촉은 아직도 선명하다. 얼마나 상쾌했는지, 구름 한 점 없이 공활한 가을 하늘은 또 얼마나 파랬던지 꼭 내 마음 같았다. 그만큼 남편에게도 나만큼 기쁜 일일 거라고 믿었다. 늘 나만을 사랑한다는 말을 입에 달고 살았던 남편이었기에 이해되지 않는 순간에도 믿고만 싶던 그 말, 나는 말에 속아 단단한 착각을 해왔던 거다.

사랑 때문에 자기 자신을 속인다는 것이야말로 가장 무서운 속임수라는 키에르케고어의 말이 스산하게 내 온몸을 타고 스쳐갔다. 사랑은 그 열매를 반드시 알아볼 수 있다고 했다. 어떤 것이 더 서글픈 풍경일까? 자신을 분명 사랑하고 있었다고 굳건히 믿었던 것에 속은 풍경일까, 아니면 사랑하고 있다고 믿고 살아왔던 내 자신에게 그것은 모두 거짓이었다는 것을 깨닫게 된 풍경 앞에서일까? 어떻게 사랑한다고 하는 사람의 간절했던 꿈을 이룬 대학원 합격발표가 있던 날 가져온 선물이 차용증일 수 있을까? 아무리 이해해 보려 해도 이해할 수 없을 때 오는 무력함, 그 뻥 뚫린 듯 느껴지는 공허함이라는 구멍 사이를 지나는 바람이 차갑기만 하다.

식탁에 윤기가 좌르르 흘러 먹음직스럽게 올라가 있던 양고기는 어느 새 돌처럼 차갑게 굳어버렸다. 언제 식욕 돋우는 음식 냄새가 집안에 가득 했었는지, 그 사이 양고기의 고기 비린내만 진동했다. 달궈진 오븐의 열기도 정말 따스했었는지 의심스럽기만 하다. 거짓말처럼 집안의 공기는 온통 순식간에 얼어버렸다. 마치 속여 왔던 시간 앞에 놓인 나와 남편의 모습과도 같았다. 이제는 더 이상 빠져나갈 틈이 없다는 듯 모든 공간 곳곳에서 차갑게 소리쳤다. 부부관계에서 채무관계로 옮겨가는 순간의 숨길 수 없는 냄새들이었다. 그 비싼 오퍼스 와인을 화장실로 가져가 변기에 들이부었다. 응급실을 쉴 새 없이 오가던 작년, 이 변기 앞에서 구토하며 홀로 신음했던 시간들이 스쳐갔다. 오히려 변기 속 맑게만 보이는 물에 값비싼 오퍼스 와인은 천박하게 퍼지며 붉게 번져갔다. 시간 속에서 아무런 보상을 받을 수 없는 영원한 상실! 어떤 형태로든 관계 맺고 있는 동안 그 안에는 사랑이 있었다고 믿고 싶었지만 존재하지 않았던 사랑을 확인하는 아픈 순간이었다.

누런 봉투에 들어있던 A4지에 딱딱한 워드로 출력해 온 차용증에는 이미 남편의 사인과 함께 자신의 이름, 주민번호가 빈틈없이 꼼꼼하게 적혀 있었다. 항상 그랬다. 돈에 관해서 만큼은 철저하고 빈틈없었다. 그래서였을까. 남편과는 늘 거래하는 느낌이었다. 자신이 준 생활비가 아닌 자신의 카드로 콩나물 한 봉지라도 사게 되는 날에는 어김없이 그날이 지나기 전 자정까지 반드시 거실 서랍장 위에 놓인 누런 봉투 안에 정확한 콩나물 값을 넣어두어야만 했다. 차용증만 남기고, 넣어 온 누런 봉투를 내 손으로 갈기갈기 찢어버렸다. 마치 내 모든 것이 부서지는 듯 온몸이 아팠다.

거실 서랍장을 열어 합의이혼 서류 위에 차용증을 함께 넣었다. 한동안 이 서랍에 넣어두었던 이혼서류를 아무래도 꺼내야 할 때가 온 것 같았다. 한 번도 나의 보호자로서 존재해준 적이 없었던 사람. 막 닫은 서랍을 다시 열었다. 차용증 위에 10년 동안 끼고 있었던 결혼반지도 빼서 올려두었다. 모든 손가락이 똑같이 가벼워졌다. 서랍을 닫으며 보이는 결혼반지가 더 이상 반짝이지 않았다. 오히려 반짝이지 않는 반지는 보는 내 마음을 위로했다. 편했다. 거실 서랍장 너머로 보이는 야경이 시리도록 찬란했다. 한강에 비친 화려한 가로등 불빛은 더 이상 부러운 야경을 가진 집의 창이 아니라는 듯, 누추해질 대로 누추해진 큰 창을 타고 들어왔다. 밤하늘 가득 빛나는 별들이 야속했다. 내 옷장 위에 올려둔 오래된 상자 속 누런 봉투가 사무치게 보고 싶다.

2. 12색 사인펜

"엄마, 얼마나 더 가야 해?"

다음 주면 이사를 해야 한다고 했다. 버스를 타고 한 시간이 넘게 왔는데도 엄마는 내리자는 말 한마디가 없다. 차를 탈 때면 어김없이 멀미가 나던 어린 시절, 그래서 난 차를 타는 게 무척 싫었는데 가도 가도 내려주지 않는 그 버스가 미웠다.

'난 정말 이 집이 좋은데.'

학교가 끝나 조금만 뛰어오면 조용한 주택가가 조르륵 이어지는 길 끝에 우리 집이 있었다. 초록색 대문 빨간 벽돌집이 바로 우리 집이다. 문을 열고 집 마당으로 들어서면 돌로 난 길을 따라 양옆으로 예쁘게 정돈된 정원이 있었다. 아빠의 손길이, 목소리가 하나도 닿지 않은 곳이 없는 곳. 하나하나 뻗어 있는 나무들이 가지런하게 다듬어져 있고, 빨간 색 사루비아 꽃들이 만발했다. 빨간 작은 앵두나무 한 그루는 매일매일 나처럼 성큼성큼 자라(-마음만, 나는 내 키가 너무 자라지 않아 매일 속상했다) 학교에서 돌아오는 나를 어김없이 반겨줬다. 어느 날은 들어오며 아빠가 가르쳐 준대로 사루비아 꽃잎 한 장을 따서 꿀을 오물거리며 쪼옥하고 빨아먹었다. 어떤 하루는 대롱대롱 매달려있는 앵두를 조심조심 따 작은 내 입에 몽땅 털어 넣기도 했다. 앵두만큼이나 자그마한 손임에도 그 크기는 생각지도 않는다. 욕심만 많아 한가득 많이많이 따야지, 하며 몽땅 다 그 작디작은 손에 담으려다 입에 채 넣지도 못한 날에는 서럽기만 했다. 땅으로 떼구르르 굴러 떨어지는 앵두로 그 동네가 떠나가라 울기도 했다. 얼마나 울었던가. 속상한 마음에 주저앉아 눈물을 팔꿈치로 훔치려 들면 집 안에서 밖으로 나 있는 온실 속 핑크색 베로니아 꽃이 나를 쳐다보며 배시시 웃어주곤 했다. 언제 눈물이 났나 싶게 금방 나도 그 꽃을 따라 웃었다. 부끄러워진 내 얼굴 양 볼에는 베로니아 분홍색 꽃잎처럼 촌스럽게 발그레해졌다. 거기에 더해 온실과 마주보고 있는 키 큰 목련 나무 사이로 눈부신 햇살마저 나를 비추면 찡긋거리는 내 눈에선 흐르던 눈물이 순식간에 멈춰버렸다. 그렇게 이 집에 있는 모든 것들은 나의 유일한 친구들이었다, 마당도 나무도 꽃들도 햇살도. 이제는 다 헤어져야 한다니 슬프고 속상했다. 나는 이때 자연이 주는 위로를 배운 것 같다. 언제고 그 자리에 그대로 있어준 내 집 마당에서 믿음을, 받는 것 하나 없이 내어주기만 하는 사랑을 배운 것 같다.

버스 안에서 나는 울렁거리는 배를 움켜잡았다.

'대체 언제까지 가는 거지? 설마 나는 이제 시골로 가는 건가?'

온갖 걱정과 불안한 내 마음은 덜컹거리는 버스만큼 요동쳤다. 나는 지금 다니는 학교가 너무 좋았다. 선생님도 좋았다. 아빠와의 추억도 많은 이 집이, 학교와 이 동네가 난 많이 좋은데 마지막이 되어 버렸다. 이제 이 모든 것들과 헤어져야한다는 생각은 더 멀미나게 했다. 머리까지 어지러웠다.

"이제 내려야 해!"

엄마에게 아직도 멀었냐고 물어볼 참이었는데 엄마가 이런 내 마음을 알았다는 듯 반갑게 내 이름을 불렀다. 드디어 나는 엄마 손을 잡고 버스에서 내릴 수 있었다.

“저기 보이는 집이 이제 이사 올 집이란다. 어때? 맘에 들지? 들어가면 더 좋을 거야, 이층집이거든!”

엄마는 내게 좋은 얘기만 해주시려고 하는 걸까? 내린 곳에서 큰 길을 건너 들어선 골목 맨 끝에 이층집이 보였다. 여기도 담을 넘어 훌쩍 큰 목련이 제일 먼저 나에게 인사했다. 지금 살고 있던 집도 좋지만 여기도 오면 좋을 거라고 나를 위로하는 듯했다. 지금 살고 있는 집은 내가 참 좋아하는 빨간 색 벽돌집이었는데 엄마가 새로 이사 올 집이라며 말해주는 이 집은 검은 색 대문에 검은빛에 가까운 벽돌집이었다. 그나마 집안에 들어가 이층으로 올라가는 나무계단을 보며 조금 위안이 되었다. 이층집이라는 새로움이 나의 호기심을 자극하기 시작했다. 저 계단을 오르락내리락하며 그리고 이층 베란다에서 놀 생각으로 상상의 나래를 가득 펴다보니 오랜 멀미로 왔던 그 길은 어느 새 금방 잊어버렸다

집을 보고 드디어 며칠이 지나 이사 오는 날 아침, 나는 가방을 메고 엄마 손을 잡고 새로 다녀야 할 학교로 향했다. 그런데 학교로 들어서는 곳에 한 번도 본 적 없던 풍경이 펼쳐졌다. 내가 타고 왔던 버스들이 모두가 한 곳에 나란히 줄지어 서 있는 게 아닌가. 어린 내 눈엔 이 풍경이 얼마나 신기하던지 엄마 손을 잡고 앞으로 가고는 있었지만 내 고개는 이곳을 향해 길게 늘어져 뒤로 걸어가며 한참을 구경했다. 운전사 아저씨들은 다 어디에 가신 건지,

모든 버스는 텅텅 빈 채로, 나는 그때 버스 종점이라는 곳을 처음 보았던 거다. 마치 마법사 아저씨들은 사라지고 내가 버스를 타고 다닐 때 나타나 길을 누비는 버스들인 양 버스들이 줄지어 서 있는 종점은 마법이 멈춰있는 곳 같았다.

막 종점을 지나고 나니 왼쪽으로 작은 문방구가 보였다. 고개를 돌려 간간히 문방구 문을 여닫으며 들락거리는 이 동네 친구들을 쳐다보았다. 낯설기만 한 동네 사이 작은 문방구는 왠지 내 마음을 편하게 해 주었다. 저번에 다니던 학교 앞에도 문방구가 있어서였을까. 아니면 여기 문방구에도 그곳 문방구에서 갖고 싶었던 12색 사인펜이 스케치북들 옆에 똑같이 누워있어서였을까. 잠시 내 마음을 놓이게 해 준 고마운 문방구를 지나니 내 눈앞에 새로 다닐 학교가 보였다. 초록색 철문 그 정문 너머로 넓은 운동장이 펼쳐지고 왼쪽에는 점점 높아지는 철봉이 보였다. 엄마와 나는 학교 정문을 지나 드디어 내가 다닐 교실로 향했다. 엄마와 나는 교무실에 먼저 들러 반을 지정받았다. 6학년 3반! 1반보다는 조금 뒤에 있고 마지막 6반보다는 앞에 있는 3반이 왠지 안심이 되어 좋았다. 환하게 나를 반겨준 담임 선생님도 좋았다. 선생님을 따라 복도를 지나고, 드디어 나는 이제 엄마 손을 놓고 선생님 손을 잡았다.

"잘하고 이따 만나자. 끝나면 엄마가 다시 올게!"

엄마는 내 이름을 부르며 내가 교실로 들어갈 때까지 눈을 떼지 않았다. 눈물이 날 것만 같았는데 꾹 참았다. 혼자 들어가야 할 교실 문이 나에겐 너무 넓고 커보였다. 드르륵! 나무로 된 교실 문을 옆으로 열고 선생님과 들어간 곳 6학년 3반! 이제부터 나는 이곳 국민학교(지금은 초등학교로 부르지만 내가 다니던 시절엔 국민학교라고 불렀다) 6학년 3반 학생이 되었다. 교탁 앞에 세워진 나는 눈앞이 하얘졌다. 친구들은 꽉 차 있는데 아무것도 보이지 않고, 모든 친구들은 그저 다 하얗게 뭉뚱그려져 교실 창문을 타고 들어오는 빛 속으로 사라진 것처럼 느껴졌다. 온몸은 바들바들 떨렸다. 차라리 하얗게 보이는 것들이 구름이었으면 난 저 구름을 타고 여기를 빠져나갈 수 있을 텐데. 내 옆에서 내 손을 잡고 나를 소개하고 계시는 선생님의 목소리만 큰 소리로 들려왔다. 좋은 얘기 칭찬해주시는 선생님의 얘기들이었다.

"이제 네가 친구들에게 직접 너의 소개를 해 보렴!"

선생님의 이 말씀 이후의 일은 하나도 기억나지 않는다. 내가 무슨 말을 했는지, 그리고 그날 나는 어떻게 학교에서 지내다가 집에 왔는지 그 무엇도 기억나지 않는다. 내 자리가 교탁에서 바라봤을 때 제일 왼쪽 마지막 분단, 앞에서 네 번째 줄, 키 큰 여자아이 옆자리라는 것과 이 아이는 날 정면으로 보지 않고 옆으로 눈만 흘기듯 본다는 것, 그리고 조회와 종례가 끝날 때는 부반장이라는 키가 큰 남자 아이가 교실 앞으로 나와 교실 문 옆에 매달린 태극기를 올리고 내린다는 것과 부반장 이 아이의 선명한 이름, 그리고 또 우리 반 반장은 여자아이라는 것. 이것이 전학 간 첫 날 내 기억 속에 남아있는 유일한 세 가지다.

'난 정말 여기서 잘 지낼 수 있을까? 누가 나의 친구가 될까? 그

한 사람은 과연 누구일까?'

3. 누런 봉투

작년 첫 집단미술치료가 있던 초등학교에서 정확하게 1년 만에 다시 전화가 왔다. 일에 대한 개인적인 욕심이 아닌, 상처 입은 한 사람 한 사람을 향한 진실한 마음과 열망은 어김없이 하늘에 닿는다. 반갑고 기쁜 전화였다. 이혼하고 벌써 일 년이 지났다. 시간이 언제쯤이면 빨리 지나갈까 잦은 한숨을 내쉬며 하루하루를 보냈던 나날들이 잠시 스쳐지나갔다. 다시 진행될 여름방학 일정에 대한 계약서에 사인을 해달라고 해서 학교에 들렀다. 이 학교에 갈 때마다 차로 심하게 경사진 언덕을 올라갈 때면 자그마한 등에 무거운 책가방을 메고 걸어 올라가는 아이들이 참 대견하다 생각하곤 했다. 1년 만에 다시 와 봐도 이 높은 언덕 위에 있는 학교가 미웠다.

사인을 하고 나서 이번 수업에 참여하게 될 아이들의 명단을 받았다. 코끝이 시큰거렸다. 작년 "꼭 다시 만나고 싶어요, 선생님!"하며 수업 마지막 날 내 품에 안겼던 아이들의 이름들이 보였다. 그 이름 하나하나가 모두 빛과 같이 내 눈에 들어와 반짝거렸다. 한 명의 이름이 보이지 않아 이내 목구멍에 걸렸지만 '잘 있어서겠지' 하는 마음을 다져 먹었다. 작년 여름도 무척 더워 경사진

학교에 오는 아이들이 고생 꽤나 했는데, 점점 기온이 올라가는 날씨가 걱정스러웠다. 곧 만나자, 얘들아!

이혼 후, 어느 정도 내 생활에도 안정감이 찾아왔다. 대학원도 석사논문만 통과하면 곧 졸업이다. 센터와 학교, 치료 일도 많아졌다. 어떤 생각할 틈 없이 바쁘게 지나가는 일상이 나쁘지 않았다. 나에게 가장 큰 변화는 수면이었다. 20년 넘게 불면에 시달렸었다. 잠이 들기까지 너무나 어려웠던 내가 잠이 들면 한 번을 깨지 않고 숙면을 한다. 나에겐 기적과도 같은 일이다.

『나는 내 속에서 스스로 솟아나는 것, 나로 그것을 살아보려 했다. 그것이 왜 그토록 어려웠을까?』

헤세의 어수룩한 듯 보이는 수채화로 한 장 한 장 그려진 달력 안에서 그는 오늘도 내가 하고 싶은 말을 이렇게 대신하고 있다. 헤세는 어떻게 안 건지, 무엇 때문에 나는 오랫동안 내 안에서 꿈틀거렸던 내 마음을 제대로 보지도 않고 밀어 넣으려고만 했던 걸까. 스스로 솟아나는 것들, 그것을 왜 나는 살아보려 하지도 않고 삼키기만 했던 걸까.

내 책상 귀퉁이에 늘 차분하게 놓여 있지만 나에게 얘기하는 헤세의 목소리는 항상 자상하고 친절하다. 오늘따라 그 시절의 내 마음을 꼭 안아주고 싶었다. 달력을 넘길 때마다 나에게 다가와 조용히 자신의 그림들과 글로 말 걸어주는 헤세가 오늘따라 유난히 고마웠다. 꼭 그와 같았다. 늘 내가 필요할 때마다 보이지 않게 다가와 내 옆을 지켜주고 있었던 그 아이. 전학 갔던 날 그의 이름만 유독 선명하게 기억되었던, 그 아이. 그가 보고 싶다.

옷장에 올려둔 오래전 상자를 꺼냈다. 누런 봉투가 보고 싶어서였다. 오래된 이 상자를 열 때마다 시간이 흘러도 변하지 않는 것이 있음을 확인하면 마음이 편안해지곤 한다. 2년 전, 차용증이 들어있던 누런 봉투가 문득 떠올라 나도 모르게 놀라 소스라쳤다. 사랑이라는 것에 속은 것 같을 때마다 열어보곤 했던 이 상자 속 누런 봉투는 그 자리에 오늘도 그대로 있어주었다. 전학 가기 전, 나에게 진실한 사랑을 알려주었던 나의 집 마당 사루비아 꽃, 목련과 앵두나무들처럼 말이다. 전학 간 후엔 그 아이처럼, 그 아이가 준 이 누런 봉투가 그랬다. 모든 게 버려지던 날. 나도 사라져 버린 날들 속에서 이제는 단단히 사랑에 속았다고, 속은 게 확실하다고 울먹거릴 때마다 상자 속 누런 봉투는 나를 향해 여지없이 내가 틀렸다고 말해주었었다. 여전히 네가 믿고 있는 진정한 사랑은 너와 함께 존재한다고, 정신 차리라고, 조용히 소리쳐주곤 했었다. 결코 변하지 않는, 변하지 않을, 네가 믿고 있는 그 사랑은 반드시 존재하고 있다고, 변함없이 한 결 같이 얘기해 주었다.

97년도 졸업식이 있던 날 아침 그에게 전화가 왔다.

"집 앞이야. 잠깐 나올 수 있어?"

늘 그랬듯이 반 년 만에 온 전화였다. 우리는 늘 왜 그랬는지, 너무나 반가운 마음에 한걸음에 달려 나갔다. 그는 빨간 장미 한다발과 꽤나 두툼해 보이는 이 누런 서류 봉투를 내게 내밀었다.

"졸업 축하해!"

짧은 이 한마디를 해주려고 아침에 집 앞까지 온 걸까. 이어 그가 말했다.

"그냥, 미술관에 있는 네가 잘 어울릴 것 같아서."

그의 말은 늘 그랬지만 그럴싸하게 늘어놓는 미사여구 하나 없었다. 그래서 늘 더 좋았다. 길지 않게 내뱉은 건 단 한마디였지만 그의 한마디 안에는 항상 많은 마음들을 담고 있음을 나는 알 수 있었다. 한겨울 차가운 공기를 뚫고 하얀 입김 사이로 내가 좋아했던 그의 환한 미소는 지금도 내 가슴속에서 하얗게 눈처럼 내린다.

나는 졸업식을 하고 나서 바로 결혼식을 하게 될 거라는 안부를 그에게 전할 수 없었다. 손한 번 잡지 못했던 우리에게 이 안부가 뭐가 필요할까 싶었다.

"고마워, 정말 고마워!"

그렇게 우리는 헤어졌다.

누런 봉투를 열어볼 때마다 그날 열어봤을 때 올라왔던 내 마음이 동일하게 북받쳐 오르곤 한다. 나보다 더 나를 잘 알고 있었던 그였다. 봉투 안에는 미술관마다 뽑는 학예사의 요건과 학예사가 되는 다양한 요강들이 하나도 빠짐없이 들어있었다. 그가 건네주었던 누런 봉투는 결혼 후 내가 하고 있다는 사랑이 변질되어갈 때마다, 이해되지 않을 때마다 내 자신을 점점 잃어가던 때마다, 사라져가는 줄도 모르고 있던 나를 찾아 주었다. 다시 꿈꾸게 했다. 나를 지켜주었다.

사랑은 결코 수동적이지 않다. 회피할 수도 없다. 어떻게 하면 뭐든 내어줄 수 있는지, 사랑은 완전한 능동의 자세다. 끝까지 사랑은 사랑하는 사람을 향해 그 어떠한 모양과 몸짓으로든 조용하게 소리쳐 지켜 줄 수 있는 것이었다. 내 편이 되어주는 것에 그 어떤 자존심 따위도 필요 없는 것이었다. 그저 온전히 그 사람을 제대로 알고, 그 사람을 향해 있는 것이었다. 이제는 명확히 안다. 꽃을 사랑스럽게 바라보며 감탄할 때 꽃보다 바라보는 사람이 더 행복해지는 것처럼 사랑은 내어주는 사람이, 바라보며 감탄하는 사람이, 더 행복해지는 법이다.

사랑에 빠지는 순간은 자신의 슬픔과 온전히 마주하는 순간이기도 했다. 이제 더 이상 내 슬픔을 남의 탓으로 돌리고 싶지는 않다. 선명해진 사랑으로 나는 모든 것을 새로 시작해야 한다고 생각했다. 대학원에서의 새로운 학문들과의 만남은 잃어가던 나를 찾아주었다. 나를 더 나답게 해주었다. 어제보다 오늘 한 뼘씩 나를 자라가게 했다. 나를 찾아 주었던 누런 봉투와 대학원 합격통지서 대신에, 차용증과 남들이 부러워하는 집 그것을 버렸던 그날이 지나면 지날수록 감사하기만 하다. 모든 색이 필요할 것만 같았던 내 삶에 이제는 단 하나의 색, 나만의 색을 지켜가는 것만큼 중요한 것은 없었다. 그토록 갖고 싶었던 12색 사인펜을 버린 것과 같았던 그날, 내 삶에 모든 색이 다 있어야만 할 것 같았던 그때의 나에게 지금은 연필 한 자루면 족하다. 점점 더 선명해져간다. 진정한 사랑이 무엇인지 말이다.

4. 38.4도, 그 뜨겁던 여름날

『찜통 서울 38.4도, 어제 관측 사상 최고폭염. 1994년 7월 25일 동아일보』

1994년 여름도 지독하게 더웠다. 20세기 최악의 폭염을 기록했다. 대한민국 최악의 폭염으로 공중파 뉴스 3사와 신문기사마다 매일 대서특필되었다. 한반도에 전설적인 가뭄이 있었던 해다.

새로 산 물감을 들고 다시 볼 입시를 위해 작업실로 향하던 첫날. 몇 걸음만 걸어도 목이 타들어가는 듯 작열하는 태양은 얄궂게도 멈출 줄을 몰랐다. 고동색 민소매 티셔츠 한 장 걸친 것도 숨이 턱턱 막히는 날이었다. 역부터 꽤 걸어 지쳐갈 참이었는데 내 눈앞에 참 오랜만에 들어오는 풍경이 펼쳐졌다. 30년 전 6학년 때 전학 갔던 첫날, 시간이 멈춘 듯 마냥 신기하기만 했던 버스 종점이 생각나는 동네풍경이었다. 똑같은 번호를 자신의 이름표인 냥 매달고 버스들은 질서정연하게 줄지어 누군가를 기다리는 듯 서있었다. 폭염도 잊을 만큼 반가웠다.

그때다. 내 앞으로 갑자기 가로지르며 자전거 한 대가 쏜살같이 지나간다. 자전거를 타고 있는 젊은 남자의 이상한 웃음소리가 기분이 좋지 않게 내 귀에 스쳤다. 설마. 역시 저 멀리서 그 자전거는 다시 기분 나쁜 미소를 지으며 나에게로 돌진했다. 자전거 핸들 왼쪽만 잡고, 오른 손은 옆으로 뻗어 내 앞 30센티 정도의 가까운 거리로 내 몸을 스쳐 지나가기를 두어 번. 왕복하는 동안 그제야 자전거를 타고 있는 젊은 남자가 아랫도리 모두를 벗었다는 걸 알게 되었다. 두 손에 들고 있던 물감은 어느 새 손에 힘을 잃어 땅바닥에 나뒹굴고 있었다. 더 이상 나는 계속 반복하며 내 앞을 오고 가는 이 자전거 앞에서 차마 아무것도 쳐다볼 수 없었다. 바닥에 주저앉은 채 몸을 감싸 안고 눈을 감았다. 숨이 잘 쉬어지지 않았다. 너무나 무서웠다. 온 몸이 떨려왔다. 그 순간 내 머릿속을 스쳐지나가는 단 한 사람. 내 기억 속에 유일하게 남아있던 6학년 부반장의 이름이었다, 문지호! 새하얗게 뭉둥그려져 갔던, 6학년 전학 갔던 첫날이 떠올랐다. 그 이름이 생각나자 난 꼭 감고 있던 눈을 떴다.

'저 멀리 흐릿하게 보이는 공중전화 부스까지 앞만 뛰어보는 거야.'

일어나자마자 그곳을 향해 뛰었다. 부스 안으로 들어가 문을 닫고 거친 숨을 가눴다. 폭염으로 공중전화 부스는 찜통이 따로 없었지만 나는 그 안이 더운 줄도 몰랐다. 주머니 속에 있던 동전을 간신히 다 꺼내놓고 동전 한 개씩 찬찬히 넣기 시작했다. 기억나는 대로 그의 번호를 눌렀다. 덜덜 떨리는 손은 몇 번이나 번호를 잘못 눌러 애가 탔다. 불덩이처럼 손에 잡기도 귀 옆에 가져가기도 너무나 뜨거웠던 수화기를 들고 나서야 잔인한 폭염을 느낄 수 있었다. 5분이면 올 수 있는 112보다 언제 올지 모를 긴 그의 번호만 생각났던 그해 여름은 언제 다시 돌이켜봐도 참 덥기만하다. 그날의 내 생각은 합리적이지도, 이성적이지도 않았다. 하지만 감각적이기만 했던 그 시간이 싫지 않았다. 아마도 헤세의 말처럼 내 속에서 스스로 솟아나는 것, 그것대로 순응했던, 나의 몇 안 되는 유일했던 시간이었기 때문이었으리라.

몇 번의 신호가 울리자 누군가 바로 전화를 받았다. 전화 받은 사람은 내가 찾는 그에게 전화기를 넘겼다.

"여보세요!"

지호다. 나는 떨리는 목소리로 겨우 힘내어 말했다.

"문지호! 나야, 해수, 주해수! 나 좀 구해줘!"

두서없는 나의 말을 듣자마자 그는 바로 알아채고 대답했다.

"꼼짝 말고 거기 그대로 있어. 내가 지금 당장 갈게!"

이날 우리의 통화는 1년 만이었다. 늘 그랬던 우리다웠다. 그 사이 우리는 통화하진 않았지만 일 년에 두 번씩 그는 내가 다니던 대학교로 학보를 보내 왔었다. 요즘엔 모두 디지털화되어 지금은 낯선 단어가 되어버린 학보! 우리가 대학생활을 하던 1990년대에는 일 년에 두 번에 네 번 대학교마다 정기적으로 발간되는 신문이 있었다. 내가 다니는 학교 1층 복도 벽에는 나무로 만들어진 우편함이 있었다. 각각의 나무 우편함에는 과 이름이 쓰여 있었는데 이곳에 그가 보낸 학보가 도착해 있는 날이면 과 친구들이 그날만 기다렸다는 듯, 더 좋아라하며 학보를 대신 가져다주곤 했다. 지금 생각해보면 우리 과에서 학보 받는 사람은 나뿐이어서 나무 우편함에 들어있는 학보가 친구들에겐 그저 신기했던 것 같다.

"해수야, 학보가 또 왔어! 너 이번에도 연락 안 해 볼 거야?"

학보 하나 가지고 오면서 얼마나 호들갑을 떨어댔던지 내 안의 숨겨둔 반가움을 친구들은 날 대신해 꺼내주었다. 밖으로 표현하지는 않았지만 저 멀리 학보를 들고 달려오는 친구들 손을 바라보며 난 그가 온 것같이 좋아 나도 모르는 웃음을 짓곤 했었다. 그래서 시끄럽게 굴어 주었던 친구들이 고마웠다. 학보 안에 그 어떤 손 편지 한 장 없었지만 네 번 접혀진 학보를 다시 세 번 세로로 길게 접은 후, 가운데 누런 소포지로 띠를 둘러 그해마다 특별하게 발행되는 우표를 붙이고, 꾹꾹 보낼 곳 주소를 눌러 쓴 그의 필체를 보면 얼마나 정성을 들였는지 나는 알 수 있었다. 내가 그에게 학보로 답장을 할 때도 그렇게 했기 때문에 너무 잘 안다. 한 글자 한 글자 온 힘을 다해 눌러 쓸 때마다 나는 숨겨둔 내 마음 모두를 담아냈어야 했다. 그리고 글자 하나라도 번져 흐트러질까 봐 그 위에 투명 테이프까지 반듯하게 붙여야 마음이 놓였다. 내 마음 하나 어디에라도 흘리고 싶지 않았던 모양이다. 학보를 전해 받으면 한참동안 뜯지 못했다. 기쁘고 행복해했었던 그때의 순간이 손에 잡힐 듯 지금도 내 앞에서 선하게 아른거린다. 그때도 난 왜 내 안에 스스로 솟아났던 그 무엇을 억눌러 꼭꼭 숨겨만 놓았던 걸까. 기쁘고 반가웠다는 안부조차 그에게 전하지 못했던 이유는 무엇이었을까. 나는 뭐가 그리도 두려웠던 걸까.

학보를 기다렸던 그때의 기다림이 있었기에 나는 이 공중전화 부스 안에서의 기다림이 지루하지 않았다. 지구의 모든 사물들이 녹아내리는 것 같은 폭염 속이었지만 공중전화 부스 안에서 나오지 말고 꼼짝 말고 있으라는 그의 말대로 나는 한 발자국도 움직이지 않고 기다릴 수 있었다. 더운 줄도 모르고 그가 오기만을 기다렸다. 내 마음도 더위와 함께 녹아내리는 듯 뜨거웠지만 편안해지기 시작했다. 30여 분 정도가 지나자 그는 커다란 검정색 장우산을 들고 나타났다. 이미 정체불명의 자전거 남자는 한참 사라진 뒤였다. 우산을 들고 잔뜩 걱정하며 내 앞에서 어쩔 줄 몰라 했던 그의 미세한 몸짓과 얼굴 표정이 지금도 또렷하게 남아있다. 그리고 나만큼이나 떨렸던 그의 목소리는 지금도 선명하게 들린다.

"괜찮아? 다친 데는?"

그는 나의 안부를 쉴 틈 없이 물었고, 공중전화 부스에서 나오는 내 머리 위로 가져온 커다란 장우산 활짝 펼쳤다. 비 한 방울 내리지 않는 땡볕 아래 난데없이 펴든 우산이 그제야 나를 웃게 했다. 그는 정말 햇빛을 가려 주고 싶어서 우산을 가지고 나온 걸까. 나는 갑자기 너무 궁금해졌다.

"야, 문지호! 넌 사막 같이 이 뜨거운 여름날 웬 우산이야, 그것도 이렇게 긴 장우산을?"

유일하게 '야!'라고 편하게 부를 수 있었던 사람!

"일단 들고 나온 거야."

투박하고 목검 같았던 장우산은 혹시 모를 우리들의 호신용이었다고 머쓱해하며 계속 설명했다. 문제의 남자는 사라졌으니 자신의 손에 수줍게 들려있던 우산은 뭐라도 했어야 했었나보다. 햇빛을 가려준 것 같았지만 그 우산은 나와 그의 오랜만에 만난 어색함과 수줍음을 그 어떤 호신술보다 멋지게 가려주었다. 한반도의 폭염을 한방에 날려 준 그의 우산은 우리에게 엄습했던 짧았지만 무섭던 공포의 시간도 한순간에 날려주었다.

벌써 20년이 더된 일이다. 상자를 열면 어김없이 이 뜨겁던 여름날로 날 데리고 간다. 누런 봉투와 나란히, 상자엔 학보 없이 덩그러니 누워있는 누런 소포지는 내 안에 잠겨 둔 문지호를 깨운다. 아마도 내가 이날 그의 이름만 떠올랐던 이유는 6학년 때 한 가지 사건 때문이다. 날 지켜주려 했던 나의 첫 친구, 문지호!

전학 온지 얼마 지나지 않아 나를 괴롭히는 남자아이들이 생기기 시작했다. 또래 친구들보다 세 살 이상은 족히 어려 보일 만큼 난 작고 왜소했다. 유독 키는 작은데 다리만 너무 길고 가늘어 내가 지나갈 때마다 그 남자아이들 무리는 나를 '학 다리'라 부르며 놀려댔다. 한 달여 동안 울먹울먹 버티던 나도 엄마에게 얘기했고, 걱정 많던 엄마 때문에 난 그날부터 졸업하던 날까지 치마까지 입지 못하게 되었던 기억도 있다. 그러던 어느 날이었다. 아마도 토요일이었을 것이다. 2교시만 버티면 끝나는 신나는 토요일. 한 달에 한번 학급회의가 있었다. 그 달이나 다음 달 필요한 주제를 정해 함께 논의하거나 새로운 주제를 제안하는 등 마음껏 저마다 자유롭게 이야기하는 시간이었다. 그런데 그날 그 아이가 손을 들었다.

“친구를 놀리는 일은 좋지 못한 행동인 것 같습니다. 앞으로 저희 반에서는 친구들 이름이 아닌, 별명을 부르며 놀리는 일을 금지합시다!”

나는 고개를 돌려 걸상에서 일어나 우렁차게 이야기하고 있었던 그 아이를 한참 빤히 쳐다보았다.

“아, 그리고 오늘부터 남자들은 조를 짜서 해수를 놀리지 못하도록 해수의 집까지 같이 가주면 좋겠습니다.”

누군가 나를 지켜주려 하고 있었다.

키 작은 나의 자리는 일 년 내내 교탁 바로 앞 책상에서 벗어나지 못했다. 키 큰 부반장 문지호는 늘 뒷자리였기에 같은 반에 있어도 나는 우리의 거리가 늘 멀게만 느껴졌었다. 그런데 그날 처음으로 우리의 거리가 가장 가까워졌다. 전학 온 일 년 동안 난 처음으로 제일 오랫동안 그 아이를 볼 수 있었다. 그러고 보면 나는 무섭고 두려울 때, 아프고 슬플 때 문지호, 그의 이름이 생각났다. 왜 그랬을까, 나에게 그는 어떤 존재였기에.

두려움과 어려움은 가장 가까운 가족에겐 애써 숨기게 되는 것들이었다. 나에겐 그랬다. 그럴 때면 난 왜 그의 이름이, 그가 그토록 생각났던 걸까. 기쁘고 감사한 일이 생길 때는 항상 나의 하나님 앞에 두 손을 모았고, 아이를 낳을 때는 엄마를 외쳤다. 그의 누런 봉투로 미술관에서 일하게 되었을 때도, 그처럼 반가운 학보가 내 손에 닿았을 때도 나는 내 기쁜 마음을 그에게 전하지 못했다.

38.4도 폭염 속에서 유일하게 생각났던 그와 나는 왜 우리의 행복한 안부를, 우리의 기쁨을 나누지 못했을까.

열 셋, 스물 하나. 그 나이의 우리가 얼마나 우리 자신을 알았겠는가. 그해 여름은 대한민국뿐 아니라 내 안에서도, 그 안에서도 나를 몰랐던 나와의 치열한 전투로 마냥 뜨겁기만 했다.

5. 삶의 구부러진 것들은 펴지고

그때는 알 수 없는 것들이 있다. 지금 내가 여기에 있을 거라는 것을 전혀 몰랐던 것처럼!

여기도 그해 여름과 같은 폭염이 며칠째 계속되고 있다. 2023년도 2월에 튀르키예·시리아 대지진이 있었다. 제네바 2월 14일자 기사에서는 이제 구조 작업보다 구호활동으로 방향이 바뀌고 있다는 뉴스가 보도되었다. 특히나 튀니키예 피해 아동 460만 명, 시리아 250만 명에 주목해 달라는 목소리가 높아졌다. 이에 대한 도움을 전 세계에 요청한 셈이다. 이날 뉴스는 자주 접했던 우리나라 재해피해 상황과는 사뭇 다르게 내게 다가왔다. 종일 그 아이들의 모습이 내 마음속에서 떠나지 않았다. 다음 날, 나는 일어나자마자 그곳 아이들의 구체적인 피해상황을 여러 SNS와 국제기구에서 올린 기사들을 닥치는 대로 찾아 읽었다. 나와 전혀 상관없는 보도일거라는 생각과 '어쩌면'이라는 그렇지 않은 생각이 계속 내 머릿속을 떠다녔다.

나는 튀르키예 아이들과 가족들에게 도움이 될 만한 프로그램들을 첨부하여 각 기관들에 메일을 보냈다. 그렇게 내 손을 그들에게 뻗은 지 한 달이 채 넘지 않았다. 우리 집으로 우체국 소인 등기 하나가 배달되었다. 오랜만에 보는 누런 봉투였다. 반가웠다. 누런 서류봉투를 열자 메일을 보냈던 국제기구에서 발송한 비행기 표 한 장과 도움의 손길에 고맙다, 곧 그곳에서 만나자는 짧은 편지 한 장이 들어있었다. 나는 그렇게 지난 3월 이곳으로 들어오게 되었다. 이미 너무 많은 의료진들과 봉사자들이 들어와 분주히 움직이고 있었다. 안전한 식수, 따뜻한 옷이나 담요 등의 생활 전반을 지원하고 있는 봉사자들은 물론, 몸을 피할 수 있는 피난처와 무너진 학교와 집들을 재건해주려는 사람들, 그밖에 각 종교계와 눈에 띄는 연예계 봉사자들도 보였다. 임시 숙소를 향해 가는 길거리마다 지진으로 무너진 집으로 돌아가지 못하고 길거리, 동네 상점, 학교와 종교시설, 하물며 버스정류장과 다리 밑에 살림을 차려 놓은 풍경을 마주할 수 있었다. 오지 않는 잠을 청하거나 먹지 못해 홀쭉해진 배를 움켜쥐고 있는 아이들의 모습은 더 마음이 아팠다. 찰나의 순간 모든 것을 잃어버린 아이들. 하루아침에 집과 가족들이 내 옆에서 사라져버린 순간, 고아가 되어 버린 순간! 이 순간 앞에서 내가 감히 그 어떤 말과 행위로 이들을 감싸 안을 수 있을까. 많은 생각들이 숙소를 가는 동안 스치고 지나갔다. 그나마 이곳으로 들어온 나로 단 한 명의 아이만이라도 행복해질 수 있다면, 아니 살아볼 만하겠다는 마음 하나만 먹게 된다면 여한이 없겠다는 생각뿐이었다.

튀르키예는 우리나라처럼 사계절이 뚜렷하다. 그래서 기온변화도 비슷하다. 6월에서 8월 사이는 평균 30도 이상 오를 만큼 기온이 높다. 한여름에는 최고 35도 이상 기온이 올라가기 때문에 매우 뜨거운 날씨를 보이지만 우리나라보다 습도가 낮아 매우 건조하고, 연간 총 강우량이 적은 편이라 이곳에서는 한국보다 비를 자주 볼 수 없다. 하지만 6월이 막 시작된 요즘 비를 자주 만난다. 여기 튀르키예는 1년 중 4월과 9월, 봄가을에 비가 가장 많이 내린다고 했는데 요즘의 이곳 소나기는 자기 멋대로 다. 오늘은 아침부터 햇살이 뜨거워 우산을 가지고 나오지 않았다. 이렇게 갑자기 비를 만나게 될 줄 몰랐다. 여기저기 무너진 건물 사이, 비를 피할 곳이 어디 있나 둘러보다 뛰어 간신히 몸을 숨겼다. 건너편에도 나와 같이 우산이 없어 비를 피해 우왕좌왕 분주하게 움직이는 사람들 몸짓이 제법 많이 보인다. 이때다! 내 눈에 너무나 익숙한 장면 하나가 들어왔다. 모든 시간이 멈춘 듯 주변의 모든 움직임이 정지됐다. 커다란 검정색 장우산이 활짝 펴지는 순간이다. 어디서 봤던 장면! 나에게 너무나 선명한 장면이다. 다 헤어진 옷을 입에 물고 불안해하는 6살 남짓의 꼬마아이가 자기만한 손을 꼭 잡은 동생과 아직 비를 피할 곳을 찾지 못해 울먹거리고 있었다. 그때 그 아이 머리 위로 억수같이 쏟아지는 빗방울들이 무색해질 만큼 커다란 검정우산이 장엄하게 펴졌다.

그다!

그다!

설마, 아니겠지!

아니다, 그였다! 아무리 눈을 씻고 다시 봐도 그다!

세월이 30년은 족히 흘렀는데 내 눈 앞에 그가 지금 그대로 서 있다. 그 무더웠던 여름, 공중전화 부스를 나오는 내 머리위로 펼쳐졌던 그의 검정색 커다란 장우산이 지금 여기서 또다시 펴졌다. 어떻게 여기에, 다시 그가! 30년 전 공중전화 부스 앞에서 더위와 두려움을 가려줬던 우산이, 그날 우리의 마음을 꼭꼭 숨겨주었던 우산이 펴졌다. 지금은 저 아이의 비를 피할 수 있는 반가움만큼 이나 나의 반가움까지 그의 활짝 펼쳐진 장우산 안에 나를 가두고 만 싶었다. 한참을 난 그의 동작들을 바라보았다. 내 눈 속에 그의 작고 친절한 몸짓 하나하나 모두 담고 싶었다. 그 아이의 눈높이에 맞춰 굽혀진 그의 허리부터 이제 안심해도 된다는 그의 얼굴표정은 그 아이들에게 충분히 닿았음을 여기서도 느낄 수 있었다. 비가 멎을 때까지 커다란 그의 장우산은 아마도 그 아이들에게 잊지 못할 따스한 품이 되었으리라. 여전히 변하지 않은 내 친구, 멋진 내 친구, 문 지 호가 저기 서있다,

떨리는 마음을 가다듬고 나지막이 그의 이름을 불렀다. 목소리가 좀처럼 잘 나오지 않았다. 심호흡을 두어 번 했다.

"문지호!"

그가 두리번거린다. 바로 나를 알아본 눈빛이다. 억수같이 쏟아

지는 소나기 소리로 꽤나 시끄러웠을 텐데 그는 바로 나를 알아보았다는 듯 미소를 지었다. 그가 분명 나를 보았다. 나도 그를 보았다.

"주해수!"

우리는 이곳에서의 만남에 어안이 벙벙해 서로의 표정을 숨길 수 없었다. 반가움을 주체할 길 없었다. 참았던 시간이 달려드는 순간이었다.

"너 괜찮아?"

그때처럼 오늘도 그는 괜찮은지부터 물었다. '오랜만이야.', '와, 이런데서 너를!', '이게 얼마만이야.' 수만 가지의 인사를 두고도 그는 여전히 '너 괜찮아.' 라는 네 음절이 그의 첫 물음이 다였다. 그 오랜 시간동안 날 걱정하고 있었던 것처럼 한결같이, 늘 그랬듯, 그는 오늘도 길지 않은 말로 오늘 우리의 약속을 대신했다. 그리고 내가 묵는 숙소 주소를 이어 물었다. 일 마치는 대로 내가 머물고 있는 숙소 로비로 와서 전화를 하겠다고 했다. 그러고 나자 수선스럽게 쏟아지던 소나기가 멎고 쨍한 여름 햇살이 얼굴을 들이밀었다. 처마 밑에 몸을 숨기던 사람들은 저마다 다시 움직이기 시작했다. 정지된 시간이 마법처럼 풀리는 듯 했다. 아이들은 자신들을 씌워주었던 우산이 고마웠는지 그에게 연신 작은 손을 흔든다. 나도 그 아이들의 손을 잡고 몰래 흔들어본다.

'고마워, 내 앞에 나타나줘서, 문지호!'

전화가 왔다. 오늘은 조금 일찍 나와 숙소에서 그의 전화를 기다렸다. 로비 층에 와 있다는 전화를 받고 내려갔다. 로비 층 정면으로 나있는 통 유리창에 그가 앉아서 기다리는 모습이 비춰보였다. 그가 있는 곳까지 가지 않고 계속 그를 보고 싶어 전화를 했다. 로비 층 승강기 앞에서 기다리고 있다는 내 말에 그는 일어나 주섬주섬 들고 온 짐을 손에 챙겨 든다. 내 앞으로 천천히 걸어오고 있는 그와 나는 서로 제대로 눈도 맞추지 못하며 수줍게 승강기에 간신히 몸을 실었다. 21층 내 숙소로 올라가는 시간이 여기를 오가며 이렇게 길게 느껴본 적은 처음이었다.

"잘 지냈어?"

"넌 하나도 변하지 않았네."

"그 누런 봉투 안에는 또 뭘 들고 온 거야, 그냥 오지."

"오는 길에 유명한 케밥 집이 있어서 케밥이랑 맥주 좀 사왔어."

"내가 좀 들까?"

"아니."

21층에 내려 내가 묵는 방까지 걷는 우리는 그 사이가 얼마나 된다고 앞서거니 뒤서거니, 놀고 있는 내 빈 손도 함께 어쩔 줄 몰라 했다.

"와, 전망이 정말 좋네."

그가 사온 케밥과 맥주들을 누런 봉투에서 꺼내 놓으며 말했다.

"응, 학교가 정해질 때까지 이곳에서 3개월 동안 출퇴근하는 중이야. 너무 큰 사치지만 매일 감사해하고 있어. 맞다! 좀 있으면 이곳에서 일몰도 볼 수 있는데."

그는 튀르키예에 들어온 지 1년이 넘었다고 했다. 케밥과 맥주를 꺼내고 난 누런 봉투를 보며 옛날 그가 건네주었던 누런 봉투 얘기를 했다. 오늘 낮에 소나기를 피하다가 본 그의 커다란 장우산 이야기도 했다. 그렇게 우리의 스물한 살 때 이야기를 하다가 21층에 머물고 있는 내가 우연은 아닌 것 같다며 함께 웃기도 했다. 그렇게 낯설고 여전히 쑥스럽기 그지없던 우리 사이의 공기가 조금씩 걷히는 것 같았다.

그는 파혼했다 했고, 그는 그렇게 좋아했던 설계를 포기했다 했고, 다른 일들을 해왔다 했고, 몇 년 전 큰 교통사고가 있었다고 했고, 기적처럼 몸은 어디 하나 다친 곳이 없었다고 했다. 내가 가장 듣고 싶은 말이었다. '살아있어 줘서 고마워, 문지호!' 마음속으로만 수십 번을 외쳤다. 그는 그 후, 설계를 다시 하고자 했고, 사고 후 일 년 정도 힘들었던 공황장애를 극복하고 싶었다고 했다. 했던 일과 하고 싶은 일들이 뒤섞여 여기에 있게 되었다고 했다. 이야기를 자세하게 다 하지 않았지만 어떻게 지냈는지, 또 어떻게 지내고 싶은지 충분히 짐작할 수 있었다. 나의 안부를 먼저 묻기보다 아무 말 없는 날 대신 해 한참동안 그는 자신의 이야기를 먼저 했다. 아마도 내가 아는 그라면 내 이야기가 무척 궁금했겠지만 참고 기다렸을 거다, 내가 먼저 이야기를 꺼낼 때까지. 그는 항상 나를 먼저 배려해왔었으니까. 이제야 다 알게 된 그의 모습이다. 그동안 알지 못했던 내가 바보일 뿐이지.

나는 그 사이 이혼했다 했고, 알 수 없는 병이 찾아와 꽤 오랜 시간 고통스러웠다고도 했다. 쉴 새 없이 그간의 안부들을 이야기 했다. 듣는 내내 그가 얼마나 아려하는지 곳곳에서 느낄 수 있었다. 가끔씩 참아보려 했지만 내 눈을 보지 못하는 그를 보며 나 또한 그의 눈을 바라보지 못한 채 마음만 시리기도 했다. 그렇게 힘들고 지친 내 삶속에서 그의 누런 봉투가, 그의 뙤약볕에 펼쳐졌던 장우산이, 그리고 전학 갔던 그 어린 시절 그가 나를 지켜주려 했었던 그의 마음이 날 얼마나 살도록 해 주었는지도 말해주었다. 우리는 한참동안 서로의 눈을 진하게 응시했다. 점점 더 가까이 우리는 서로의 눈빛을 교환했다. 몇 십초가 흐르자 우리의 눈에서 알 수 없는 눈물이 흐르기 시작했다. 아무 말 없이 바라보는 서로의 눈에서 쉴 새 없이 흐르는 눈물이 얼굴을 타고 뚝뚝 테이블 위에 떨어졌다. 서로의 눈물에 우리는 당황스러울 정도였다. 그럼에도 불구하고 우리는 한참을 그대로 두었다. 그 누구도 자신의 눈에 흐르는 눈물을 먼저 훔칠 수가 없었다. 천천히 시간이 조금 흐른 뒤에 나는 그의 눈에, 그는 나의 눈에 흐르는 눈물을, 여전히 고여 있는 눈물을 닦아줄 수 있었다. 따스한 그의 손과 나의 손이 서로의 눈가에 닿아 아련하게 지나간 시간들을 닦아내주었다.

잠시 시간이 지나고 나서 그가 천천히 입술을 떼었다.

"왜 지금 여기서 눈물이 흘렀을까?"

그는 이 눈물은 이름조차 붙일 수 없는 눈물이라고 했다. 창피

함보다 분명 '가엾음'이라는 단어에 더 가깝다고 했다. 그리고 애써 이것저것 우리가 흘린 눈물에 이름을 붙여봤다. 너의 눈이 슬퍼서 흘렸나. 그냥 행복해서 흘려진 눈물일까. 그는 분명한 건 50여 년 안에서 기억하는 자신의 범위 안에서는 오늘 이 눈물은 처음이라고 했다. 엄마의 뱃속에서 나 여기 있다며 나올 때 자신은 사랑하며 사랑받으며 살겠다는 그런 울음이었는데 오늘 눈물은 소리조차 내면 안 될 것 같아 계속 숨을 먹었다고 했다. 지금도 이름을 붙일 수는 없으나 분명 우리에겐 엄마는 있었는데, 엄마의 사랑도 받았는데, 우리는 왜 서로의 눈맞춤을 하면서 고아인 우리가 서로의 보호자를 이제야 만났다는 말도 안 되는 생각이 들었을까. 튀니키에에 생겨난 수많은 고아 사이에 우리도 함께 있었던 걸까. 또다시 고아가 될까봐 두렵지만 다시 고아가 되더라도 그땐 울지 않을 수 있다며 그가 말했다.

"해수야, 두 고아가 있으면 이제 더 이상 고아가 아니잖아."

우린 아리게 흘렸던 눈물만큼의 지나온 시간들을 보내주고 환하게 웃었다. 그래, 이제 우린 더 이상의 고아가 아니다. 둘이 되었으니까. 그래서 이곳의 아이들도 이제 더 이상 고아가 아니다. 그들과 함께 하는 많은 우리가 있으니까 말이다.

그는 조용히 내게 속삭였다.

"해수야, 손! 네 손, 손 좀 이리 줘봐?"

캐밥과 맥주가 간신히 놓인 작은 나무 테이블 위로 그가 자신의 손을 내밀었다. 나도 그의 손에 내 손을 맡겼다. 그는 포근하게 내 손을 잡았다. 스물한 살, 우리가 했던 처음이자 마지막 단 하나이자 모든 것! 우린 각자의 시간 속에서 자신을 찾아 헤매며 돌고 돌아 다시 이곳으로 돌아와 서로의 손을 맞잡았다. 그리곤 그가 이어 말했다.

"해수야, 그대로 이리와 봐. 우리 손은 가만히 두고 해수야."

그의 눈빛이 무엇을 원하는지 알 수 있었다. 난 말없이 그에게 다가가 눈을 감았다. 그의 입술이 나의 입술과 포개지는 순간이었다. 어설프게 일어나면 책상에 허벅지가 닿았던 6학년 때처럼 우리의 두 손이 테이블 위에 그대로 놓여 엉거주춤한 자세로 수줍게 서로의 입을 맞췄다. 우리의 첫 입맞춤이다. 튀르키예에서의 첫 키스! 10평 남짓한 숙소, 케밥과 맥주 캔만 간신히 올려둔 작은 테이블, 그 위에 포개진 두 손과 입술, 마주했던 두 눈은 지나온 모든 우리의 구겨졌던 시간을 펴주었다.

6. 단 한 번의 건축가

"이럴 줄 알았어?"

"넌 몰랐어?"

튀르키예에서 기적 같은 재회로 보낸 첫날, 우리의 만남이 믿겨지지 않아 농담처럼 내가 던졌던 말이다. 그리고 그때 그가 천연덕스럽게 내게 했던 답. 처음 이 말이 오고 갔던 날, 우리는 얼굴이

붉어지도록 한 5분 동안 큰 웃음을 웃으며 수줍었다. 오랫동안 밀어놓았던 우리들의 저 깊은 슬픔이 그제야 비로소 용해된 듯 웃음 안에 풀어졌다. 그날부터 우리에게 달려든 시간은 여전히 우리에게 딱 붙어 아직까지 머물러 있다. 나도 모르게 튀어나온 이럴 줄 알았냐는 내 질문에는 '우리에게 어떻게 이런 시간이 와.' '넌 믿을 수 있어?' 라는 물음부터 '나 지금 꿈꾸고 있는 것만 같아!'라는 무수히 많은 문장들이 숨어있다. 그 어떤 표현으로도 바꿀 수 없는, 바꾸고 싶지 않은 그런 말이 되었다. 그 어떤 행복한 마음을 이것만큼 잔뜩 품고 있을 수 있을까. 아직까지 떠오르지 않는다.

삶에서 이럴 줄 알았던 일들이 몇 개나 있을 수 있을까. 기대되기도 하고 설레기도 하고 그동안 그러지 못해 아련해지는 시간들이다. 여기엔 우리가 신이 아닌 연약한 인간이라는 변하지 않는 사실도 포함한다. 이렇게 된다는 것을 미리 알 수 있는 존재는 신밖에 없지 않는가. 살면서 알지 못했던 그때, 우리가 이렇게 된다는 것을 미리 알았더라면. 만약 이럴 줄 알았더라면 그때 우리는 그렇게 슬퍼하지 않았을 텐데. 지금 이럴 줄 알았다면 그때 우리는 그렇게 서로를 미워하지 않았을 테고, 서로를 그토록 원망하지 않았을 거다. 야속하지 않았을 거고, 서운하지 않았을 거고, 그토록 화나지 않았을 거다. 이럴 줄 알았다면 그때 우리는 스스로를 자책하지 않았을 거고, 서로 못 만나게 될까 두려워하지도 않았을 거다. 아리고 시린 가슴으로 아파하지 않았을 거고, 춥고 외로워하지도 않았을 거다. 그때 우리가 이럴 줄 알았더라면 차라리 지나온 모든 시간을, 혹은 우리 자신을 용서하며 30년을 기다릴 수 있었을지도 모른다. 하지만 이럴 줄 몰랐기 때문에 우리는 지금까지 알 수 없었던 행복을 선물 받을 수 있는 게 아니던가.

장을 보러 나왔다. 오늘은 오일장이 열리는 날이다. 이제 특별한 고기를 사려고 특별한 정육점에 가지 않는다. 오늘은 어떤 것들이 장에 나와 있을까. 먹고 싶은 재료들을 사는 것도 나름 재미지지만 그날그날 나에게 어떤 재료들이 닿을지 모른 채 장바구니를 들고 나가는 묘미도 맛깔스럽다. 그동안 정성을 다해 농사지은 것들이 각양각색의 촌스러운 플라스틱 바구니에 담겨져 저마다 있는 힘껏 뽐내는 장날은 그와 내가 좋아하는 데이트 장소이기도 하다. 언젠가 그가 그랬다. 대형마트보다 가끔 재래시장이 좋은 건 자신의 눈높이보다 높게 물건이 보이는 게 아니라, 상품은 누워 있어도 자신의 눈높이에 파는 사람이든 사는 사람이든 공평하게 작동하는 우리로 온전히 존재하는 곳이기 때문이라고. 그러면서 그는 내가 물건보다 낮지 않은 시선의 높이로 살아가길 항상 바랐다. 내가 누구에게든 존중받고 소중한 사람으로서 공평하게 살아가길 바랐던 그의 날 향한 마음이었다는 걸 지금에서야 뒤늦게 깨닫는다. 그는 시장의 비릿한 젓갈냄새와 사람들의 땀 냄새도 좋아한다. 오늘 같이 오지 못해 심심해지려 한다. 내일은 그가 이 동네 폐교를 다시 설계해 이곳 주민들, 남녀노소 모두가 사용할 수 있는 다목적 공간으로 얼굴을 드러내는 날이다. 내가 일주일에 세 번 나가는 미술치료센터도 이 공간으로 옮겨오면 더 많은 사람들과 만날 수 있게 된다. 설레는 일이다. 그동안 고생했던 그를 위해 맛난 음식을 할 작정이다. 오늘 육젓 새우젓이 너무 좋다. 그 옆에 콩나물도 탱탱하다. 오늘은 김치콩나물국을 끓여야겠다. 콩나물 값을 내면서도 그 값을 이제 따로 기억해 두지 않아도 된다. 행복하다. 난 두 봉지나 담았다.

집으로 돌아와 서둘러 아침을 준비했다. 좀 늦은 아침이다.

"참 이상해. 왜 난 요즘 너를 위해, 우리를 위해 음식을 만들고 치우는 일이 일처럼 느껴지지 않지? 분명 시간과 노동이 필요한 일인데 난 이 시간이 너와 함께 편안한 숨을 고르듯 기다려져. 넌 어때?"

시원한 김치콩나물국에 정성스레 수란을 만들어 바싹 구운 김가루를 뿌려주며 난 그에게 말을 걸었다. 부엌에서 내 동작이 커지면 그가 눌러주고, 설거지를 할 때든 조리를 할 때든, 음식의 재료를 준비할 때든 나보다 그가 때론 그보다 내가 먼저 닿는 우리의 시선과 동작 하나하나가 참 신기하다. 모든 몸짓과 눈짓이 서로에게 향해 있는 부엌이라는 공간에서도 결국 우리는 '이럴 줄 알았어?'라는 말로 이해되지 않는 일상에 또 답을 달곤 한다. 밥을 다 먹고 난 우리는 다른 날보다 일찍 옥상에 올라갔다. 늙어 글 적는 매일 오후 3시면 우리는 옥상에 나와 누워 광합성을 한다. 이곳 옥상은 그가 심혈을 기울인 공간 중 한 곳이다. 한낮 뜨거운 햇살이 한풀 숨죽인 오후 3시는 온몸을 안심하고 맡긴 채 비타민 D를 공급받기 딱 좋은 시간이다. 게다가 조금만 기다리면 우리가 좋아하는 장엄한 일몰의 장관까지 안겨주니 더할 나위 없는 시간이다. 또 이 시간은 벗겨진 연필과 한 몸이 된 내가 그의 옆에서 노트를 펴고 사각거리며 함께 수다를 떠는 시간이기도 하다. 네모반듯한 옥상 풀밭 옆에는 서재가 있다. 우리가 책을 보며 글 쓰는 공간이다. 그가 옥상만큼이나 정성을 쏟은 또 하나의 공간이다. 옥상에서 그가 내가 있는 서재 안을 바라보는 서재 창은 가로로 길게 시원하게 뚫려있다. 건너 편 창밖까지 볼 수 있는 서재 창에서는 우리가 좋아하는 나무의 모습도 같이 볼 수 있다.

"해수야, 시간 되면 우리 1년만 같이 살래?"

튀르키예에서 한국으로 들어오기 얼마 전, 그가 나에게 농담처럼 했던 말이 지금은 현실이 되어 2년째 같이 살고 있다. 이럴 줄 몰랐던 일 중에 하나다. 그는 거기에서 틈틈이 이 집을 설계해 왔다고 했다. 그토록 좋아했던 설계를 그만두고는 딱 한 번의 건축가로 살아도 충분하다며 그는 이 집을 지었다. 그러고는 이제 이 집에서 나를 설계해주는 남자로 남고 싶다고 했다. 어쩌면 그는 오랜 세월 숨겨 둔 사랑을 이미 자신 안에서 짓고 있었는지도 모르겠다. 진실한 자신의 사랑을 위해 단 한 번의 건축가가 되어준 멋진 문지호, 내 사랑! 40년 만에 돌고 돌아서 내가 찾은 곳, 그는 나에게 집이었다.

이때 옥상에 틀어놓은 노래가 갑자기 멈추고 라디오에서 속보가 흘러나왔다. 러시아 폭격에 또다시 무너진 우크라이나 하르키우 지역의 민가 소식이었다. 충격적이었다. 우크라이나 전역에 재차 공습을 가해 다수의 사상자가 발생한 것이다. 동남부 하루키우 지역에 무너지고 부서진 주택과 학교 소식에 그가 조금 상기된 목소리로 말했다.

“해수야, 우크라이나 하루키우가 어디쯤에 있지? 우리 집에 지도 있나?”

“아니.”

“아, 맞다. 나한테 사회과부도가 있었는데.”하며 그가 일어나 서둘러 서재로 갔다. 오랜만에 들어보는 단어였다, 사회과부도!

“해수야, 이리와 봐, 내가 보여줄 게 있어. 이게 여기 있었네”

그는 내가 서재로 가자 먼지에 잔뜩 쌓인 사회과부도를 펼쳐놓았다. 유럽의 전도가 보였고, 그 사이에 구름 모양의 손 편지가 있었다.

『문지호에게.
조그만 선물이지만 정성껏 했으니 고맙게 받아주었으면 해. 난 너와 친하게 지내고 싶었지만 잘 되지 않은 것 같아! 좀 섭섭했지만 괜찮아.
조금 있으면 졸업이니 날 꼭. 기억해주기 바란다. 나도 꼭. 기억할게. 또 선물 잘 간직해줘.
1986.2. 주해수.』

“해수야, 나 이 약속 지키고 싶었나 봐.”

그가 한참을 이 손 편지에서 눈을 떼지 못하며 말했다. 낯선 글씨체였지만 선명하고 친근했다. 40년 전 내 글씨였다. 분명 내 글씨다. 알록달록 유치한 12색 사인펜으로 꾹꾹 눌러가며 정성껏 적어 내려간 글씨들이 보였다. 6학년 졸업을 앞두고 내가 그에게 주었던 편지다. 그도 이 구름모양의 내 편지를 이곳에 넣어 뒀었는지는 몰랐다고 했다.

우리는 서로를 꼭 기억하자고 했던 이 오래된 약속을 지켜오고 있었다. 참 멀리서부터 온 약속이었다.

"우크라이나 하루키우. 여기였구나."

"해수야, 우리…"

무슨 말을 하려는지 단숨에 알 수 있었다.

막 저무는 석양빛에 비친 그의 미소가 내 발끝까지 내려와 반짝였다.

| 08 |

고해

정윤하

소설

정윤하

기억. 용기. 어제의 젊음과 각오. 어쩌면 애정하고 증오하는 마음과 그 대상까지도. 삶은 무엇인가를 잃어버리는 과정인 것 같다. 그 어떤 장면에도 무한히 체류하지 않기 위해 쓴다.

고해

내켜서 간 것은 아니었다. 때가 되었고, 내겐 부름에 응해야 할 의무가 있었다. 집으로 날아온 판공성사 표까지 무시하는 건 몇 년간 성당에 발을 끊은 냉담자로서도 쉽지 않은 일이었다. 아이들이 태어나기 전엔 까짓거, 믿음이 부족한 자에게 벌을 주신다면 겸허히 받아들이고 말지, 하고 종교 따위는 호기롭게 제쳐두고 집구석에 누워 있었겠지만 이젠 상황이 달랐다. 마음 내키는 대로 구는 건 이미 오래전에 지운 선택지였다. 이 삶은 이제 나만의 것이 아니었다. 언제 죽어도 상관없다며 큰소리를 치곤 했던 내게도 두려운 것들이 생겼다. 내가 받을 벌이 꼭 나를 향하고 있을 거라는 보장은 없었다. 결혼할 무렵엔 의식한 적 없던 책임감에 마음이 무거웠다. 아이들이 아프거나 어려운 일을 겪게 되는 게 내가 상상할 수 있는 가장 끔찍한 벌이었다. 나나 남편이 아프거나 죽게 되어 아이들의 인생이 힘겨워지는 게 두 번째였다. 그런 일이 벌어지도록 그냥 둘 수는 없잖아. 나는 억지로 몸을 일으켜 옷을 갈아입었다.

애들 좀 잘 봐 줘. 빨리 올게.

종교 생활에는 아무런 관심이 없는 남편이 있어 편리할 때도 있었다. 신발장 앞에 서서 옷매무새를 확인하는 동안 남편은 요란한 기합을 넣으며 몸 위로 타고 오른 두 아이를 데리고 씨름을 하고 있었다. 어어. 걱정하지 말고 다녀와. 시선만 힐끔 건네는 짧은 배웅 끝에 키득대는 아이들의 목소리가 겹쳤다. 아무렇게나 뒤섞인 세 사람의 팔다리를 뒤로하고 현관문을 열자 콧잔등과 뺨이 선뜩했다. 나는 겉옷의 지퍼를 최대한 끌어 올리고 엘리베이터를 기다렸다.

동네는 점점 얼어가고 있었다. 며칠 전 내린 눈이 다 녹지 않고 골목 군데군데 쌓여 있었다. 끄트머리가 까맣게 물든 눈더미에 온통 눈길을 빼앗기며 걸었다. 콧속을 뾰족하게 찌르는 추위에 발을 종종거리며 걸었지만 속도는 계속 느려졌다. 어차피 해야 하는 거 빨리 끝내 버리는 게 마음 편하잖아. 생각하면서도 편의점 창문에 붙은 군고구마나 호빵 광고를 그냥 지나칠 수가 없었다. 집에 가는 길에 군고구마를 좀 사 갈까. 애들이 안 자고 기다리고 있으려나. 딴생각을 하며 주머니에 손을 넣고 걷다 보면 곧 정겨운 소음이 들려왔다.

성탄을 맞은 성당은 분주한 분위기였다. 신자들은 붉은 리스와

알전구가 휘감긴 정문 기둥 사이를 웃으며 지나쳤다. 성모상 아래엔 양과 구유에 누운 어린 예수 같은 장식품들이 줄지어 놓여 있었다. 찬미 예수님. 인사를 주고받는 수녀님과 신자들은 살짝 들떠 있는 듯했다. 나는 어색한 기분으로 성모상 앞에 서 손을 모은 뒤 꾸벅 목례했다. 때마침 본당 입구 근처에 서 있던 수녀님이 내 얼굴을 확인하려는 듯 몸을 기웃거리며 세례명을 불렀다. 실비아 자매님? 오랜만에 불리는 세례명의 음절은 하나하나 모두 어색했다. 나는 겨우 눈을 마주치고 가볍게 인사한 뒤 본당 안으로 뛰어들었다.

고해소 앞에 늘어선 줄이 길었다. 성탄 미사를 앞두고 급하게 고해 성사를 보려는 신자들이 꽤 많은 듯했다. 아는 사람을 만나게 될까 두려워진 나는 급히 가방을 뒤져 이어폰을 꺼냈다. 귀를 틀어막고는 휴대폰으로 음악 앱을 켜 아무 노래를 재생했다. 관심도 없는 기사를 엄지로 밀어 흘려보내며 노래 한 곡에 한 걸음씩 앞으로 걷다 보면 여섯 곡쯤 들었을 때 내 차례가 왔다.

고해소 안에서는 쿰쿰한 나무 냄새가 났다. 긴장감에 발끝을 움직일 때마다 꿇어앉은 무릎 아래에서 장궤 의자가 삐거덕댔다. 절차에 따라 죄를 고백하는 일은 어렵지 않았다. 오래 성당에 나오지 않았고, 기도를 게을리하였으며, 힘든 상황에 부닥쳤을 때 잠시 하느님이 존재하심을 의심하고 말았습니다. 신실한 가톨릭 신자라면 입에 담기는커녕 상상도 못 할 죄를 시원하게 고해 놓고도 마음이 복잡했다. 거창하고 건방진 고백 이후에도 내겐 아직 남겨

둔 죄가 있었다. 나는 오래 침묵했다. 앞서 고백한 것들은 지금 이야기할 진짜 죄에 비하면 별것도 아니었다. 이 밖에 알아내지 못한 죄까지 모두 용서해 달라는 말로 뭉뚱그릴 수도 있겠지만, 그래서는 안 된다는 걸 알았다. 지나치게 자주, 홀로 비밀스럽게 지은 죄가 너무 무거웠다. 나는 침을 꿀꺽 삼키고, 자꾸만 좁아지는 목구멍을 억지로 벌려 이야기했다.

신부님 저는요. 자꾸만 엄마가 죽었으면 하고 바라게 돼요.

*

거실 티브이 아래에는 이사하며 큰마음 먹고 구입한 수납장이 있었다. 간결한 철제 프레임에 하얀 패널이 돋보이는 해외 디자이너의 제품이었다. 애들 장난감 수납함으로 쓰기에는 비싼 감이 없지 않았지만 딱히 옮겨 둘 곳이 없었다. 쌍둥이를 위한 방은 너무 좁았다. 서재였던 작은방을 비우고 침대 두 개를 넣고 나니 바닥엔 조금도 여백이 없었고, 문만 열릴 정도의 좁은 공간에 자그마한 옷장 하나까지 겨우 욱여넣자 가습기나 공기 청정기를 둘 공간조차 남지 않았다. 안방은 서재에서 이사를 온 책상과 책장들로 이미 만실이었다. 아이들 목욕용품이나 약, 손수건과 기저귀 따위를 수납할 장을 하나 더 짜 넣고 나니 책상 의자를 움직일 때마다 다리가 여기저기 걸렸다. 드레스 룸엔 냉장고가 들어가 있었다. 마음을 비운 나는 크레파스 자국이 남을 것을 감안하고 거실 수납장을 완전히 비운 뒤 장난감을 넣었다. 묵주가 거기 있었으면 아마 그때 발견했을 것이다.

손목 보호대나 진통제 등을 넣어 둔 안방 침대 옆 협탁에도 묵주는 없었다. 뜬금없이 잃어버린 줄 알았던 안경을 발견한 나는 입고 있던 반소매 티셔츠에 알을 문질러 닦고 안경을 썼다. 일할 때만 쓰던 안경이 왜 책상 위 제자리에 안 있고 여기 있는지 모르겠네. 구시렁거리며 그 어떤 물건도 원래 있었을 법한 곳에 위치하지 않은 안방을 마구 뒤졌다. 안 쓰는 새도들을 처박아 놓은 화장대 아래 칸에도, 무엇이 저장되어 있는지 모를 유에스비와 각종 충전기가 뒹굴고 있는 책상 서랍에도 없고. 혹시나 하는 마음에 값지고 귀한 물건들을 보관해 두었던 예물함을 포함해 온 집안을 샅샅이 뒤졌으나 역시 묵주의 행방은 알 수 없었다. 도대체 어디에 뒀지. 마지막으로 본 게 언제였지? 아이 옷장을 뒤지다 말고 옷 정리를 하다가 깨달았다. 애들이 어린이집에 다니면서 시간이 생겨서 다행이지. 이렇게 마음 급할 때 애들까지 정신없이 울었어 봐. 보속이고 뭐고 포기하고 올해 성탄 미사도 그냥 넘겨 버렸을 게 뻔했다.

묵주기도 5단. 꽤 무거운 보속이었다. 지은 죄가 평범하지 않았겠거니 생각하며 겸허한 마음으로 받아들이려다가도 이건 좀 너무하지 않나 하는 반발심이 들었다. 몇 년간 냉담한 신자에게 묵주기도 5단이라니. 성모송이고 뭐고 다 잊어버렸는데. 얼마 되지도 않는 여유 시간을 들여 참회의 기도를 올려야 한다는 생각을 하니 속이 답답했다. 심박이 치솟았다. 나는 개다 만 아기 바지를 팽개치고 거실로 가 소파에 누웠다. 까맣게 잊은 묵주기도의 순서야 인터넷으로 찾아보면 그만이겠지만 묵주 없이 묵주기도를 할 수는 없는 노릇이었다. 성탄 미사에 참석하지 않는다고 죽는 건 아니야. 보속을 다 못 하면 영성체를 안 모시면 되지. 괜찮아. 별일 없어. 그런다고 아이들한테 무슨 일 생기지 않아. 팔을 올려 눈을 가리고 잠깐 심호흡을 하자 서서히 마음이 가라앉았지만 찜찜함은 가시지 않았다. 묵주를 꼭 찾아야 할 필요는 없어. 꼭 그럴 필요 없어. 여러 번 되뇌는 도중 예전에 엄마가 귤 대신 휴대전화를 냉장고에 넣어 두고 한참 동안 휴대전화를 찾아 헤맸던 일이 번뜩 생각났다. 출산을 하고 나면 원래 정신이 들락날락한다면서. 자주 깜빡깜빡하는 것은 본인의 의지력이 약해서나 기억력이 좋지 않아서가 아니고 모두 내 탓이라는 말을 했었다. 그랬었지. 기억을 되짚으며 부엌으로 달려가 냉장고 문을 열자 아침으로 챙겨 주었던 아기 빵이 눈앞으로 툭 떨어졌다. 이마를 스친 빵을 주워 들고 냉장고 앞에 바로 서자 심연이 펼쳐졌다.

댐 같았다. 파 한 단 넣을 구석도 없이 겹겹이 쌓인 밀폐용기들 사이로 하얀 조명이 후광처럼 빛났다. 여기 있을 리가 없잖아. 허탈하게 생각하면서도 내 손은 냉장고 안을 헤집고 있었다. 아이들 저녁을 만들기 위해 미리 잘게 잘라 놓은 야채들. 다진 소고기와 돼지고기. 시댁에서 받아 온 아기용 된장국과 미역국. 김치 통. 아기 요구르트와 음료수. 랩에 싸여 이미 누릇해진 단면을 드러내고 있는 양배추 반 통. 뒷면이 짓무른 한라봉. 엊그제 산 맥주 캔. 저 안쪽엔 얼마나 남았는지 알 수 없는 고추장과 된장. 식빵과 잼 두 병. 누구 것인지 모를 약봉지와 사과즙, 배즙 뭉치. 반쯤 뜯긴 플라스틱 포장에 그대로 보관 중인 두부……. 이게 다 도대체 왜 여기에.

필요에 의해 산 것들이었다. 구입할 땐 분명 어떤 계획이 있었다. 먹을 것에 관심이 없어 늘 끼니를 대충 때우는 편이었지만 아이들에게만큼은 먹는 즐거움을 알려 주고 싶다는 책임감이 컸다. 좋은 부모가 되고 싶은 마음. 할 수 있는 건 다 해 주고 싶은 마음. 엄마는 편식을 하지만, 너희들은 음식을 골고루 먹으며 건강하고 행복하게, 스트레스를 받으면 맛있는 음식을 먹으며 해소할 수 있는 아이로 자라났으면 하는 사소하지만 통제할 수 없는 바람. 전처럼 보기 좋은 몸매로 돌아가고 싶다 개인적인 욕심도 있었다. 달성하지 못한 계획들과 이루어지지 않은 소망들 사이에 하루 일과 중 대부분의 시간을 내 집에서 보내곤 했던 엄마가 사 놓은 건강식품들이 얽혀 있었다.

뚜껑이 열린 채 방치된 효소 상자는 엄마 것이었다. 역류성 식도염에 좋다며 사다 놓은 양배추도, 비타민을 보충해야겠다며 친정에서 가져온 한라봉도. 고기는 싫지만 단백질은 필요하다며 반만 먹고 처박아 둔 두부도 아마 엄마 몫일 것이다. 내가 만진 적 없으니까. 버려야 할 것들을 챙겨 한 쪽 옆구리에 끼고 냉장고 문을 닫으려던 나는 잠깐 멈칫했다. 밀폐 용기에 넣어 숨기고 싶은 생각들이 떠올랐다. 정리되지 않은 냉장고 뒤편으로. 의식적으로 비워내지 않으면 찾을 수 없는 곳으로. 언젠가 버리거나 먹어 치워야 한다는 부담감과 죄책감도 잊을 정도로 아주 깊은 곳에 처박아 버리고 싶은 생각들. 나는 여전히 엄마의 죽음이란 관념에 사로잡혀 있었다.

*

지금은 아니고. 한 2, 3년 정도 후면 어떨까. 당장 엄마가 죽어 버리면 내가 엄마를 너무 미워할 것 같으니까. 아이들이 좀 더 자라고, 우리가 완전히 떨어져 지내며 엄마에게 상처받은 내 마음이 회복될 정도로 시간이 흐른 뒤에 엄마가 죽는 거야. 그런데 과연 이런 최악의 상상을 극복해 내는 일이 2, 3년으로 될까? 정말 그 짧은 시간으로 충분할까?

의심하게 된 건 오늘 아침이었다. 아이들을 등원시키고 급하게 돌아와 샤워를 하는데 도어락이 해제되는 소리가 들렸다. 엄마야? 흘러내리는 거품 때문에 한쪽 눈만 겨우 뜨고 물었으나 대답은 돌아오지 않았다. 집안을 오가는 발소리로 엄마의 행적을 가늠하며 샤워를 마치고 나왔다. 엄마는 싱크대 앞에 가만히 서서 음식물 쓰레기봉투를 내려다보고 있었다. 수건으로 머리를 털며 가까이 다가서면 기다렸다는 듯 한숨 소리가 먼저 들렸다. 이걸 다 버릴 거니? 고개를 고정한 채 묻는 어깨가 딱딱히 굳어 있었다. 미묘한 어투가 마음에 걸렸다.

어. 상태가 안 좋은 것 같아서.

요란을 떠는구나, 또. 먹어도 아무렇지 않은 건데.

탁. 음식물 쓰레기통을 힘주어 닫는 소리에 손이 멈췄다. 뭐라고? 짜증스레 되물으려다 입을 다물었다. 머리를 덮고 있던 수건을 내려 목에 걸고 양쪽 끝을 공평히 당겼다. 축축하고 꺼끌꺼끌한 느낌에 왠지 기분이 나빠졌고, 갑자기 잊고 있던 기억이 떠올랐다. 고등학생 때쯤이었다. 일을 하느라 바쁜 엄마 대신 냉장고를 정리해 둔 적이 있었다. 정확히 기억하는 것은 아니지만 엄마를 도와줘야지 하는 마음으로 한 행동은 아니었다. 유통기한이 지난 음식들이 냉장고에 잔뜩 있으니 좀 버려야겠다, 하는 단순한 의도에 가까웠다. 집에 돌아온 엄마는 냉장고를 열어 보고 대뜸 소리를 지르며 화를 냈다. 너 지금 나 살림 못 한다고 뭐라고 하고 싶어서 일부러 이러는 거야? 엄마 보라고 이러는 거야? 어? 그런 거야?

몰아치던 목소리가 아직도 머릿속에서 웅웅 울리는 것 같았다. 귀가 먹먹하고 정신이 아득해지는 느낌이 들었다. 나는 아무렇지 않은 척 고개를 털고 찬장에서 컵을 하나 꺼냈다. 먹고 배탈 나면 아기 못 보잖아. 정수기의 냉수 버튼을 눌러 놓고 물이 차길 기다리는 동안 엄마는 작은 신음을 흘리며 곁을 지나쳤다.

탈 안 나니까 둔 거지, 탈 나는 거면 엄마가 그냥 뒀으려고. 쟤는 꼭 엄마를 바보 취급하고…….

거실로 향하는 엄마의 발소리가 귀에 거슬렸다. 구시렁거리는 어절 하나하나가 걸음마다 엄마의 몸에서 뚝뚝 떨어져 바닥을 더럽히고 있는 것만 같았다. 들으라고 하는 말이지. 나는 컵을 꽉 채운 냉수를 단숨에 들이마시고 안방으로 숨었다. 거울 앞에 서서야 볼 안쪽을 으스러지게 깨물고 있다는 것을 깨달았다. 굳은 표정을 마주하는 게 두려워 눈을 내리깔았다. 드라이어를 켜고 풍속을 강풍으로 조절한 뒤엔 잡생각까지 다 날려버리겠단 기세로 머리를 마구 헤집었다. 생각하지 마. 아무 생각도 하지 마. 귀까지 탈탈 털어내면 거울 표면에 물방울이 튀었다. 소음이 귓가를 완전히 메우자 조금 자유로워졌다.

실제와 생각을 구별하는 일이 어려웠다. 보고 들은 것은 누군가의 표정과 목소리뿐인데, 뒤돌아서는 그 사람의 생각을 읽으려 애쓰고 있었다. 사고의 전개 방식도 습관의 일종이라는 걸 너무 늦게 깨달았다. 엄마도 알고 있을까? 피해자 행세도 습관이라는 걸. 아무도 엄마의 살림 실력이 한심하고 못마땅하다는 이유로 냉장고 정리를 시작하지 않는다는 걸. 내가 엄마를 무시하기 때문에 유통 기한이 지난 음식을 버리려고 한 게 아니라는 걸? 늘어지던 질문은 손가락 사이에 끼어 뜯겨 나간 머리카락과 함께 뚝 끊어졌다. 거울 속의 나는 입을 벌린 채 황망하게 서 있었다. 이미 바싹 마른 머리는 제멋대로 뻗쳐 있었다.

곧 애들 하원 시간인데. 얼른 준비해야지. 스킨과 로션을 대충 얼굴에 펴 바른 뒤 안방 문을 열고 나왔을 때 엄마는 거실에 널린 아이들 장난감을 정리하고 있었다. 그냥 두지. 괜히 다 마른 머리를 털며 말하면 엄마는 갑자기 몸을 일으켰다. 아휴. 허리를 짚으며 앓는 소리를 낸 엄마는 곧장 싱크대로 걸어가 미처 처리하지 못한 아기 요구르트를 집어 들었다.

유통 기한 며칠 지난 것 정도는 그냥 먹여도 돼. 그리고 너만 신경 쓸 줄 아는 거 아냐.

엄마는 안방 문 앞에 선 내게 시선도 주지 않고 냉장고로 향했다. 단단히 달라붙었던 게 쩍 하고 떨어지는 소리와 함께 드레스룸 밖으로 엷은 빛이 비쳤다. 멍청하게 서 있다 보면 바닥에 생긴 사다리꼴 모양의 빛이 점점 작아지다가, 이내 사라졌다. 다시 쩍, 하고 달라붙는 소리. 방 밖으로 나오는 엄마의 발소리. 바쁜 걸음은 나를 지나쳐 거실로 향했다. 등 뒤에서는 장난감을 정리하다 잘못 건드린 구급차가 삐용삐용 다급한 효과음을 냈다. 비켜 주세요. 비켜 주세요. 간절한 외침에도 몸을 움직일 수가 없었다.

*

어린이집에서 낮잠을 자고 하원한 아이들은 집으로 돌아와 간단한 저녁을 먹고, 목욕을 하고, 책을 읽고, 이리저리 뛰어다니며 숨바꼭질을 하다 잠자리에 들었다. 더 순하고 얌전한 아이들이었다면 이 정도 일과는 나 혼자서 치러낼 수 있었을까. 자주 상상해 보고는 했으나 소용없는 짓이라는 걸 알았다. 주말부부가 내 현실이었다. 놀아 주는 어른이 없으면 설거지하는 엄마 다리에 둘이 매달려 울고, 종알종알 떠드는 말에 대답을 해주지 않으면 속이 상해서 입술을 삐죽삐죽 내미는 게 내 아이들이었다. 애들을 동시에 돌보려면 손이 둘 이상 필요했다. 내가 하나를 붙잡고 밥을 먹이는 동안 엄마가 다른 하나와 함께 색칠 공부를 하는 식이었다.

피곤했다. 그렇지만 줄어들 기미 없이 쌓여만 가는 피로와는 별개로 행복했다. 부연할 것 없이 명확한 마음이었다. 즐겁고 기쁜 게 다가 아니야. 충만하고 벅찼다. 내 삶에 찾아온 것이 행복임을 확신할수록 뭐라 정의할 수 없던 의문이 선명해졌다. 매일 밤 곤히 잠든 딸들 옆에 누워 생각했다. 이렇게 예쁜데 어떻게 그랬지. 엄마는 도대체 어떻게 그랬지?

지나온 인생 중 불가역이 아닌 순간은 없었지. 그러나 처음으로 실감하고 있었다. 지난날을 곱씹게 되는 밤마다 내가 저지른 그 모든 선택으로 인해 이 아이들을 만나게 됐다는 걸 떠올렸다. 그러면 아무것도 바꾸고 싶지 않았다. 돌아가고 싶지 않았다. 이제 내게 과거란 아이들이 태어나기 전의 경험의 총합에 불과했다. 미래는 너희들을 지키기 위해 내가 할 수 있는 모든 일을 그러모아 담아 둔 바구니쯤 될까. 이다지도 섬약하고 보드라운 생명체가 탄생이란 짧고도 거대한 사건을 기점으로 내 세계를 양분해 버렸다는 게 믿기지 않았다. 엄마의 인생을 두 동강 낸 아이들의 세계는 잠깐의 여유조차 허락하지 않고 팽창했고, 숨 쉴 새 없이 전개됐다. 막연히 두려웠고, 확연히 경이로웠다. 후회 같은 헛되고 질척한 수렁에 빠져 있을 새가 없었다. 우주의 탄생을 목격하는 것만 같은 이런 기분이 엄마에겐 부담이었을까. 그랬던 걸까.

잠든 아이들을 두고 부엌으로 나와 잠깐 책을 읽었다. 누런 식탁 조명 때문에 눈이 아팠지만 밤늦게 책을 읽기에는 식탁만 한 곳이 없었다. 아이들 방과 가까워 울음소리가 잘 들리기도 하고, 형태와 색이야 어찌 됐든 평평한 테이블과 조명이 있고. 불편한 의자 때문에 허리가 아팠지만 책을 읽다 보면 가벼운 고통쯤이야 쉽게 잊을 수 있었다. 30분 정도 책을 읽으며 아이들이 푹 잠든 걸 확인한 뒤엔 간단히 샤워를 하고 침대에 누웠다. 바로 잠들어야 내일 조금이라도 덜 힘들 거라는 걸 알고 있으면서도 휴대전화를 들었다. 메신저를 켜자 친정 식구들이 초대되어 있는 단체 채팅방에 새 메시지가 서른여섯 개 쌓여 있었다. 빨간 딱지 위에 쓰인 숫자를 보자 그것과 전혀 상관없는 숫자들이 떠올랐다. 버리려고 꺼내 둔 요구르트 뚜껑에 번듯하게 새겨져 있던 지나간 날짜. 나는 벌떡 몸을 일으켰다.

요구르트는 엄마가 사다 둔 효소 박스 위에 비스듬히 걸쳐져 있었다. 나는 냉장고 문을 잡고 서서 아직도 산더미처럼 쌓여 있는 밀폐 용기들을 천천히 훑어보았다. 버젓이 유통 기한을 달고 있는 요구르트는 그나마 다행이라고 해야 할까. 언제 산 것인지, 언제 다듬은 것인지, 언제 만들어둔 것인지 도무지 기억나지 않는 음식들이 냉장고 안에 질서정연하게 차곡차곡 쌓여 있었다. 심지어 아무리 들여다봐도 내용물을 전혀 유추할 수 없는 것들도 있었다.

이렇게 살 수는 없어. 정리를 해야 했다. 비워야 했다. 냉장고를 열 때마다 이런 답답한 풍경을 마주할 수는 없었다. 출처와 기원을 알 수 없는 음식들은 모조리 내다 버리고 단출해지고 싶었다. 나는 냉장고 안에 쌓여 있는 밀폐 용기들을 꺼내 바닥에 내려놓고 그 옆에 주저앉았다. 마구잡이로 손을 뻗어 걸리는 것 하나를 가져와 뚜껑을 여니 쿰쿰한 냄새가 났다. 확인하고 싶었다. 이것은 누구를 향한 것인지. 언제 비롯된 것인지. 왜 이토록 오랜 시간 보이지 않는 곳에 꼭꼭 숨겨진 채 썩고 있던 것인지.

*

기록은 좀처럼 믿을 수가 없다. 개인적인 해석이 부가된 일기나 승자의 입장에서 쓰였다는 역사와 같은 언어적 기록뿐 아니라, 존재하는 순간을 그대로 촬영해 남긴 동영상이나 사진 같은 이미지도 그렇다. 앨범 세 권에 걸쳐 남겨진 어린 시절을 들여다보고 있으면 마치 어떤 순간들이 기억 저편에서 벌떡 일어나 이것이 진실이라고, 믿어달라고 절실히 외치는 것처럼 느껴질 때가 있다. 나는 끊임없이 그를 의심했다. 그럴 리 없는데. 그렇게 자란 내가 이런 사람이 되었을 리 없는데. 아마 나의 순간들은 감독과 편집자에 의해 선정되고, 꾸며진 채 촬영되었을 것이다. 이상하게도 나는 기록된 순간들 대신 폐기된 순간들을 자세히 기억하고 있었다.

집안의 첫 아이였다. 서울로 상경한 아빠의 여동생 셋을 모두 데리고 살았던 엄마 덕분에 나는 고모들의 사랑을 듬뿍 받고 자랐다고 했다. 사진 속의 나는 대체로 웃고 있다. 고모의 책장에서 책을 마구 꺼내거나, 계단 중간에 앉아 고모가 주는 아이스크림을 받아먹거나 하며. 눈 아래 생기는 기다란 보조개 때문에 웃으면 작은 얼굴이 유독 오밀조밀해 보였다. 고모들은 자주 그 얼굴을 보며 나를 놀렸다고 했다. 미연이 또 고양이 됐네. 미연이 자꾸 고양이 되네.

고양이를 무서워했던 당시의 나는 고모들이 그렇게 말할 때면 곧장 울어버렸다고 했다. 아쉽게도 우는 사진은 몇 장 남아 있지 않았다. 나는 전혀 기억하지 못하는 일화다. 너무 어릴 때의 일이니 기억하지 못하는 것이 당연하다고 치부해 버리기엔 기억 속에 남아 있는 그 시절 우리 집이 너무 또렷했다. 아래로 푹 꺼져 있는 탓에 한 번도 뛰어 들어간 적이 없었던 욕실이나, 어른 다섯과 아이 하나의 신발로 꽉 차 있던 신발장과 현관. 봄이면 흐드러지게 핀 목련 사진을 커다랗게 인쇄해 끼워 둔 액자처럼 변하던 막내 고모 방의 창문. 작은고모의 방엔 컴퓨터가 있었다. 나는 새카만 화면을 들여다보며 타자를 치는 고모 옆에서 흉내를 내며 손장난을 쳤다. 퇴근하고 들어와 그 장면을 보고 깔깔거리는 큰고모의 웃음소리. 인제 그만 고모 방에서 나오라고 외치는 엄마 목소리. 똑바로 누워 올려다본 천장에 매달린 전등과 똑 떨어져 버릴 것만 같은 전등 줄. 안방의 전등은 소등한 지 한참이 지난 뒤에도 희미하게 빛났다. 나는 자기 전까지 조잘거렸고 아빠는 내 배를 가볍게 두드리며 응, 응, 우리 딸, 반복하곤 했다.

세 번째 앨범의 마지막 몇 장엔 수연과 함께 찍은 사진들이 끼워져 있었다. 수연과 나는 어렸을 때부터 사이가 아주 좋은 편이었다. 놀이공원이나 한강 둔치에서 찍은 사진 속의 우리는 단 한 장도 빠짐없이 손을 꼭 잡고 얼굴을 맞댄 채 웃고 있었다. 그러나 내 기억은 이번에도 다른 곳을 손가락질한다. 수연의 손을 꼭 붙잡고 얼어붙어 있던 일요일 오후. 방문 바깥에서 들리는 소란한 소리. 언니, 언니. 울먹이는 동생을 등 뒤로 숨기고 문고리를 살짝 당겼을 때 엄마와 아빠는 식탁을 사이에 두고 대치 중이었다. 고성이 오가고 어느 순간 식탁 의자가 거실과 베란다를 가르는 유리창을 향해 날아간다. 엄마가 울면서 수건으로 깨진 유리 파편들을 훔친다. 비스듬히 고개를 기울이고는 우리 집 안을 들여다보고 있는 오후의 느른한 빛. 끝이 늘어지는 엄마의 울음소리와 함께 가늘어지는 빈 새시의 그림자. 외할아버지 댁에서 군밤을 까먹다 까매진 수연의 얼굴을 보고 까르륵 웃었던 기억은 온데간데없는데, 남겨지지 않은 기록은 재생을 거듭하며 선명해졌다.

불행했나? 그렇다고 대답하기에는 곤란했다. 나는 잘 웃는 아이였다. 우리 가족에겐 번듯한 집과 차가 있었고, 나는 성적이 좋은 편이었다. 이름 있는 학교를 졸업하고 많은 사람들이 선망하는 직장에 취직했다. 오래 일했고, 승진을 놓치지 않았고, 꾸준히 돈을 모았다. 우여곡절이 있었지만 결국엔 괜찮은 사람을 만나 결혼했고, 내게 찾아온 행복이 맞는지 의심하게 될 만큼 예쁜 아이가 둘이나 나를 찾아왔다. 졸업식에서, 입사 기념행사에서, 조리원과 집에서 찍은 사진들이 그걸 모두 증명했다. 나는 웃고 있었다. 내 것 같지 않은 수많은 얼굴들이 모여 화목한 가정에서 자란 능력 있고 활발한 여자를 구성했다. 기록에 따르면 그게 바로 나였다.

남편은 빈약한 기록 속의 나를 좋아했다. 저녁을 먹기 위해 모여 앉으면 얼마 전 개봉한 유명 감독의 영화 얘기를 하는 우리 집의 분위기가 마음에 든다고 했다. 경제나 정치 얘기만 오가는 삭막한 시댁 식탁이 질릴 때가 있다고, 아이를 낳게 되면 우리 집처럼 즐거운 이야기를 하며 저녁 식사를 하고 싶다고 했다. 아버님 이번 주에 읽으신 책 제목이 뭐라고? 물으며 핸들을 돌리는 남편에게 나는 조용히 대답했다. 몰라. 기억이 안 나. 기억이 안 나.

그 무렵 우리는 시험관 시술을 시도하고 있었다. 결혼을 하고 3년이 더 지나서야 겨우 아이를 가져야겠다고 마음을 먹었는데, 막상 임신을 시도하니 잘 되지 않았고 결국 난임 판정을 받았다. 어렵게 결정한 만큼 허탈한 마음도 있었지만, 조급하진 않았다. 남편과 나는 화장실 수납장 한 칸을 임신 테스트기로 꽉 채운 뒤 서로에게 약속했다. 이걸 다 쓸 때까지만 시도해 보자. 그래도 안 되면 미련 가지지 말자.

약속은 부부 공동의 것이지만, 테스트 결과를 기다리는 마음은 오롯이 내 것이었다. 나는 간절한 동시에 두려웠다. 좋은 엄마가 될 자신이 없어서라는 간단하고 평범한 말로 일축해 버릴 수도 있겠지만 그건 진실과 거리가 멀었다. 나는 단지 본질적으로 잘 맞지 않는 관계를 가족이란 이유만으로 평생 지속해 나갈 자신이 없었다. 누구나 마찬가지지만 아이는 더더욱 내 통제 밖의 존재였다. 면밀히 살펴 고르고 선택할 수 없었다. 사랑하고 아껴야만 하는 존재와 부대껴야만 한다면. 어쩔 수 없이 서로를 미워하는 순간을 맞닥뜨려야만 한다면. 아이도 나처럼 상처받게 된다면. 상상만 해도 호흡이 밭아졌다. 한 줄이 떴을 땐 내심 기뻤다. 생물학적으로 임신할 수 있는 기회가 줄고 있는 것 같아 아쉽고 슬픈 동시에, 부담감 없이 살아갈 수 있는 선택지를 고를 기회가 늘어난 것 같아 마음이 가볍기도 했다.

수납장에 있는 테스트기를 반쯤 사용했을 때 두 줄을 봤다. 비임신을 확인하기까지는 십오 분을 기다려야 했는데 임신 사실은 금세 확신할 수 있었다. 나 임신한 것 같아. 가족 단체 채팅방에 사진을 보냈을 때 엄마는 어머 축하해, 하고 메시지를 보냈다. 나는 화장실 문을 닫고 변기 뚜껑 위에 걸터앉아 엄마가 보낸 고작 다섯 자의 메시지를 몇 번이고 반복해 읽었다. 억울했다. 왜지. 이것보다 더 당연한 반응이 어디 있다고. 그런데 왜 이렇게 속상하고 화가 나지. 심장이 쿵쾅거리고 머리가 아팠다. 나는 세면대 위에 휴대전화를 올려놓고 손바닥에 얼굴을 파묻었다. 호흡이 짧아지며 꾹 감은 눈앞이 까맣고 하얗게 점멸했다. 머릿속에서는 주변이 끝없이 팽창했다. 새카만 우주 속에 쪼그려 앉은 나는 되뇌었다.

축하를 왜 하지.

엄마는 엄마의 인생을 사랑한 적이 없으면서 어떻게 축하를 하지.

*

나는 자주 죄를 짓는 아이였다. 용서받아야 할 것이 많은 나에게는 종교가 꼭 필요했다.

초등학교 5학년쯤이었다. 처음으로 나는 속으로 엄마를 욕한 것에 대해 고해했다. 엄마는 가수가 되고 싶다는 말에 코웃음을 치며 나를 비웃었다. 네가? 무슨 수로? 눈썹을 바짝 끌어올리고는 나를 바라보던 그 눈빛이 도저히 잊히질 않았다. 고모들과 함께 간 노래방에서 내 노래를 들으며 애가 겉멋이 들어서 꼴 보기 싫다고 손가락질하던 엄마의 얼굴 위를 스치던 색색의 불빛들도 모두 잊지 않고 기억해 두었다가 고해소로 달려갔다. 엄마가 너무 미워서 참지 못하고 심한 욕을 해버렸어요. 혼자, 속으로 한 것이지만 그래도 잘못했습니다. 변명뿐인 그 고백에 신부님은 주님의 기도 1회 암송이라는 가벼운 보속을 주었던 것으로 기억한다.

속이 상했지만 철없는 꿈은 접었다. 대신 공부를 열심히 했다. 중간고사를 치르는 열두 개의 과목 전체에서 모두 백 점을 맞았고 전교 1등을 했다. 자랑스러운 숫자들이 빼곡히 적힌 꼬리표를 엄마에게 건네주고는 바깥에서 친구들을 만나 놀다가 집으로 돌아왔는데, 구겨진 꼬리표가 거실 바닥을 뒹굴고 있었다. 안방 화장대에, 아니면 식탁에, 적어도 내 책상에는 올려져 있을 것으로 생각했는데. 상심한 나는 꼬리표를 주워 책상 유리 아래 끼워 넣고 일찍 잠자리에 들었다. 그 주 주말이었을 것이다. 학원 숙제를 하다

출출해진 나는 달걀 프라이를 해 먹고 싶어 자고 있던 엄마를 살짝 흔들어 깨웠다. 엄마. 식용유 어디 있어? 묻는 나를 엄마는 말없이 오랫동안 노려보았다. 죽일 듯이. 정말이지 죽여 버리고 싶다는 듯이. 세상에 존재하는 모든 증오를 담아 나를 쏘아보던 그 눈과 눈썹의 모양을 똑똑히 기억한다. 구겨진 엄마의 얼굴은 오래도록 나를 괴롭혔다.

가끔 엄마는 내 방과 연결된 뒤 베란다의 창문을 예고 없이 열고는 미친 듯이 소리를 지르기도 했다. 나는 가끔 사용한 물컵을 닦아 놓는 것을 잊었고, 자주 책상 청소를 게을리했다. 라디오에서 흘러나오는 협주곡의 독주 악기가 바이올린이라는 엄마에게 바이올린이 아니라 첼로 아닐까 하고 딴지를 건 적도 있었다. 삼 남매의 학원비를 내느라 생활비가 빠듯한 걸 알 만한 나이에 몇 년 만에 새 코트가 가지고 싶다는 말을 하기도 했다. 남에 대한 배려가 전혀 없는 탓에 10월 어느 저녁, 일을 마치고 들어온 엄마가 더워할 거란 생각을 하지 못한 채 집 안의 모든 창문을 닫아 놓아 엄마를 화나게 만들기도 했다. 모니터 너머로 보이는 엄마의 입술은 빨리 감기라도 한 것처럼 미친 듯이 움직였다. 소리가 쏟아졌다. 나는 과녁이 된 기분으로 멍청히 입만 벌리고 있었다. 텅 비어버린 머릿속엔 딴생각이 섬광처럼 번쩍번쩍 떠올랐다 사라졌다. 내가 또 뭘 잘못했나. 싹수가 없었나. 숙제 오늘까지 다 마쳐야 하는데 어쩌지. 언제 끝날까. 어떻게 저렇게 크고 높은 목소리로 저토록 오래 소리를 지를 수 있을까.

분노가 사그라들 때까지 소리를 지른 엄마는 저녁을 준비했다. 식탁에 나와 동생들을 앉히고서는 엄마를 속상하게 만드는 사람들에 대해 이야기했다. 엄마는 무심한 아빠 때문에 괴로웠고, 별 볼 일 없는 시댁에 짜증이 났고, 우리 집 사정을 뻔히 알면서 돈 자랑을 하는 친구들 때문에 슬퍼했다. 그 와중에 동생처럼 엄마를 위로하지 않고 떨떠름한 표정을 짓고 있는 나 때문에 분노하기도 했다. 세상은 엄마에게 각박했으나 착한 엄마는 모든 걸 참고 넘어갔다. 사람들과 싸우고 싶지 않다고 했다. 엄마는 마음이 약해 누군가와 다투는 동안 상처를 많이 받는다고, 본인은 누구에게도 그런 상처를 주고 싶지 않다고 했다. 애초에 죄 많고 나쁜 년인 나만은 예외였다.

내가 할 수 있는 거라곤 오로지 고해뿐이었다. 엄마가 싫어요. 무서워요. 저를 위해서 일을 하시고, 밥을 해 주시고, 저와 동생들을 보살펴 주고 계시다는 것을 잘 알지만 그래도 엄마가 미워요. 그런데 엄마가 저를 사랑하지 않을까 봐 겁이 나요. 너무 두려워요. 엄마의 사랑에 집착하는 제가 정말 이상하고 멍청하게 느껴져요. 한참을 울고 나오면 본당 의자에 앉아 있던 엄마가 일어서며 나를 재촉했다. 너는 무슨 고해를 그렇게 길게 하니? 짧게 해, 짧게. 별것도 아닌 걸로 남들 시간 뺏는 거 아니야.

불어 터진 눈꺼풀이 무거웠다. 나는 잘 보이지도 않는 엄마를 향해 고개를 끄덕였다. 꿈에서조차 일그러진 눈과 눈썹을 마주하는 일이, 눈을 뜨고는 하룻밤만큼 더 엄마를 무서워하고 미워하게 되는 일이 별것 아니라면. 내 안에 끓어 넘치는 염오를 용기 내 고백하고 용서받지 않아도 된다면. 정말 그런 거라면.

나는 고해를 미뤘다. 꼭 해야만 할 때는 기도를 게을리하였다거나 봉사에 소홀하였다는 피상적인 죄만을 고백했다. 두려움과 미움이 마음속에 켜켜이 쌓여가는 동안에도 엄마는 착한 엄마의 삶을 살았다. 나는 여전히 엄마에게 싹수가 없었다.

며칠 분의 기분을 통째로 저당 잡히던 날들은 이십 대까지 이어졌다. 대학에 진학하고, 직장 생활을 하게 되면서는 패턴이 달라졌다. 엄마는 몇 달에 한 번씩 짐작할 수 없는 이유로 나를 없는 사람 취급했다. 엄마의 마음이 풀릴 때까지는 며칠이 걸리기도, 몇 달이 걸리기도 했다. 두 달 동안 내게 말 한마디 걸지 않던 엄마가 갑자기 방문을 열고 들어와 저녁 먹을 거야? 물었을 때 나는 며칠 밤을 새우며 기말시험을 치르고 돌아와 잘 준비를 마친 상태였다. 도무지 대답할 말이 생각나지 않아 누운 채 고개만 살짝 들어 엄마의 얼굴을 올려다봤다. 거실에서 들이치는 빛 때문에 표정이 잘 보이지 않았다. 나와. 밥은 먹어. 한숨과 함께 돌아선 엄마는 문을 열어둔 채 부엌으로 향했다. 문턱을 넘어 이불 위까지 길게 뻗친 빛이 무거웠다. 침대에 늘어뜨린 몸은 계속 가라앉는 것 같았다. 억지로 몸을 일으켜 식탁 앞에 앉았고, 엄마는 모든 걸 체념한 표정으로 밥을 깨작거렸다. 착한 엄마는 이제 나의 모든 걸 참고 있었다.

*

냉장고 속에 처박혀 있던 음식물들은 가지각색으로 썩어가고 있었다. 정성을 들여 재워 놓았지만 너무 오래 방치한 탓에 색이 다 변한 불고기나 마트에서 세 팩에 만 원을 주고 사 온 반찬들 뚜껑을 열었을 때는 끔찍한 악취가 났다. 나는 견디지 못하고 구역질했다. 충동적으로 달려든 것에 비해 각오가 약했다. 열었던 반찬통의 뚜껑을 모두 닫은 나는 멍하니 앉아 있다가 그것들을 싱크대로 들고 갔다. 젓가락을 하나 꺼내 내용물을 모두 음식물 쓰레기 통에 쓸어 넣은 다음엔 손을 씻었다. 오늘은 이것만 버리자. 늦은 시간을 핑계 대며 침대에 누웠지만 개운치 않은 마음에 잠을 설쳤다.

연말을 앞두고 친구들에게서 송년 인사가 도착했다. 무사히 일 년을 흘려보냈다는 별것 아닌 사실만으로 따뜻한 말을 주고받을 수 있다는 게 축복처럼 느껴져 행복하고 충만하게 느껴지는 건 잠시뿐이었다. 냉장고 정리가 촉발한 엄마와 나 사이의 미묘한 긴장은 현재 진행 중이었다. 게다가 묵주의 행방은 아직도 묘연한 상태였다. 신경을 잔뜩 긁히고도 정리를 마치지 못한 냉장고보다 잃어버린 묵주가 훨씬 더 신경 쓰였다. 나는 연락을 하는 틈틈이 집 안 여기저기를 뒤지며 짧게 크리스마스와 겨울 분위기가 나는 이모티콘을 주고받았다. 가까운 친구들과는 인사를 핑계 삼아 통화로 오래 수다를 떨었다. 특별할 건 없는 일상적인 대화였다. 요새 힘들지, 하는 공감 섞인 질문으로 시작해 회사에 다니는 네가 바쁘네, 아이를 둘이나 보는 네가 바쁘네, 하며 서로를 위로하는 식이었다. 아쉬운 얘기만 하다 대화를 끝낼 순 없어 각자의 SNS에 올라온 사진을 토대로 서로가 보낸 1년에 긍정적 의미를 부여하기도 했다. 그래도 올해 발리에 다녀온 거 너무 좋아 보이더라. 난 너희 아이들 너무 예뻐서 부럽더라. 예의상 하는 말인 걸 알면서도 내심 뿌듯했다. 어휴, 요새 말 정말 안 들어. 대답엔 나도 모르게 웃음이 섞였다.

가끔은 임신을 고민하는 친구들이 조심스레 물었다. 후회 안 해? 나는 있는 그대로 답했다. 아직. 아직 모르는 일인 것 같아. 고작 두 돌이 지난 아이들을 키우며 논할 수 있는 문제가 아닌 것 같았다. 앞으로 십 년쯤 지나면 대답해 줄 수 있을 것도 같은데, 그땐 너무 늦지? 장난스레 던지면 친구는 와하하 웃었다. 나는 친구의 웃음이 잦아들 때까지 조금 기다렸다가 질문을 약간 비틀어 답했다. 근데 후회하지 않으려고. 마음대로 안 될 수도 있지만 최대한 노력해 보려고.

엄마는 우리 삼 남매에게 친구 같은 엄마가 되어 주고 싶었다고 했다. 그게 아이를 기르는 엄마의 목표이자 각오였다면 엄마는 자신의 기준에서 성공한 어머니에 가까웠다. 내겐 엄마를 의지하고 믿고 어리광을 부렸던 기억이 거의 없었다. 엄마는 대체로 내게 화가 나 있거나, 삐져 있었다. 나와 부딪히지 않고 잘 지내고 있을 땐 아빠가 엄마를 힘들게 했다. 가끔 엄마의 마음이 행복해 보일 때는 그 평화를 깨고 싶지 않았다. 친구들과 다투었을 때도, 용돈이 들어 있던 지갑을 잃어버렸을 때도, 학원을 결정할 때도, 취업을 준비하면서 면접에 수없이 떨어졌을 때도 나는 엄마에게 아무런 이야기를 할 수 없었다. 혼자서 방법을 고심하다 다른 친구들에게 고민을 털어 놓았고, 도무지 문제를 해결할 방도를 찾지 못했을 땐 친구의 엄마에게 도움을 요청한 적도 있었다. 엄마는 내게 딱 한 번 엄마 같았다. 파혼을 경험했을 때였다.

내 잘못이 아니었다. 그게 얼마나 다행인지 몰랐다. 엄마는 나를 안쓰러워했다. 아빠와 함께 나를 태우고 한강으로 나가 산책을 하거나, 괜찮은 식당을 찾아다녔다. 괜찮아. 별일 아니야. 아무도 뭐라고 안 해. 주문처럼 되뇌는 엄마 앞에서 나는 파스타를 헤집었다. 파혼의 사유가 내 쪽에 있었다면 지금 엄마는 어땠을까. 상상조차 하고 싶지 않았다.

흠집이 난 과녁을 원래대로 돌릴 수 있을까. 그즈음 나는 자꾸만 화살을 생각했다. 내 삶은 꿰뚫려 텅 비어 버리지도, 산산조각으로 부서지도 않았으나 화살을 연상케 하는 자국이 너무 많았다. 밤이면 애써 무시하고 있던 우울과 불안이 번갈아 찾아와 잠든 내 목을 짓눌렀다. 숨이 막혔다. 컥컥대며 잠에서 깬 뒤에는 몸을 일으키고 앉아 오래도록 무릎 사이를 내려다봤다. 치료가 필요했다. 약을 복용하고, 상담을 받기 시작했다. 파혼한 뒤에 찾아온 폭풍 같은 감정의 중심에는 오랫동안 해소하지 못한 엄마에 대한 원망이 있었다. 내가 모르는 곳에서 남들의 입방아에 오르내릴 일이나 앞으로 만나게 될 사람들이 가질 편견. 내가 받은 상처와, 뱃

속에서 꿈틀대는 분노와 배신감. 다시 누군가를 믿고 사랑할 수 있게 될 때까지 홀로 보낼 오랜 시간까지. 내 앞에 닥친 수많은 장애물이 두려웠지만 그건 뒤섞였다 가라앉을 감정의 하나일 뿐 본질적인 문제가 아니었다. 나는 분명히 느끼고 있었다. 이제야 엄마가 내 엄마 같았다. 나는 이토록 거대한 불행 앞에 서고 나서야 비로소 엄마의 딸이 될 수 있었다.

자연스레 엄마와의 관계로 상담의 초점이 옮겨갔다. 나는 매시간 오열했다. 상담을 진행할수록 잊고 지내던 과거의 상처가 떠올랐고 더 고통스러워졌다. 제시간에 맞추어 상담실 의자에 앉는 것이 어려웠다. 모두 그만두고 싶었다. 어느 날엔 울음과 함께 묻어두었던 말을 토해냈다. 아팠어요. 정말 아팠어요. 엄마가 제게 소리를 지를 때마다 작은 우산 속에 숨어 전투기가 퍼붓는 폭격을 맞고 있는 것 같았어요. 무서웠어요. 죽을 것 같았어요. 그런데 엄마는 엄마잖아요. 제 엄마잖아요. 엄마가 내 엄마인 건 바꿀 수가 없고 저는 어렸잖아요. 피할 수가 없었잖아요.

상담을 마칠 때쯤엔 테이블에 휴지로 쌓은 산이 생겨 있었다. 쿠션을 끌어안은 나는 계속해서 코를 훌쩍댔다. 선생님은 내게 마주하기를 권했다. 어머니께 이야기해 보는 것은 어떨까요. 얼마나 힘들었는지. 얼마나 서운하고 속상했는지. 어린 미연 씨가 얼마나 무서웠는지. 어떤 앙금은 너무 단단히 굳어 있어서 깨부수지 않으면 토해내기도 어려운 법이니까요. 나는 선생님이 건네신 또 한 장의 휴지를 받아 들었다. 너무 많이 운 탓에 눈꺼풀이 무거웠다. 눈가를 닦아낸 뒤엔 민망한 표정으로 테이블 위를 정리했다. 숙제예요. 강조하는 선생님께 가볍게 목례하고 자리에서 일어섰다.

엄마. 나 상담을 받고 있어.

그날 내 안에 일었던 자신감은 어디서 비롯되었던 것일까. 저녁 시간 나는 평소 같았으면 하지 않았을 이야기를 꺼냈다. 엄마는 대답하는 대신 젓가락을 든 채 나를 빤히 바라보았다. 무슨 얘기를 하고 싶은 거냐는 표정이었다. 나는 어쩔 수 없이 주절주절 말을 이었다. 처음엔 파혼하고 부딪히는 힘든 일에 대해서 상담을 받았었는데, 이젠 주제가 바뀌었어. 그동안 내가 엄마와의 관계 때문에 많이 힘들었거든. 엄마는 느끼지 못했을 수도 있겠지만,

그래서 어쩌라는 건데?

내 말을 뚝 끊어낸 엄마는 젓가락을 내려놓았다. 탁하는 가벼운 소음과 함께 세상이 진동했다. 몸을 받친 의자가 달달 떨리는 것 같았다. 나는 침묵했다. 시선을 떨구고 국그릇 안 콩나물의 구부러진 모양을 살폈다. 엄마는 아직도 나를 바라보고 있는 것 같았다.

어떡하리. 내가 죽을까?

힘들었니? 내가 더 힘들었어. 주변에서는 엄마를 천사라 그래. 너 같은 자식새끼나 네 아빠 같은 남편을 참고 사는 게 대단하다고. 너는 엄마가 불쌍하지도 않니? 네 아빠처럼 능력 없는 남편 만나서, 그렇게 똑똑했던 내가, 점점 좁아져 가는 집에서, 너희들은 엄마 마음만큼 잘 되지도 않고, 다른 집 애들은 부잣집에 시집도 장가도 가는데, 내가 이렇게 살 줄 누가 알았겠어, 너희 할머니는

아빠가 내 관운官運을 다 가져가는 사주라는 걸 알면서 결혼을 시켜서, 너는 남들한테 무시당하는 엄마의 마음이 얼마나 괴로운지는 알아줄 생각도 없고, …….

엄마가 그렇게 싫으니? 그럼 내가 죽을까? 죽어 줄까? 같이 죽을래?

그날의 대화를 어떻게 맺고 일어섰는지 잘 기억나지 않는다. 젓가락 하나를 턱 밑에 들이 대고는 부릅뜬 눈을 찌푸리고 있던 엄마의 손을 잡으며 미안하다고 이야기했던 것도 같고, 방으로 돌아가 미친 듯이 울었던 것도 같다. 확실한 것은 단 하나. 엄마의 죽음은 내가 바란 것이 아니었다. 엄마를 너무나 증오한 나머지 자연스레 품게 된 끔찍한 소망 따위가 아니었다. 그날 나는 엄마를 동정하는 마음을 모두 잃었다. 엄마를 이해해 보려는 얄팍한 시도마저 전부 실패로 치부하기로 했다. 대신 죽음이란 막연한 관념이 엄마라는 개념과 아주 가까운 곳에 자리 잡았다. 엄마에게 상처를 받을 때마다 두 단어 사이의 결속은 강해졌다. 나는 이제 작은 일에도 엄마의 죽음을 떠올리고 있었다.

미처 정리하지 못한 음식물 중엔 내가 엄마에게 선물한 케이크 한 조각이 있었다. 출산한 지 얼마 되지 않아 병원에 검진을 갔다 돌아오는 길에 엄마 생각이 나 사 온 생크림 케이크였다. 함께 아이들을 돌봐 줘서 고맙다고, 고생을 시켜서 미안하다고 말하며 조그맣게 포장된 박스를 내밀자 아이를 안고 있던 엄마는 헛웃음을 쳤다. 차라리 영양제나 좀 사 주지 그러니. 마사지를 보내 주든가.

나는 포장 그대로 케이크를 냉장고에 집어넣으며 생각했다. 그러게. 그럴걸. 예쁘고 곱게 살다 돌아가시면 내 마음이 덜 무거울지도 모르는데.

*

이번 겨울은 유달리 오래 머물 것처럼 느껴졌다. 영하로 떨어진 기온은 좀처럼 예년 수준으로 회복되지 않았고, 눈 소식이 잦았다. 코트에는 손도 가지 않았다. 몇 주 내내 두꺼운 패딩만 입고 다녔더니 끝자락에 벌써 질게 때가 타 있었다. 겨울 끝나려면 아직 한참 남았는데. 기온만큼이나 침체된 기분과 발을 질질 끌고 집 근처 카페에 도착했을 때 동생은 창가 자리에 앉아 책을 읽고 있었다. 수연아, 부르자 돌아보는 얼굴이 밝았다.

왔어?

책을 덮어 가방에 쑤셔 넣은 수연은 부산스럽게 자리를 정리했다. 내가 잘 구부러지지 않는 손가락으로 패딩 지퍼를 내리고, 자리에 앉아 코끝을 훔치는 동안 수연은 엉성히 놓여 있던 코트를 집어 들어 팔뚝에 얹고 몇 번 휘감았다. 전과 다를 바 없이 허술하게 접힌 코트는 다시 수연의 옆자리에 놓였다. 그 위에 가방을 얹어 놓은 수연은 투박한 손길로 가방 안을 뒤지기 시작했다. 서로 엉킨 내용물들이 가방 입구 위로 비죽비죽 튀어나왔다 사라졌다. 떨어진 시선과 반대로 팔꿈치가 자꾸 치솟았다. 나는 손을 뻗어 테이블 가장자리에 위태롭게 서 있던 커피잔을 가까이 끌어당겼다.

언니 그거 알아? 나도 묵주 잃어버렸었다. 빌려 달라는 말 듣고 한참 뒤져서 겨우 찾았어.

고개를 처박고 가방을 헤집는 동생의 목덜미가 허전해 보였다. 얼른 수연의 주변에 널린 물건들을 살폈으나 코트와 휴대전화, 가방 외엔 별다른 짐이 없었다. 너 목도리 안 하고 출근했어? 걱정스레 묻는 동시에 수연이 불쑥 손을 꺼냈다. 여기 있다. 수연이 환하게 웃으며 내민 손바닥 위에는 작은 적갈색 주머니가 놓여 있었다.

난 감기 잘 안 걸리잖아. 언니가 걱정이지.

나는 주머니를 받아 들고 슬쩍 입구를 넓혀 안을 확인했다. 황금색 십자가가 수놓아진 주머니 안엔 나와 수연이 같은 디자인으로 맞춘 묵주가 들어 있었다. 나는 집에만 있는데 뭐. 주머니를 닫으며 대답하면 수연은 커피잔을 향해 팔을 뻗으며 웃었다. 에이, 그래도 아기 엄마 건강이 훨씬 중요하지. 따뜻한 목소리에 손가락이 점점 풀어졌다.

묵주를 잃어버린 것 같다는 말에 수연은 성당 가게? 물었다. 판공 성사 표가 도착했어. 짤막하게 답장을 보낸 뒤 가슴에 휴대전화를 엎어 놓고 소파 위에 길게 누웠다. 묵주야 얼마든지 새로 살 수 있겠지만 그러고 싶지 않았다. 우리 다시 해 보자. 이번엔 진심을 다해 신을 사랑하고 섬겨 보자. 엄마와의 관계 때문에 한창 힘들어하던 때, 배덕한 신자 둘이 얼마 남지도 않은 신앙심을 그러모아 함께 구입한 묵주였다. 신부님께 축성을 받은 뒤 우리는 마치 계획이라도 한 것처럼 본당 끝과 끝자리에 떨어져 앉아 꽤 오랫동안 기도했다. 집으로 가는 길엔 서로의 부은 눈을 보며 깔깔거리고 웃었다. 몇 달 열심히 성당에 나가 미사를 볼 때마다 그 묵주를 손에 감고 절실히 기도했다. 굳이 기도 제목을 묻지 않아도 서로가 어떤 마음으로 묵주를 돌리고 있는지 다 알 수 있었다. 그걸 잃어버렸다고 인정해 버리면 그때의 간절하고 애틋했던 마음마저 다 사라져 버릴 것 같았다. 새 묵주를 구입하고 축성을 받으러 갈 시간이나 여유도 없기도 했다. 부러 설명하지 않아도 수연은 메시지의 함의를 모두 이해하고 있으리라 생각했다. 이런 부탁을 하는 걸 좋아하지는 않겠지만. 시간을 가늠하지 않기 위해 눈을 감고 다른 생각을 떠올리고 있으면 얼마 지나지 않아 옅은 진동이 울렸다. 수연의 답은 간결했다. 빌려줄게. 병원 간다고 하고 나와.

수연 꽤 오래전부터 성당에 나가지 않고 있었다. 때로는 방황하는 어린 양이 되었다가, 때로는 돌아온 탕자가 되었다가 하는 나와는 달랐다. 신앙생활에 회의를 느꼈다거나 교인들과 마찰이 생겼다거나 하는 문제 때문은 아니었다. 가끔 냉담의 이유를 물으면 수연은 진지한 표정으로 모태 신앙이 가질 수밖에 없는 한계점에 도달했기 때문이라고 답했다. 언니 애들 영아 세례 시킬 거야? 안 시킬 거지? 우리 봐 봐. 모태 신앙 같은 거 아무짝에도 쓸모없지? 턱을 치켜들고 싱거운 논리를 펼치던 수연이 먼저 웃음을 터뜨렸다. 같이 나이를 먹는 처지였지만 그래도 동생이라고, 민망해하는 얼굴이 귀여웠다. 야. 하려면 끝까지 해야지. 웃으며 놀리는 순간만큼은 기본적인 교리를 어기고 있다는 죄책감에서 벗어날 수 있었다. 뒤섞이는 웃음소리만으로도 마음이 충만했다.

그냥 언니도 가지 마. 뭐 하러 가.

상처가 될지도 모르는 말을 할 때는 시선을 마주치지 않는 것은 우리 사이의 불문율이었다. 같은 엄마 아래서 자라며 비슷한 상처를 받은 사람들이 자연스레 터득한 대화의 기법이었다. 수연은 손목을 흔들어 커피잔을 돌리며 그 안에서 요동치고 있는 얼음을 내려다보고 있었다. 나는 말없이 수연이 건네준 주머니를 주물럭거렸다. 동그랗게 깎인 원석들이 서로 부딪히며 잘그락거리는 소리를 냈다. 커피를 한 모금 더 들이켠 수연은 테이블을 내려다보며 다시 한번 똑똑히 말했다.

가지 마. 어차피 또 다니다 말 거잖아. 그럴 바엔 그냥 안 가면 되잖아.

그게 쉽지가 않네. 이젠 애들도 있고.

단호한 제안에 어울리지 않는 물러 터진 답이었다. 수연은 테이블에 시선을 고정한 채로 입술을 말아 물었다. 가로로 길어진 수연의 입술을 보니 갑자기 심장이 거칠게 뛰었다. 먹은 것도 없는데 속이 불편했다. 미안. 짧게 토해내자 수연은 어깨를 들썩이며 조그맣게 한숨을 쉬었다. 미안할 게 뭐가 있어. 그리고 내가 뭐 그런 말 들으려고 퇴근하고 여기까지 온 줄 알아? 눈을 흘긴 수연은 가방을 정리했다. 이리저리 튀어나와 있던 물건의 귀퉁이가 가방 속으로 사라졌다.

고마워, 수연아.

고마우면 집착하지 마. 그러면 상처도 안 받아.

수연은 가볍게 뱉고 자리에서 일어섰다. 코트를 집어 들고 팔을 꿰어 넣는 동작이 크고 불안했다. 나는 커피잔을 테이블 안쪽으로 치운 뒤 옷을 챙겨 입었다. 주머니에 묵주를 챙겨 넣으면 묵주를 넣은 쪽 옷자락이 미묘하게 불룩해졌다. 좀 따뜻하게 입고 다녀. 잔을 들고 일어서며 잔소리를 하면 수연이 가방을 둘러멨다.

쓰고 돌려줘. 나 그 묵주에 추억 많아.

카페 밖으로 나와서는 손만 흔들어 인사를 나누고 각자의 방향으로 걸었다. 고작 삼십 분 남짓한 시간 사이에 어둠이 두꺼워져 있었다. 나는 주머니에 손을 넣고 드문드문 떨어지는 가로등 불빛 사이를 천천히 가로질렀다. 눈이 녹아 질퍽해진 보도블록 틈새에 마른 낙엽의 파편들이 잔뜩 끼어 있었다. 발을 딛을 때마다 나뭇잎 바스러지는 소리가 들렸다.

수연의 속은 깔끔했다. 손이 야물지 못했고, 정리 정돈과는 거리가 멀어도 한참 멀었지만 마음을 꾸리는 일에는 확실한 기준이 있었다. 주변을 깔끔히 유지하는 일에 정성을 쏟는 반면 엉망이 된 속 때문에 마음을 앓는 나와는 정반대였다. 흐트러진 방을 정리하는 게 좋겠다고 꾸지람하는 입장이었던 내가 수연에게 핀잔을 듣게 되기까지 꽤 오랜 시간이 흘렀다. 우리는 어른이 되었고 각자의 가정을 꾸렸다. 그런데 나는 왜 안 될까. 왜 그 시절에 계속 머무르고 있는 걸까. 엄마의 인정과 사랑에 집착하다 못해 그걸 주지 못하는 엄마는 죽었으면 좋겠다는 상상까지, 하게 되어 버린 걸까. 나는 내내 만지작거리던 묵주 주머니를 벌려 십자가를 만졌다가, 둥근 묵주 알들을 하나씩 더듬었다.

엄마만 없으면 살 것 같았다. 동시에 나는 엄마를 필요로 했다. 임신 기간 동안 이런저런 이벤트를 겪다 응급 제왕 수술을 통해 태어난 쌍둥이는 작아도 너무 작았다. 자가 호흡을 하지 못해 신생아 중환자실에 2주 넘게 입원했었고, 퇴원한 이후에도 줄곧 병원을 들락거렸다. 내게는 심각한 임신 중독 후유증이 남았다. 나는 조리원 침대 아래 꿇어앉아 오랜만에 신의 이름을 불렀다. 하느님, 도와주세요. 제발 도와주세요. 간절한 기도는 응답받은 듯도, 아닌 듯도 했다.

뇌출혈과 같은 비교적 익숙한 병명부터 심방중격결손이라는 난생처음 들어보는 병명까지, 꼬리표를 줄줄이 달고 퇴원한 아이들을 돌보며 한순간도 마음 편해 본 적이 없었다. 아이들은 매일 어제의 한계를 뛰어넘으며 엄마의 부족한 상상력이 따라잡을 수 없을 만큼 빠르게 성장했지만 마냥 기쁘지가 않았다. 정신없는 하루를 보내고 나서 잠자리에 들 때면 바쁜 일상에 끼어들 곳을 잃고 밀려나 있던 걱정이 다시 찾아왔다. 혹시나 우리 아이들에게 무슨 문제가 있는 것은 아니겠지. 잘 자라다가도 갑자기 조산의 후유증 같은 걸 겪게 되는 건 아니겠지. 검색을 거듭할수록 걱정은 실체를 갖춰 갔다. 엄마는 그런 나를 도와주겠다며 우리 집으로 왔다. 너같이 까다로운 애가 시터 이모님과 어떻게 잘 지낼 수 있겠냐며, 괜히 고생하지 말고 엄마랑 아이들을 키우자고 했다. 의도와는 달리 엄마와 나는 사사건건 부딪쳤다.

쌍둥이를 돌보는 건 쉽지 않았다. 유달리 많이 울고 보채는 아이들을 하나씩 나누어 맡아 안고, 업고, 어르고 달랬다. 어른 하나가 아이들을 돌보고 있으면 다른 하나가 식탁 앞에 서서 마시듯 밥을 먹었다. 자다가 깨면 크게 울며 다른 쌍둥이를 깨우곤 하는 아이들 때문에 돌아가며 아이들 옆에서 몸을 구기고 잠들었다. 아이 둘이 동시에 낮잠에 빠져 들어서야 겨우 한숨을 돌릴 수 있었다. 온몸이 욱신거렸고, 긴장이 덜 풀린 탓에 잠도 오지 않았다. 엄마와 나는 TV를 틀고, 사람의 목소리가 나오는 조용한 채널을 틀어둔 채 거실에 널브러졌다.

고마워하고 싶었다. 내가 이렇게 힘든데 나이 든 엄마는 얼마나 힘이 들지 감히 짐작할 수도 없었으나 도무지 안쓰러운 마음이 생기질 않았다. 지친 기색이 역력한데도 목 디스크가 온 나 대신 아이들과 함께 잠을 자겠다며 작은 방으로 들어가는 엄마에게 고생했다는 이야길 해줄 수 있다면 얼마나 좋을까. 힘없이 닫히는 방문을 바라보다 달려가 엄마의 굽은 등을 안아주는 대신 나는 내 침대에 누워 그날의 대화들을 곱씹었다. 어느 날엔 여느 때처럼 거실에 누워 인터뷰 프로그램에 공개된 유명 건축가의 작업실을 구경하다 엄마에게 물었다.

나도 한때 건축가가 꿈이었는데. 기억나? 나 고등학교 1학년 때 유명한 건축가들 작품집 모으고 그랬잖아.

머릿속에 알바 알토, 프랭크 로이드 라이트, 르코르뷔지에 같은 거장들의 이름과 함께 두꺼운 책 몇 권의 표지가 스쳐 지났다. 손가락 끝에 닿았던 도톰하고 매끈한 속지의 느낌이 생생했다. 장래 희망을 주제로 영어 발표도 열심히 준비하고 그랬었는데. 잔잔히 영사되고 있던 오래전의 필름 사이에 엄마의 목소리가 끼어들었다.

건축가가 창의력이 얼마나 좋아야 하는데.

나는 가위로 기억 어딘가를 뚝 잘린 것 같은 느낌과 함께 현실로 돌아왔다. 그래. 엄마는 그때도 그렇게 말했었지.

마음이 어지러웠다. 사랑하는 엄마가 우리 아이들 때문에 고생하고 있다는 사실이 미안하고 속상해서 눈물이 나는 딸이 아니라는 게 민망했고, 고마워할 줄도 모르는 주제에 엄마의 도움을 거절하지도 않는 이기적인 나 스스로에게 화가 났다. 서른이 한참 넘어서까지 엄마 탓을 하며 과거의 상처를 헤집고 있는 내가 진절머리 나고 끔찍했다. 얼핏 신의 음성이라도 들은 것처럼 몇 날 며칠을 엄마의 말 한마디에 매몰되어 버리는 내가 한심하고 미웠다.

네가 노래를 뭘 잘해. 너 정도 공부하는 애는 널리고 널렸어. 다 너 벌어 먹고살 거 걱정해서 하는 말이야. 너는 부족하고, 결점이 많고, 싹수 없고, 끔찍한 사람이라서 너는. 너는 특별히 조심해야 해. 사람들한테 잘 해야 해. 다 너 잘 되라고 하는 말이야. 너를 위해서 하는 얘기야.

쏟아붓는 엄마의 의도를 의심할 수 없었다. 부모는 원래 자식을 사랑하잖아. 그 자연한 진리를 나는 종교처럼 믿었다. 엄마는 내게 신이나 다름없었다. 심지어 그는 신과 달리 내 곁에 실재했다. 그는 나를 창조했다. 나는 그의 그늘 아래 존재하며, 그가 세운 수많은 기준을 따라 나를 검열하며 살았다. 부족하고, 끔찍한 죄인인 내게는 맹목적인 믿음만이 강요됐다. 처음으로 불신을 입에 담았을 때 신은 죽음의 공포를 내게 드리웠다. 나는 배교하지 못했다. 거리를 두었다가도 때가 되면 다시 신의 앞에 무릎을 꿇었다. 울면서 죄를 고백하고 다시 한번 신께 사랑받기 위해 애썼다.

그러나 정말 신의 사랑은 무한한가. 그렇다면 나의 고통은 도대체 어디로부터 비롯되는 것인가.

아파트 단지를 가로지르며 발걸음이 계속 느려졌다. 손안에 쥔 묵주의 알알을 하나하나 뽀드득 소리가 날 정도로 힘주어 문질렀다. 집으로 돌아가고 싶지 않았다. 할 수만 있다면 보속 따위는 까맣게 잊고 탕아로 머무르고 싶었다. 얼굴을 감싸는 추위와 어둠 사이에 가만히 서서 저 멀리 환하게 밝혀진 공동 현관을 바라봤다. 입김이 간절한 기도처럼 피어올랐다.

진실하게 사랑하고 싶었다. 치사랑이란 본래 내리사랑만큼 대단하고 무조건적일 수 없다고 하더라도 거짓 없는 마음으로 존경하고 이해하고 싶었다. 엄마가 내게 베푼 수많은 것들이 모두 나를 위한 것임을 알고, 엄마의 지도 덕에 가지게 된 것들에 감사하며, 애틋한 마음으로 엄마를 사랑하고 싶었다. 힘들 때 기댈 곳을, 길을 잃었을 때 돌아갈 곳을 얻고 싶었다. 이번에는 기필코 엄마를 사랑해 보겠다고 마음먹을 때마다 엄마는 내 결심을 부러뜨렸다. 엄마의 사랑을 의심하게 했고 내 믿음을 시험했다. 수천 년 전에 쓰인 성경과 달리 엄마가 내게 하는 말은 현재의 내게 속해 있었다. 엄마가 살아 있는 한 나는 엄마를 사랑할 수 없었다. 죄의식 없이 엄마를 사랑하기 위해 나는 엄마를 십자가에 못 박아야만 했다.

5단 묵주의 알을 모두 훑고 지난 손가락이 다시 십자가에 닿았다. 인류의 모든 죄를 지고 가셨다는 그의 발치 아래 꼭 내 죄가 덩그러니 남겨져 있을 것 같았다.

*

묵주는 의외의 장소에서 발견됐다. 매일 반복되는 비슷한 상차림에 질렸는지 밥을 잘 먹지 않는 아이들 때문에 요리책을 꺼내려고 오랜만에 책장 앞에 섰다가 낯익은 주머니를 마주쳤다. 얼마 전 수연에게 빌려 온 묵주가 담겨 있는 주머니와 똑같은 디자인이었다. 꺼내 본 지 몇 년은 지난 듯한 성서 위에 곱게 누워 있던 묵주 주머니 위엔 먼지가 가득했다. 판공 때나 겨우 찾으니까 그렇지. 반성하는 마음으로 얼른 주머니를 꺼내 탈탈 털고, 후후 불어 먼지를 떼어낸 뒤 주머니째 묵주를 안방 협탁 위에 올려놓았다. 물론 동생의 묵주도 거기에 있었다

성탄 미사를 이틀 앞두고 엄마와 나는 의외의 메시지를 받았다. 수연의 메시지였다. 나 임신했어. 메시지를 확인한 엄마는 뛸 듯이

기뻐했다. 어머. 이게 웬일이니. 우리 쌍둥이 이제 언니 누나 되겠네. 신이 나서 떠들며 아이들의 머리칼을 넘겨주던 엄마는 그대로 아이들을 향해 앉아 내게 말했다.

내년엔 수연이 애 봐줘야겠다. 네 애는 봐줬는데 걔 애는 안 봐주면 되겠니.

게다가 수연이는 회사도 다니잖아. 워킹맘 그거 힘들다는데. 그 뒤로 이어지는 말은 잘 들리지 않았다. 무언가를 계속 중얼거리는 엄마의 목소리를 들으며 나는 무의식적으로 고개를 끄덕였다. 언니 나 어떡하지. 잘할 수 있을까. 따로 도착한 메시지에 전화할게, 하고 간결하게 답장을 보낸 나는 싱크대 앞에 섰다. 예정일이 언제이려나. 그때쯤 되면 우리 아이들은 몇 개월쯤 될까. 나 혼자 아이들을 잘 돌볼 수 있을까. 애들 등하원은. 집안일은. 혹시 하나가 병원이라도 가게 되면 다른 하나는 어디에 맡겨야 하나. 구름처럼 불어나는 걱정에 머릿속이 뿌옇게 변했다. 세제 거품 속에 묻힌 그릇과 수저의 가장자리도 서서히 무뎌져 갔다. 멍하니 서서 그릇의 굽을 더듬으며 꺼칠한 촉감을 느꼈다. 생각 하나가 혼탁한 뇌 속을 화살처럼 가르고 지난 건 찰나였다.

다행이다.

자연스레 엄마와 멀어질 수 있는 핑계가 생겼다. 쌍둥이 육아라는 상황적 한계 때문에 엄마에게서 떨어질 용기를 내지 못하고 있던 내게는 좋은 기회였다. 게다가 엄마가 먼저 이야기를 꺼냈다. 예측할 수 없는 엄마의 반응을 상상하며 며칠을 공포 속에 갇혀서

지낼 필요가 없었다. 뭐라고 이야기를 꺼내야 할지 수백 번 고민하지 않아도 된다는 사실만으로도 충분히 가벼운 마음이었으나 진짜 나를 가뿐하게 만드는 이유는 따로 있었다. 나는 자녀를 키우는데 엄마의 도움을 받은 유일한 자식이 아니게 될 터였다. 엄마가 나중에 자식들의 물리적 시간과 정성을 필요로 할 때 빠져나갈 구석이 있었다. 엄마와 시간을 보내는 건 너무 어렵고 힘든데, 지금보다 더 나이 든 엄마를 보살펴야 한다면. 만약 엄마가 아프기라도 한다면. 지금보다 더 예민하고 더 날카롭고, 자기 자신을 연민하는데 확실하고 정당한 이유를 품고 있는 엄마를 돌봐야 한다면.

아이들이 어린이집에 간 틈을 타 하루 종일 냉장고를 정리했다. 유통 기한이 적혀 있지 않은 것은 모두 버렸다. 밀폐 용기에 보관되어 있던 썩은 음식들도 전부 음식물 쓰레기 봉투에 쏟아 버렸다. 오 리터짜리 음식물 쓰레기 봉투 다섯 개를 꽉 채워 버린 뒤엔 냉장고 칸막이를 꺼내 물에 적신 행주로 박박 닦았다. 깨끗이 정리된 냉장고엔 엊그제 산 우유 한 통과 계란 몇 알, 아기 치즈와 딸기 한 팩이 남았다. 그제야 비로소 냉장고 앞에 서면 빛이 쏟아졌다.

설거지까지 마치고 나면 아이들 하원이 코앞이었다. 나는 겨우 샤워를 마치고 나와 침대에 몸을 뉘었다. 십 분만 눈 붙이고 나가자. 오늘은 애들이랑 놀이터에서 놀다가 들어와야겠다. 결심하며 눈을 감으려는데 협탁 위의 주머니 두 개가 시선 끝에 걸렸다. 누운 채 손을 뻗어 두 개의 묵주 주머니를 모두 집어 들자 주머니 안에서 묵주가 저들끼리 부딪치는 소리가 났다. 잘그락대는 소리를 듣는 순간 가라앉았던 호흡이 거칠어졌다. 가슴 위에 두 주머니를 올려놓고 잠시 숨을 골랐지만 소용이 없었다. 나는 위아래로 크게 오르내리는 빨간 주머니를 멍하니 바라보다 묵주를 꺼냈다. 묵주가 알알이 손끝에 맺히는 감각이 선명하게 차가웠다.

지금 보속을 하고, 성탄 미사를 보면. 내가 다시 돌아가면. 나는 그간의 죄에 대해 진정으로 속죄하고 신실한 신앙인으로 살아갈 수 있을까? 절대자를 의심하지 않고 마음을 다해 존경하며 사랑할 수 있을까? 응답받지 못하는 기도 때문에 서글퍼하지 않고, 서운해하지 않고, 그분의 마음을 헤아릴 수 있을까? 정말 그럴까?

시작하면 금방 끝낼 수 있다는 걸 알고 있으면서도 선뜻 몸을 일으킬 수 없었다. 나는 묵주 가운데 매달린 십자가를 매만지며 천천히 심호흡하다 묵주 알을 하나씩 세어 나가기 시작했다. 자신이 없었다. 좋은 것만을 달라고 조르고 싶었다. 더 사랑받고 싶다고 떼를 쓰고 싶었다. 신은 그래야 하잖아. 나를 아끼고 사랑하신다고 했잖아. 내게 필요한 것만을 예비해 주신다고 했잖아. 한참을 중얼거리다 깨달았다. 나는 기도를 하는 대신 또다시 죄를 짓고 있었다.

지긋지긋했다. 어차피 판공 성사 표는 때마다 내게 도착할 거라는 사실이. 교적에 이름을 올리는 순간 그렇게 되도록 정해지는 일이라는 것이. 아주 굳은 결심으로, 매정해지지 않고서야 영원히 죄책감과 부채감을 떠안고 살아야 한다는 그 현실이. 나는 주머니를 들고 닥치는 대로 묵주를 욱여넣었다. 대충 조인 주머니를 협탁 위에 올려둔 뒤엔 안대를 집어 머리가 망가질 것도 생각하지 않고 거침없이 뒤집어썼다. 잠이 오지 않았으나 오래 눈을 감고 얼굴 근육에서 힘을 빼기 위해 노력했다.

나는 여전히 죄인이었다.

| 09 |

다람쥐의 팔레트

차성현

소설

차성현

전기 기술을 배웠고 직업 군인으로 복무 중이지만 글이 쓰고 싶었습니다. 표현하는 것에 서툴고 서툴러 활자로 말하는 수밖에 없습니다. 나는 이렇게 살았다고 또 살아가려 했다고. 제가 남긴 흔적들이 하나씩 모여 유서가 되었으면 합니다. 완벽한 유서를 쓰기 위한 삶을 이어갈 예정입니다. 언제 죽더라도 사랑하는 사람들에게 제 마음을 전해주고 싶습니다.

다람쥐의 팔레트

7개월째 그림을 완성하지 못했다. 새벽 얕은 잠에서 깨면 항상 스케치북에 드로잉을 했다. 단선을 그었다가 긋지 않았다가. 형태가 잡히질 않아 초조했다. 커피를 마신 것처럼 심장이 쿵쾅거렸다. 무심코 손에 힘이 들어가 연필심이 부러졌다. 커터칼로 연필을 깎다 보니 어느새 아침이 다가왔다. 오늘도 두 시간을 채 잠들지 못했다. 나라는 사람은 어째서 갈수록 멍청해지는 걸까. 아무것도 생각해 낼 수 없었다. 마치 기계처럼. 굴러다니는 부품처럼.

방 한편 이젤에는 언제나 같은 캔버스가 놓여있었다. 뭉크의 '태양'을 모작한 그림. 작품의 핵심인 강렬한 태양을 묘사하던 중에 그만두어서 햇살이 뼈대처럼 앙상했다. 그런데도 바닥의 바위와 풀숲에는 제대로 명암과 빛 반사 효과가 들어가 있어 어색하기 그지 없었다. 출근 전 남는 시간 동안 그림을 쓰다듬었다. 굳은 물감 특유의 딱딱한 질감. 매번 버리자고 다짐했지만 텅 비어 있는 캔버스의 여백이 발목을 잡았다. 색이 바래 하얗지만은 않은 공간이 칠해진 부분과 달리 거칠게만 느껴졌다.

벨트를 타고 뜨거운 빵들이 밀려왔다. 쉴 새 없이 포장한 지 네 시간이 지나서야 휴식이 부여됐다. 벗은 장갑에 땀이 흥건했다. 휴게실 소파에 앉아 잼 바른 식빵을 우물우물 씹었다. 문 너머로는 여자 아이돌 노래가 들려왔다. 사장이 작업 효율 향상이니 뭐니 떠들면서 가져다 둔 스피커에서 나는 소리였다. 인기 순위대로 반복 재생 된 지 한 달째였는데 굉장히 거슬렸다. 빠르게 귓구멍을 내달리는 듯한 음악은 질색이었다. 나는 옛날 것들이 좋았다. 일정한 리듬으로 산책하는 듯한. 그녀가 불러주던 노래처럼. 그녀는 내가 사랑했던 유일한 여자였다.

요즘 들어 그녀를 자주 회상했다. 그녀의 얼굴을 한순간이나마 잊어버렸다는 걸 깨달은 이후부터였다. 딱히 새삼스러울 건 없었다. 몇 년간 그녀를 잊고 산 날들이 더 많았다. 애정이니 연민이니 하는 것들은 진작에 떠나갔다. 다만 마음에 걸렸을 뿐이었다. 내게는 그녀의 모습을 기억하는 일이 마치 의무처럼 느껴졌다. 절대 깨서는 안 되는 하나의 사명인 것처럼. 그녀는 아직도 음악을 하고 있을까? 미술을 그만둔 나보다 가치 있는 시간을 보내고 있을까? 궁금했지만 다시 만날 일은 없었다. 내가 이전의 나와는 다른 것처럼 그녀도 더 이상 내가 알던 그녀가 아닐 테니까. 의미도 없고 미련하기까지 한 짓이었다.

잠 못 드는 밤이면 휴대전화로 통장 잔고를 들여다봤다. 몇 달 치의 봉급이 고스란히 쌓여있었다. 일의 자리부터 자릿수를 셌다. 일, 십, 백, 천, 만…. 이대로면 아파트와 좋은 차를 가지는 것도 꿈이 아니었다. 나는 또래의 다른 사람들보다 나은 인생을 살고 있었다. 그런 위안으로도 스스로를 안심시킬 수 없는 날에는 이불을 뒤집어쓰고 되뇌었다. 빈센트 반 고흐는 불행한 삶을 살았다. 나는 틀리지 않았다.

더위를 못 이겨 이불 밖으로 고개를 내밀었다. 완성되지 못한 태양이 시야에 들어왔다. 눈부셔야 할 태양이 불 꺼진 비상구처럼 칙칙했다. 캔버스가 속삭이는 듯했다. 너는 비좁은 방에서 도망치지 못한다고. 변변찮은 그림조차 완성하지 못하고 있는 게 너라는 놈이라고. 벽을 보고 반대로 돌아누웠다. 그녀의 목소리가 떠올랐다.

'이제 정말 그림 안 그릴 거야?'

나는 귀를 막고 반문했다. 그러는 너는 아직도 음악을 하고 있냐고. 사실 알고 싶지 않았다. 만약 그녀가 꿈을 포기하지 않았다면, 어린 시절 그대로의 모습이라면 틀림없이 그녀를 미워하게 되리라. 내가 가지지 못한 것을 가진 그녀를 질투해 나락으로 떨어질 거다. 저주처럼 그녀의 목을 조르고 싶은 충동에 휩싸일 것이었다.

잡생각을 없애기 위해 다시 휴대전화를 들었다. 카카오톡 '업데이트한 프로필' 난에 그녀의 이름이 있었다. 기본 배경인 사진에 마음이 걸렸다. 여전히 남자 친구를 안 만드는 건가. 나는 그녀의 근황과 관련되어 있는 소식을 피해 왔다. 메신저나 SNS에서 검색해 본 적도 없었다. 무심코 누른 프로필에서 바뀌어있던 건 오직 음악뿐이었다. 재생 버튼을 누르고 눈을 감았다. 모르는 제목에 모르는 가수였지만 어째선지 하나만큼은 알 수 있었다. 그녀는 아직도 음악을 사랑하고 있구나.

그녀는 언제나 기타를 메고 다녔다. 작은 체구에 비해 케이스가 커 보여서일까. 길에서 마주칠 때마다 의식하게 되었다. 행운의 파랑새라도 발견한 듯한 기분이었다. 손을 흔들기도 하고 화통을 들어 보이기도 했다. 나도 예술가라고 인사하듯이. 말을 걸지는 않았다. 그 무렵 나의 머릿속은 진로에 대한 고민으로 가득 차 있었다. 미술 학원에 들어간 뒤 원하는 대로 그릴 수 없게 됐다. 미래로 향하는 길이 자신감과 함께 무너졌다.

처음 그림을 그린 건 '반성의 방'에서였다. 안 쓰는 물건들을 쌓아놓는 작은 창고였다. 무언가 잘못을 하게 되면 그곳에 갇혀 저녁까지 아무것도 먹지 못했다. 울면서 문을 두드리며 애원해도 어머니는 대답해 주지 않았다. 비좁은 문틈 사이로 왁자지껄한 티브이 소리, 청소기가 돌아가는 소리, 식기끼리 부딪히는 소리 따위가 송곳처럼 파고들어 왔다.

눈물을 흘려봤자 소용이 없다는 걸 깨달았다. 입을 다물고 망상으로 도피했다. 축구선수가 되기도 하고 히어로가 되기도 하고 화목한 가정을 가져보기도 했다. 미치고 싶지 않았다. 먼지 쌓인 빈 상자에 종이 몇 장과 색연필을 숨겼다. 끝없이 손을 움직였다. 긴 머리카락을 가진 막대 인간의 목을 수십 차례 그었다. 손가락이 아파올 만큼. 일 년, 이 년 시간이 지나면서 막대 인간에게 살이 붙고 입체감이 생겼다. 어느 순간 녀석의 눈과 입이 총구처럼 나를 향해 있음을 알아챘다. 방아쇠조차 보이지 않아 언제 발포될지 알 수 없었다. 손과 발, 팔다리도 마찬가지였다. 모양만 다를 뿐 생명을 해칠 수 있는 무기를 모두가 가지고 있었다. 나는 고립되고 싶었다. 방구석에 처박혀 꼼짝도 안 했다. 콩벌레처럼 몸을 말고 바닥에 납작 엎드렸다. 타인의 시야에서 벗어나고자 했다.

혼자 하는 식사가 익숙했다. 계란을 부치거나 참치캔을 꺼내 한 가지 반찬으로만 밥을 먹었다. 어머니는 따로 직장이 없는 주부였지만 집안일을 등한시했다. 집을 비울 때도 많았다. 갈수록 그 빈도가 냉장고의 빈 공간만큼이나 늘어났다. 물이나 김치조차 찾아볼 수 없었다. 목이 마를 때는 야채 칸을 뒤졌다. 야채 칸은 사막의 오아시스나 다름이 없었다. 운이 좋다면 말라비틀어진 무나 사과를 찾을 수 있었다. 아삭하고 깨물면 수분이 입안으로 퍼졌다. 수돗물은 마시면 안 된다고 배운 내게 그보다 귀중한 건 없었다. 그날은 냉장고가 텅텅 비어있어 어쩔 수 없이 아버지에게 전화를 걸어 배가 고프다고 했다.

"엄마 집에 없어?"

"네, 안 계셔요."

한낮이었음에도 아버지는 급하게 귀가했다. 아버지가 끓인 짜파게티를 허겁지겁 먹던 중에 마당으로 검은 승용차가 비틀거리며 들어왔다. 운전석에서 어머니가 엎어지듯이 내렸다. 감기에 걸린 것처럼 새빨간 얼굴로 토사물을 게워 냈다. 아버지는 행사장 풍선처럼 휘청이는 어머니를 바라보더니 내게 '짐을 싸라'고 했다. 아버지가 변심할까 싶어 서둘러 가방을 꾸렸다. 트럭 옆자리에 올라 두근거리는 가슴을 억눌렀다.

"할머니 집에 가는 거예요?"

아버지는 운전하는 내내 한마디도 하지 않았다.

부모님의 이혼을 기점으로 행복을 배울 용기가 생겼다. 그림을 배우고 싶었다. 역사에 이름을 남긴 거장들처럼 대단한 것을 만들고 싶었다. 아버지를 설득하기 위해 여러 풍경과 인물들을 그렸다. 아버지는 잠시 머뭇거리더니 이유를 물었다. 나는 다들 칭찬해 준다고, 눈에 띄는 것들을 닥치는 대로 그리는 일이 즐겁다고 어린애처럼 떠들었다. 아버지는 내가 그린 그림들 중 유독 한 가지를 유심히 내려다봤다. 아버지의 초상이었다. 무언가 슬픔에·빠진 눈으로 자신의 얼굴을, 그리고 아들인 나의 얼굴을 바라봤다.

가야 할 학교와 학원이 정해졌다. 나는 평범한 중학생답게 그대로 따랐다. 학원에서 존경하는 선생님을 만났다. 젊고 교양 있는 여자 선생님이었는데 화 한 번을 내지 않는 점이 신기하기만 했다. 나는 감정기복이 심한 어머니의 영향으로 인해 차분한 여성에게 과도한 환상을 품고 있었다. 거기에 매일 아침 여덟 시마다 수채화를 그리는 성실함이 더해져 동경의 대상이 되었다. 선생님은 칭찬과 관심을 아끼지 않았다. 교육받은 적도 없는데 인체 묘사에 능통

한 학생은 처음이라고 했다. 늦은 나이에 시작했지만 그 차이를 뒤집고도 남을 재능이 있다고 격려했다. 나는 선생님의 말씀이라면 무엇이든 믿었다.

사람의 신체 일부가 무기처럼 표현되는 기괴하고 잔인한 그림을 주로 그렸다. 공책 안에서 셀 수도 없이 살인을 했다. 죽어가는 인간의 모델은 대체로 나 아니면 어머니였다. 꿈에만 그리던 팔레트와 캔버스를 마주한 나는 들뜬 가슴을 감추지 못하고 붓을 놀렸다. 구상해 온 작품을 구체화했다. 성인 혹은 고등학생 즈음으로 보이는 남자가 어머니에게 아기처럼 안겨 있었다. 팔과 다리가 잘린 채로. 절단된 부위에서 피가 흘러 주름진 팔을 검붉게 물들였다. 모자는 따뜻한 눈길을 주고받았다. 완성된 그림에 '모성'이라는 제목을 붙였다.

선생님은 내가 부적절한 문물을 접한 건 아닌지 의심했다. 진심에서 우러나오는 예술을 해야 한다고, 있어 보이려 해서는 안 된다고 했다. 나의 짧은 인생을 모조리 부정 당하는 듯했다. 선생님은 조금도 이해하지 못했다. 인간이 태어날 때부터 내포한 폭력성을. 타인을 상처 입히게 될지도 모른다는 두려움을. 끝없이 이어지는 면담에 선생님이 한숨을 쉬었다. 자의식 강한 청소년을 지도하는 일에 질린다는 듯이. 집으로 돌아가니 아버지가 잠도 안 자고 기다리고 있었다. 심각한 표정으로 앉으라고 명령했다. 훈육을 가장한 한탄이 이어졌다. 아버지는 자격지심이 있다고 했다. 어머니 같은 사람을 만난 점, 능력이 없어 가정에 신경을 쓰지 못한 점, 나를 위해 이혼하지 않으려 노력한 점, 그로 인해 오히려 내게 괴로움을 준 점, 결국 어머니 없이 자라게 만든 점까지 전부 아버지 혼자만의 치부로 여기며 자책했다. 나는 그동안 아버지에게 진심이 담긴 그림을 보여준 적이 없었다. 아버지는 줄곧 내게 '아무 문제 없이 잘 자라줘서 고맙다'고 말해왔다. 그 착각을 깨고 싶지 않았다. 탓하고 싶지 않았다. 슬프게 만들고 싶지 않았다. 가슴 속이 빈 깡통처럼 일그러졌다. 원망스러웠다. 선생님은 나를 배신한 거나 다름이 없었다.

내 작품은 입소문을 타고 학교까지 닿았다. 담임은 나를 눈에 띄게 어려워했다. 몇몇 반 친구들은 삿대질을 하며 수군거렸다. 학원 숙제인 크로키를 하고 있으면 슬쩍 뒤로 다가와 어떤 그림을 그리는지 훔쳐봤다. 혼자 있을 장소가 필요했다. 총구와 마주하지 않아도 되는 곳. 화장실에 숨어서 긋는 선들은 유난히 흔들림이 잦았다. 지우고 또 지우다 보면 비가 내린 것처럼 물방울이 번져 새로운 페이지를 넘길 수밖에 없었다.

입시 미술이란 괴로움의 연속이었다. 당시에는 입시 과제로 조각상이 주로 채택되었다. 하루 종일 아그리파 조각상의 우중충한 눈 밑 명암을 칠하고 있자니 이건 창작이 아니라 작업이구나 싶었다. 실제로 직접 보지 않고 외워서 그리는 학생들이 다수였다. 학원을 마치고 돌아오면 아버지가 '그림은 재밌니' 넌지시 물어왔다. 재미 따위 없었다. 당연하게도. 어째서 모르는 걸까? 하기 싫고 괴로워도 매일 해나간다는 게 어떤 건지. 물론 '재밌어요'하고 웃을 뿐이었다.

선생님이 요구하는 것들은 이해하기에 어려웠다. 보편적이고 대중의 공감을 얻을 수 있는 예술. 이런 그림이야말로 '있어 보이는' 거 아닌가? 보기 좋은, 그저 남들의 취향에 맞췄을 뿐인 결과물은 내고 싶지 않았다. 과제의 진도가 나아가지 않자 선생님이 다가왔다. 팔이 납덩이처럼 무거워졌다. 시선이 저절로 내려갔다. 캔버스를 절반조차 채우지 못하고 붓을 떨궜다. 선생님은 나를 말 잘 듣는 착한 학생으로 아셨다. 그 기대가 무서웠다.

"선생님, 저 그림 그리기 싫어요."

나는 학원을 그만두겠다고 했다. 선생님의 눈빛이 날카롭게 바뀌었다.

"다른 꿈이라도 생겼니? 뭐 하면서 살려고."

알고 있었다. 아버지가 미술 학원에 얼마나 많은 돈을 지불해왔는지. 지쳤을 뿐이었다. 완전히 지쳐버렸다. 그림은 취미로 남기고 싶었다. 선생님은 위험한 생각이라고 했다. 미래에 어떤 직업을 가질지 모르면서 계속 그림을 그릴 수 있으리라 장담할 수 있냐고. 다신 그릴 수 없게 될지도 모른다고. 협박하는 듯한 어투에 사춘기 특유의 반항심이 솟아났다.

"선생님, 저는 모르겠어요. 제가 선생님께 배워 작가가 되고 밥벌이를 할 수 있게 된다 해도 그게 무슨 의미예요? 적당히 잘 그리게 될 뿐이잖아요. 여기 있는 애들 전부 적당히 잘 그려요. 선생님들이 도와주니까. 남이 자기 그림에 손을 대는데 왜 아무렇지도 않아 하죠? 마지막에 자기 이름만 적어넣을 수 있으면 다 괜찮다는 건가요?"

선생님은 내가 진심이라는 걸 눈치채고 다정하게 타일렀다. 우리는 그림으로 소통하는 존재라고. 마음을 꺼내서 보여줄 수 있는 대상이 많아진다는 것만으로 충분히 기쁜 일이라고. 그림이 밉고 미워져 붓과 팔레트를 내던져버릴 때가 있어도 결국 다시 주워 걸어가게 되어있다고. 그렇게 살아가게 되어있는 존재라고. 파도처럼 밀려오는 희망과 인류애에 덜컥 겁이 났다. 나는 선생님이 말하는 '우리'에 포함되어 있는 걸까. 만약 그렇다면 나와 선생님은 평생 가까워질 수 없을 거다.

열쇠를 돌려 학원 문을 잠갔다. 자정이 다 되어가는 시간이었다. 행인 하나 없는 거리가 스산했다. 화살처럼 뺨을 스치고 지나가는 바람에 걸음을 멈췄다. 문득 학원 소파에서 자버릴까 싶었다. 몰래 그려온 그림들이 담긴 가방이 어깨를 짓누르고 있었다. 이 이상 걸어간다면 버려버리고 싶어질지도 몰랐다. 아버지에게 전화하고 왔던 길을 되돌아갔다. 상가 건물 맞은편, 기타를 메고 있는 그녀를 발견했다. 어째서인지 휴대전화를 들고 제자리에서 발을 구르는 그녀. 두리번거리더니 불이 켜진 무인 세탁소 안으로 들어갔다. 이내 의자에 앉아 눈을 감고 졸기 시작했다. 경련하는 것처럼 어깨를 움찔거리면서도 무릎 위에 올려둔 기타를 놓지 않았다. 저 아이의 손가락에는 굳은살이 배겨 있을까? 무언가 벅차올라 댐처럼 터질 것만 같았다. 홀린 듯이 횡단보도를 건너가 유리문을 밀었다. 출입구 위에 매달린 종이 좌우로 흔들렸다. 그녀는 고양이 방울 소리를 들은 쥐처럼 본능적으로 내 쪽을 경계했다. 조심스레 천천히 팔을 올렸다.

"안녕."

무시하는 듯한 눈치는 아니었기에 한 발짝 내디뎌 학원 열쇠를 건네줬다. 거기에 가면 내가 그린 그림들을 볼 수 있다는 말과 함께. 아침 여덟 시까지는 아무도 오지 않으니 여유롭게 감상하면 된다고도 덧붙였다.

그녀의 어머니는 교통사고로 죽었다고 했다. 아버지는 그녀를 자동차 조수석에 태우고 나무로 돌진했다. 보닛 아래에서 연기가 피어올랐고 아버지의 머리에서 한 줄기 선혈이 흘렀다. 그는 핸들 아래로 고개를 숙인 채 연신 울부짖었다. 경찰이 도착하기 전까지. 자상했던 아버지는 그 사건 뒤로 미쳐버려 폭언과 폭력을 일삼았다. 학원비는 물론 기본적인 용돈조차 주지 않았다. 그녀는 알바를 통해 학원비만큼은 마련해 왔으나 개인적으로 쓸 수 있는 돈은 없었기에 인간관계를 최소한으로 두었다. 아버지의 기분을 맞추지 못해 쫓겨나는 날이면 몇 안 되는 친구들에게 연락을 돌려 도움을 구해야 했다. 그마저도 여의치 않을 때는 불이 켜진 무인 가게에 들어가 앉은 채로 잠을 청해야 했던 것이었다. 나는 그녀의 딱딱한 손을 어루만졌다. 나도 모르게 눈물이 차올라 고개를 돌리고 그녀를 탓했다. 네 손이 너무 작아서 그렇잖아. 손이 왜 이렇게 작아.

그녀의 아버지는 죽은 아내를 '그년'이라고 불렀다. 모든 불행이 아내로부터 빚어진 것처럼 원망했다. 사진과 가구, 흔적이 남아 있는 물건들을 죄다 처분하는 걸로 모자라 그녀의 아이마저 눈엣가시로 여기기 시작했다. 그녀가 결점을 내보일 때마다 '그녈을 닮아서 그렇다'며 매도했다. 가수가 되겠다는 꿈도 못마땅해했기에 그녀는 기타를 몸에서 떼어놓을 수 없었다. 집에 두면 아버지가 무슨 짓을 할지 몰라 무섭고 밖에 두면 누가 훔쳐 갈까 무섭다고 했다. 기타는 오랜 친구이자 어머니가 마지막으로 남겨준 유품이었다. 그녀는 줄을 몇 번 갈았는지도 모를 수십만 원짜리 싸구려 기타를 보물처럼 애지중지했다.

나는 어디에서도 그림을 그리게 된 계기를 쉽게 털어놓지 못했다. 떳떳하지 못한 가정사에 대해, 어머니에 대해 자세히 이야기해야 했으니까. 질문을 받으면 '빈센트 반 고흐처럼 그리고 싶어서'라며 둘러댔다. 거짓말은 아니었다. 주변에서 좋아하는 예술가로 유행을 이끄는 젊은 화가들을 언급할 때 나만큼은 고흐가 최고라고 단언했다. 고흐의 그림은 어딘가 불안정하면서도 희망이 번뜩였다. 파멸적인 삶을 산 고흐가 '별이 빛나는 밤'이나 '꽃피는 아몬드 나무'를 그렸다는 걸 생각하면 나도 모르게 눈물이 나올 것만 같았다.

솔직한 그녀가 부러웠다. 친한 친구에게 배신을 당한 일도, 거지라고 불리며 왕따를 당한 일도 아무렇지 않게 늘어놓았다. 지난 시간은 과거일 뿐이라며 미소 지었다. 덕분에 음악을 사랑하게 되어 다행이라고까지 했다. 그녀는 어렸을 적 현실에서 도피하기 위해 만화만 봤다. 티브이에서 백설 공주 애니메이션이 나왔는데 공주가 노래를 부르자 동물들이 다가와 친구가 되어줬다. 그 모습이 평화로우면서도 즐거워 보였다고. 나는 눈을 감고 떠올렸다. 세계수처럼 신비로운 빛이 나는 나무줄기에 그녀가 걸터앉아 있었다. 그녀의 목에서 울려 퍼지는 아름다운 음색에 사슴이 귀를 쫑긋거렸다. 도토리를 볼에 가득 넣은 다람쥐가 뛰어왔다. 참새들이 날아와 짹짹 반주했다. 브레멘 음악대 같았다. 나는 그녀의 단원이 되어줄 동물들을 몇 장이고 소묘해 선물했다. 연애편지라도 주는 것처럼.

연분홍빛 사막에 누운 그녀를 그렸다. 사막을 이루는 것은 설탕이며 손으로 휘저으면 솜사탕을 만들 수 있다고 설명했다. 끈적이겠다고 질색하는 그녀에게 마법이 걸려 있어서 괜찮다고 했다. 옷과 몸이 씻을 필요도 없이 깨끗하게 유지된다고. 그게 뭐냐며 웃는 그녀. 나는 이곳은 너를 위한 공간이라고. 이곳은 돈도 필요 없고 대인관계나 학업으로 인한 스트레스도 없고 배고픔도 없다고. 기타가 치고 싶으면 생각한 것만으로 기타를 발견할 수 있을 거라고 했다.

"누가 가져다줬으면 좋겠어. 움직이기 귀찮아."

내가 가져다주겠다고 했지만 그녀는 남자 친구가 있으면 있어 보이는 척하게 되어 싫다고 그랬다. 골똘히 생각하더니 다람쥐가 가져다줬으면 한다고 했다.

"다람쥐는 기타를 옮기기에 너무 작지 않아?"

"아니야. 내 다람쥐는 힘이 엄청 세어지는 마법에 걸려 있어!"

그녀는 어린애처럼 명랑하게 외쳤다. 다람쥐는 친절한 신사여서 검은 페도라에 검은 턱시도를 입고 있다고. 지팡이는 단순히 멋을 내기 위해서 들고 다닌다고 했다. 그녀는 어떻게 상상하는 것마저 귀여울까. 신사다운 다람쥐 씨가 그녀를 어떻게 에스코트 해줄지 몇 시간이고 떠들었다.

그녀에게 음악을 포기하고 싶었던 적은 없냐고 물었다. 나는 학원을 그만둘지 본격적으로 고민하던 참이었다. 그녀는 사실 몇 번이나 때려치우고 싶었다고 했다. 고깃집 알바를 하는데 음식을 잘못 내갔다는 이유로 어떤 아줌마가 물을 끼얹었다고 했다. 손님들이 지켜보는 가운데서 엉엉 울어버렸다고 했다. 꿈을 위해서는 학원비가 필수였지만 그녀는 이미 한계에 놓였다고 했다.

"땅만 내려다보면서 걸어가는데 공연 소리가 들리는 거야. 거리 공연. 낮은 무대 위에서 금발로 염색한 언니가 노래를 부르는데 너무 예쁘더라고. 멍하니 바라보다 보니 이런 생각이 들더라? 아, 나도 저기에 있고 싶다. 저 위에 서 있고 싶다. 나도 노래 잘하고 기타도 잘 치는데, 하는 생각이 들었어."

그녀는 주말 알바를 그만두지 않았다. 사장님께 '죄송합니다' 하고는 씩씩하게 일했다. 나였다면 그녀처럼 생각할 수 있었을까? 무대에 서있는 것만으로 만족할 수 있었을까? 아니었다. 나는 고흐처럼 되고 싶었다. 피카소처럼 되고 싶었고 폴 세잔처럼 되고 싶었다. 나는 어째서 주변인들이 내 그림을 부정적으로 평가하는지 궁금해해 왔다. 뭉크처럼 괴이한 그림을 그리는 명인들도 얼마든지 있었는데 왜 나는 받아들여 주지 않는 걸까. 아마 재능의 차이였으리라. 내가 역사적인 작가들처럼 뛰어났다면, 압도적이었다면 인정 받지 못했을 리 없었다. 단지 내 실력이 부족했을 뿐이었다. 갑작스럽게 지금까지 해온 모든 것들이 부끄러워졌다. 주제도 모르고 비대한 포부를 가졌었다

그녀는 강한 사람이었다. 그런 줄로만 알았다. 늦은 밤 그녀로부터 전화가 왔다. 한참이나 유지되는 정적에 걱정이 앞섰다. 울고 있냐고 누가 힘들게 했냐고 십 분 넘게 물었다. 괜찮아. 아무것도 잘못한 거 없어. 마침내 그녀가 입을 열었다.

"죽고 싶어."

아버지 몰래 현관을 빠져나왔다. 그녀는 만나자마자 내 품 안으로 무너졌다. 기타가 부서졌다고 했다. 마땅한 위로가 떠오르지 않아 머릿결대로 쓰다듬기만 했다. 힘을 줘서 끌어안았다. 내가 여기 있다고 말해주듯이. 그녀를 세상으로부터 숨기려는 것처럼. 새벽까지 미래에 대해 이야기했다. 둘이 만들어가는 미래에 대해서.

약속했다. 그녀를 집에서 데리고 나오겠다고. 평생 그녀의 곁에서 있을 곳이 되어주겠다고. 고작 고등학생의 말 따위 아무도 믿지 않을 테지만 우리가 믿을 수 있다면 아무런 상관도 없었다. 나와 그녀는 서로를 이해할 수 있었다. 보여주지 않아도 알 수 있었다. 닮았으니까. 겨우 찾아냈다. 비슷한 모양을. 행복하게 살아온 놈들은 모른다. 좋은 가정에서, 좋은 부모 밑에서 자라온 놈들은 모른

다. 우리가 얼마나 괴롭고 비참했는지. 우리가 이 세상의 중력 하나만으로도 얼마나 버거워했는지. 또 얼마나 외로웠는지.

그녀가 편안했으면 했다. 잠든 그녀를 보고 숲속 고요한 호숫가에서 잠든 그녀를 그렸다. 작은 믿음이 새싹처럼 피어났다. 그녀만 있다면 나는 계속 그림을 그릴 수 있다는 믿음. 남들이 욕하지 않는 그림을, 남들이 손가락질하지 않는 그림을. 그러면서도 진심이 담긴 그림을. 줄곧 두려워했다. 선생님의 말씀처럼 그림을 그리지 못하게 될까 봐. 영영 멀어질까 봐. 연필을 내려두고 스케치북을 넘겼다. 꿈속 세계를 누비는 동물 친구들 뒤로 피가 낭자한 살풍경이 영화 필름처럼 이어졌다. 마치 그녀를 만나기 전과 후를 나눠서 보여주는 듯했다. 선생님의 지적이 들려오는 것 같았다. 너무 과해. 선생님은 '절제의 미'를 인지해야 한다고 가르쳤다. 창작이란 자신의 감정을 표현하는 일이긴 해도 여과가 없다면 천박할 뿐이라 했다. 좋은 선물을 준비해 놓고 포장하지 않는 거랑 같았다. 나는 피를 닦아낼 수 있었다. 붓에 물을 묻혀 붉은색을 지우고 화이트를 사용해 빛을 낼 수도 있었다. 하지만 한 번도 그런 적이 없었다. 그럴 수 없었다. 나는 서투르고 서투른 인간이었다. 말하는 것과 표정 짓는 건 물론 몸짓마저 기계처럼 딱딱했다. 자제하고 억누르며 살아가도록 교육 받아왔다. 내게는 그림이 유일한 진심이었다. 어머니를 죽이고 싶다는 마음의 외침을 토해내는 탈출구였다. 나라는 형편 없는 존재가 서있을 장소였다. 그러니까 거짓말만큼은 할 수 없었다. 무릎 꿇고 애원해서 지킬 수 있다면 기쁘게 조아렸을 거다. 선생님 제발 저를 지우라고 하지 말아주세요.

인정하기로 했다. 나는 그림을 미워하게 됐다. 나의 짝사랑을 받아주지 않는 그림이 어머니만큼이나 미웠다.

"나는 빈센트 반 고흐가 아니지."

괜찮았다. 그녀는 듣지 못했을 테니까. 괜찮았다. 내 안에는 여전히 반짝이는 빛이 있었으니까. 등댓불을 잃어도 밤하늘에 수놓은 별들이 있다면 노를 저을 수 있었다. 앞으로는 그녀를 지켜보자. 몇 장이고 그려내자. 무대 위에서 기타 끈을 조이는 그녀를, 조명 아래에서 땀방울을 흘리는 그녀를. 동물 단원들이 기다리는 숲속으로, 마법이 걸린 연분홍빛 사막으로 데려다주자.

입시 미술을 그만뒀다. 그녀에게는 자유롭게 그리겠다고 허세를 부렸다. 나는 자격증 공부에 매달렸다. 그녀를 책임지겠다고 결심한 이상 돈보다 중요한 건 없었다. 학교 성적이 간신히 평균에 걸쳐있던 나로서는 기술자가 최선이었다. 그녀에게는 화가로 실패할 경우를 대비할 뿐이라고 둘러댔다. 일 년 동안 기능사 자격증 네 개 취득이라는 목표가 생겼다. 공기업에 들어가고 싶었다. 안정된 직장을 가진다면 자랑스러운 아들이, 자랑스러운 남자 친구가 될 수 있을 것만 같았다. 고등학교 졸업자 특채의 혜택은 인생에 한 번뿐이었다. 내신 점수까지 신경 쓰려니 시간이 부족했다. 3학년, 나는 그림을 그리지 않게 됐다.

그녀는 아침부터 저녁까지 한 시도 빼놓지 않고 연락하는 편이었다. 나는 그동안 그녀의 강요로 휴대전화를 학교에 제출하지 않고 몰래 사용하며 정성을 기울여왔다. 그런 내가 답장에 소홀해지니 노골적으로 서운해했다. 새로 그린 그림이 없냐고도 집요하게 캐물었다. 날이 갈수록 심해지는 추궁에 신경질이 났다. 당연하다는 듯이 그림을 내놓으라는 저 태도는 뭘까. 빌린 돈을 받으려는 사람처럼. 파리를 쫓아내려는 것처럼 팔을 휘저었다. 나는 충분히 애쓰고 있었다. 일 년만 기다려달라고 부탁했다. 내가 공기업에 입사하면 투룸을 구해 같이 살자고 했다.

"네가 일을 왜 해?"

일을 왜 하냐니. 어린애도 안 할 법한 질문이었다. 나는 우리가 함께하기 위해 얼마나 많은 돈이 필요한지 설명했다. 그녀가 반박하려고 하면 대안을 내놓으라고 나무랐다.

"나는 당장은 집을 나갈 생각이 없어."

그녀는 자신의 아버지를 혼자 남겨두지 못하겠다고 했다. 옛날의 상냥했던 아버지를 잊을 수 없다면서. 당황스러웠지만 이해는 갔다. 나도 어머니를 사랑한다고 착각했던 시기가 있었다. 대중매체에 나오는 부모들은 죄다 자식을 사랑했기에 어머니도 그런 줄로만 알았다. 내게 행해지는 폭력도 비난도 전부 애정에서 비롯된 거라 자위했다. 그런 망상의 늪에 빠져 벗어나질 못하니 불행해지는 거다. 나는 운이 좋아 비교적 일찍 늪을 빠져나왔다. 그녀에게 손을 뻗어줄 수 있었다. 나는 아주 잠깐이라도 좋으니 아버지와 멀어지라고 설득했다. 거리가 벌어지면 그만큼 객관적으로 상황을 판단할 수 있을 터였다. 그녀는 아무것도 걱정할 게 없었다. 넌 음악만 하면 돼. 공부만 하면 된다고. 어려운 건 내가 다 알아서 할 거야. 나랑 같이 사는 게 싫어? 아니지? 그녀가 고개를 숙인 채로 울먹였다. 반사적으로 어깨를 감싸려는 내 팔을 밀쳐냈다.

"넌 내가 불쌍해?"

그녀답지 않은 낮은 음성에 말문이 막혔다. 그녀와 대화하다 보면 종종 이럴 때가 있었다. 선택해서는 안 되는 정답과 마주하는 듯한 감각. 나는 줄곧 그녀를 불쌍히 여겼다. 과거의 나를 보는 것 같았으니까. 보듬어주고 아껴주고 싶어졌다. 그게 잘못된 거였을까? 나는 연민이야말로 사랑의 본질이라 생각했다. 단순한 연애는 물론 복잡한 인류애도 마찬가지였다. 나로서는 그녀가 상처받은 이유를 알아낼 수 없었다. 맥락을 빗겨나간 변명만 끝없이 반복했다.

"빈센트 반 고흐도 불행한 삶을 살았어. 빈센트 반 고흐조차. 그림은 불확실해."

몇 번이고 후회할 말을 내뱉었다.

"나는 천재도 무엇도 아니야. 그걸 깨달았을 뿐이야. 나는 책임져야 할 것도 잔뜩 있다고."

마른 세수를 하며 바닥만 내려다봤다. 눈을 마주칠 수 없었다.

"너는 아무것도 모르니까 그렇게 말하겠지. 내 그림을 봐. 나한테는 그런 미래가 없어. 네가 그림에 대해 뭐라도 아는 게 있어?"

그녀는 아는 게 있다고 했다. 내가 그린 그림들이 너무 좋았다는 것. 사랑스러워서 꼭 끌어안고 있을 수밖에 없는 그림이 있다는 것.

잠에서 깨어났다. 온몸에 땀이 벌레처럼 기어다니는 듯했다. 등은 진창에 누웠다 일어난 것처럼 축축했다. 시간을 보니 새벽 두 시. 또 두 시간을 채 잠들지 못했다. 정신과를 찾아가 보든 수면제를 처방받든 해야 할 텐데 생각만 반년째였다. 막상 진료를 받으려니 거부감이 들었다. 나를 나약하다고 인정하는 것 같아서였다. 쉬는 날을 쓸모없는 휴대폰 게임이나 유튜브 영상으로 허비했다. 빠르게, 순간을 빠르게 넘겼다.

밑그림 작업을 계속했다. 캔버스로 옮길만한 결과물은 나오지 않았다. 새하얀 바다 위에 표류해 있는 듯했다. 목적지 없는 항해에 끝없이 방황했다. 현기증이 뱃멀미처럼 밀려오면 펜을 떨어뜨리고 기다렸다. 종이의 정중앙에는 해구처럼 짙은 점이 남아있었다. 바다의 인력이 나를 소리 없는 어둠 속으로 끌어당겼다. 숨이 막혔다. 부엌으로 가 유리컵을 꺼냈다. 물을 삼켜 목구멍을 억지로 뚫었다. 장거리 달리기를 한 것처럼 진이 빠졌다. 한여름 밤 특유의 찐득한 공기가 전신에 달라붙었다. 어두운 찬장 아래, 배치해 두었던 끈끈이가 눈에 들어왔다. 손바닥만 한 쥐가 잠을 자는 것처럼 옆으로 누워있었다. 나는 전등 스위치를 눌렀다. 방으로 돌아가 스케치북을 가지고 나왔다. 쪼그려 앉고는 면밀히 관찰했다. 쥐는 자신의 우측면을 끈끈이에 밀착시킨 채로 움찔거렸다. 탈출을 위한 필사의 발버둥이었다. 쥐는 모르는 것 같았다. 덫을 밟은 순간부터 운명이 정해졌음을. 발작하듯이 옴짝달싹거리는 게 마치 온몸으로 심장의 고동을 표현하는 것처럼 보였다. 스케치북의 깨끗한 장을 찾아 연필심을 갖다 댔다. 흑연과 종이가 마찰하며 거친 감촉이 전해졌다. 나는 종종 동물의 사체를 그렸다. 의미 없이 종이를 채워가다 보면 죽음이 얼마나 하찮은지 깨닫게 되었다. 동정과 경멸이 실타래처럼 뒤엉켜 이리저리 나뒹굴었다. 입모양으로 중얼거렸다. 형편 없다. 형편 없어. 정신을 차리고 보니 소묘를 끝낸 뒤였다. 스케치북 속 쥐는 조금도 움직이지 않았다. 스케치북 아래의 쥐는 눈을 부릅뜬 채로 몸부림쳤다. 왠지 모르게 불쾌했다. 나를 노려보는 게 분명했다. 끈끈이를 반으로 접어 쓰레기봉투에 쑤셔 넣었다. 절반밖에 차지 않은 봉투를 들고 현관문을 열었다.

하늘에는 별 한 점이 없었다. 가늘디 가는 초승달이 홀로 거리를 비추고 있었다. 어릴 적 아버지의 트럭 안에서 이런 말을 한 적이 있었다. 아빠, 달이 계속 따라와요! 아버지는 내 발상이 재미있다는 듯이 웃었다. 우리 아들이 예뻐서 계속 따라오나 보네. 사라진 별들과 달리 달은 아직 내 곁에 떠 있었다. 달이 줄곧 나를 내려다보고 있었다니 절로 고개가 숙여졌다. 창피했다. 나는 어디서부터 잘못되어 버린 걸까. 반성의 방에 가둬졌을 때? 스스로를 그림에 고립시켰을 때? 도움을 주겠답시고 그녀에게 의탁하여 살아가려 했을 때? 모르겠다. 나라는 놈 자체가 잘못된 거 아닐까. 그녀와 이별한 뒤로 무언가 노력해 본 적이 없었다. 공기업에는 들어가지 못했다. 전기기능사 실기 시험에서 소켓 하나를 거꾸로 꽂는 실수를 저질렀다. 어처구니 없는 자만으로 인한 실책이었다.

지금에 와서는 별것도 아닌 일이지만 학생이었던 내게는 충동적으로 자살하고 싶을 만큼 심각한 사안이었다. 육교 난간에 기대 도로를 지나는 차들을 바라봤다. 여기서 뛰어내리면 다신 없을 바보로 기억되겠지. 마땅한 사유도 용기도 없었다. 아버지께 죄송스러운 마음이 들어 집으로 돌아갈 수도 없었다. 그녀에게 전화해 위로받고 싶었지만 우리는 한창 냉전 중이었다. 불현듯 그녀를 탓하고 싶어졌다. 그녀와의 다툼이 내 머릿속을 어지럽혔다. 그녀가 나를 이해해 주지 않았다. 응원해 주지 못할망정 지독하게 반대했다. 나는 그녀와 헤어질 수밖에 없다는 걸 직감했다. 내가 그녀로 인해 작아지고 초라해진다는 사실을 납득할 수가 없었다. 그녀가 받아줬다면 이 실패도 밑거름으로 삼을 수 있었을 텐데, 이래서야 미련한 내 모습만이 남을 뿐이었다.

적당한 3년제 전문대에 입학했다. 적당히 공부해 적당한 성적을 받았고 전기기능사를 포함한 자격증을 몇 가지 취득했다. 적당히 통신병으로 군대를 다녀와 적당히 졸업하니 적당한 중견기업 생산직에 취업할 수 있었다. 당연하지만 업무 강도가 높았다. 사내 부조리가 심했는데 무엇보다 뒷담화가 일상인 분위기를 견디기 힘들었다. 먼저 퇴사한 동료로부터 지금의 직장을 소개받았다. 빵을 포장할 뿐이라 일도 쉽고 정규직 전환도 비교적 잘 되는 편이라 했다. 지금까지 배워온 분야랑 관련이 없는 회사였기에 망설여졌다. 유의미한 장래성이 없기도 했다. 다만 사직서를 품고 다니던 나로서는 다른 선택지가 없었다. 막상 입사해 보니 동료가 말한 대로였다. 더위 속에서 집중력을 유지할 수만 있다면 어려운 건 없었다. 빵도 마음껏 먹을 수 있었고 통장에는 만만치 않은 금액이 찍혔다. 허무하기도 했다. 내가 쌓아온 얼마 안 되는 이력들이 아무런 쓸모가 없는 것으로 변했다. 그런 상념들을 빵들과 함께 흘려보내다 보니 어느새 정규직이 되어있었다. 더 노력할 필요가 없어졌다. 나는 생존 게임에서 승리했고 남은 인생을 버티기만 하면 되는 거였다.

그 후로 같은 꿈을 꾸기 시작했다. 반성의 방에 갇혀 종이도 색연필도 없이 문손잡이만 올려다보는 내가 있었다. 문 너머로는 어머니의 콧노래와 함께 평온한 일상이 전개됐다. 나는 하얀 도화지 위에 떨어진 검은 점이 된 듯한 기분이 들었다. 나라는 불순물만 사라진다면 어머니는 행복해질 수 있었다. 소리를 지르지도 물건을 던지지도 않았다. 어머니는 그랬기에 억지로 핑계를 만들어 나를 방에 가둔 거였다. 자신의 가장 큰 실수를 반성의 방이라는 알맞은 장소에 보관하기 위해 애써왔다. 나는 없어져야 했다. 알면서도 죽지 못해 아득바득 입으로 음식물을 집어넣으며 살아왔다. 감추고 숨기고 움츠러들며 바퀴벌레처럼 어머니 곁에 머물렀다.

꿈에서 벗어난 나는 이상한 경험을 했다. 벽들이 코앞까지 다가와 반성의 방처럼 좁아져 있던 거였다. 침대가 조각배처럼 좌우로 기울어 속이 울렁거렸다. 방문의 손잡이가 끝없이 흔들려 잡을 수 없었다. 나는 무릎을 끌어안은 채로 파도가 지나가기만을 기다렸고 자각할 새도 없이 정신을 잃었다. 흔들림이 멎었을 때즈음에는 온몸이 토사물투성이였다. 더러워진 침대 아래로 떨어진 휴대전화가 시끄럽게 울렸다. 작업반장이 역정을 냈고 나는 상대방을 눈앞에 둔 것처럼 끊임없이 고개를 숙였다.

불침번을 서는 것처럼 두 시간 간격으로 잠에서 깼다. 벽이 다가오지 않았나 보폭으로 걸음을 재며 확인하고 나서야 안심하고 다시 누울 수 있었다. 방문을 열어놓는 습관이 생겼다. 퇴근 간에도 엘리베이터를 타지 않고 계단을 올랐다. 창문을 떼어놓았다가 출근하기 전에 끼워놓기를 반복했다. 그럼에도 불안감의 파도는 끝없이 밀려왔다. 결국 지나가는 길에 있던 문방구에서 스케치북을 사고 말았다. 자기 몸집만 한 인형을 들고 있는 어린아이처럼 스케치북을 양팔로 감싸 안고 걸었다. 다음 날에는 연필을 굵기 별로, 그다음 날에는 붓과 물감을, 그다음 날에는 이젤과 캔버스를 샀다. 사용하지 않는 미술용품들을 벽 앞에 바리게이트처럼 쌓아 올렸다. 특히 캔버스는 몇 개 쓰지도 않았다. 영감이 떠오르지 않아 유명한 작품들을 모작하기만 했다. 태양을 따라 그리던 중 볼품없이 휘어진 선들을 발견했다. 어지러웠다. 나는 대체 왜 그리는 걸까. 청춘을 온전히 미술에 쏟아 넣은 거에 비해 결과물은 한심했다. 나는 뭉크가 아니었다. 피카소가 아니었고 다빈치는 더더욱 아니었다. 근거 없는 자신감마저 바닥나면서 위기감이 실체를 드러냈다. 창작을 해야 했다. 모방이 아닌 순수한 창작. 재능을 따라 해봤자 자괴감만 들 뿐이었다. 나는 나의 본질을 되찾아보려 했지만 잘되지 않았다. 내 안에는 언제부터인지 증오와 폭력성이 남아있지 않았다. 소나기처럼 눅눅한 흔적만을 가슴에 새기고 사라졌다. 흠뻑 젖어있었을 때 그렸어야 했다. 그때만 그릴 수 있었다. 가식없이, 꾸밈없이, 그렇게 실패했어야 했다.

살아있는 쥐가 들어있는 봉투를 쓰레기장에 내려놨다. 한참을 침묵해 봤지만, 찍소리도 들려오지 않았다. 집에 돌아가기 싫은데, 돌아가지 않을만한 용무가 없어 난처했다. 고심 끝에 단 음식을 먹기로 했다. 무작정 24시간 운영하는 가게를 찾아 배회했다. 무인매장을 제외하면 어디든 좋았다. 도착지는 편의점일 게 뻔했지만 되도록 천천히 가기 위해 보폭을 좁혔다. 그녀와 나란히 걸을 때처럼. 나는 그녀의 카카오톡 프로필을 열어봤다. 이번에도 음악이 바뀌어있었다. 이어폰을 귀에 꽂고 뜻 모를 팝송을 흥얼거렸다.

그녀가 내 그림을 소장하고 있을지 궁금했다. 그녀가 사랑스럽다고 말해줬는데 어떤 그림이었는지 조금도 기억나지 않았다. 그녀에게 전화해 내가 선물한 그림들을 보여달라고 애원하고픈 욕구가 일었다. 안 된다. 그녀가 지금의 내 모습을 알면 실망할 거다. 이런 걸 보여줄 수는 없었다. 차라리 그녀도 포기했다면 편하게 연락할 수 있었을 텐데. 그녀는 아직도 음악을 하고 있을까? 대학은 제대로 나왔을지 걱정이었다. 주머니 사정이 안 좋으니 자퇴했을지도. 어쩌면 재능에 무릎 꿇었을지도 몰랐다. 그녀가 실패했을 경우를 생각하니 울고 싶어졌다. 그렇다면 그녀에게 다람쥐가 기타를 가져다줬으면 했다. 검은 페도라와 턱시도를 챙겨 입은 멋쟁이 신사가 그녀를 웃게 해주기를 바랐다.

잠자리로 돌아온 나는 이불을 머리까지 덮었다. 언제나처럼 되뇌었다. 빈센트 반 고흐는 불행한 삶을 살았다. 빈센트 반 고흐조차. 그림을 다시 그려보려 하고 있지만 확신이 없었다. 정말로 괜찮은 걸까. 선생님의 말씀이 떠올랐다. 팔레트를 내던져버려도 다시 주워서 걸어가는 것이 예술가라고. 그렇게 되어있다고. 내 팔레트는 어디에 떨어져 있을까? 이미 사라져 버린 게 아닐까? 찾을 수 없지 않을까? 나는 뒷걸음질 치고 있었다. 뒤돌아 뛸 용기가 없어 앞을 바라보며 비겁하게 뒷걸음질 치고 있었다.

상시 쏟아지는 졸음에 비해 수면 시간은 점점 짧아졌다. 직장에서 꾸중을 듣는 것이 일상이었고 동료들의 뒷담화 대상이 되었다. 민폐라는 걸 알았기에 사라지고 싶었지만 언제나처럼 죽을 용기는 나지 않았다. 기생충처럼 붙어먹을 수밖에 없는 현실이 비참했다. 누군가는 '네가 발전하면 되는 거 아니냐'고 비판하겠지만 쉬운 일이 아니었다. 나는 패배감에 절어있었다. 나는 쓰레기였고 뭐 하나 제대로 해내지 못하는 놈이었다. 나이 먹을 만큼 먹어놓고 문제아 취급에 익숙해지는 것만큼 끔찍한 일은 없었다. 잘해야 한다, 잘해야 한다. 열심히 하는 게 아니라 잘해야만 한다. 갈수록 짙어지는 회피성과 강박이 우로보로스처럼 꼬리에 꼬리를 물며 악순환을 형성했다. 커피와 에너지 음료에 의존하여 뇌에 채찍질했다. 어떻게든 당장의 하루만을 넘기기 위해 애썼다.

나는 작업물이 몰려오는 벨트 앞에 섰다. 일순 초점이 흐려졌다. 몸이 휘청이고 균형을 잡기 어려웠다. 그럼에도 일했다. 아무것도 생각하지 않기 위해. 쉬는 시간에 카페인을 더 보충하면 문제가 없으리라. 흔들리는 시선의 끄트머리에 무언가가 잡혔다. 복슬복슬하면서도 솔잎처럼 삐죽삐죽한 꼬리. 분명했다. 분명히 다람쥐였다. 나는 토끼를 쫓아가는 앨리스처럼 공장 입구로 뛰쳐나갔다. 아무것도 없었다. 바깥을 두리번거리며 온갖 곳을 뒤져봐도 다람쥐의 털끝조차 찾아볼 수 없었다. 누가 나를 따라 나와 걱정스러운 투로 말을 거는 거 같았지만 귀에 들어오지 않았다. 몸을 숙이고 땅을 짚어가며 벤치와 자동차 아래를 수색하는 데에 여념이 없었다. 그때 작업반장이 내 어깨를 거칠게 잡아챘다. 화를 낼 줄 알았는데 어쩐지 조심스러운 태도였다. 어디 아프냐고 물어오길래 아니라고 답했다.

"반장 님, 그것보다 다람쥐가 있었어요."

"뭐?"

"다람쥐가 있었다고요, 다람쥐가."

"그게 뭐가 어쨌는데?"

"이런 케케묵은 공장에 쥐도 아니고 다람쥐라니까요? 다람쥐예요. 찾아야 해요, 찾아야 해…"

반장은 내가 환각을 보았다고 오해했다. 강제로 병원에 보내려 하였고 휴가를 쓰게 만들었다. 식품을 다루는 공장에서 야생 동물이 나왔다는 허무맹랑한 소리 지껄이지 말라고도 당부했다. 주변에서는 나를 좋은 이야깃거리로 삼았지만 그다지 신경 쓰지 않았다. 그날 이후 나는 매 순간 다람쥐를 생각했다. 모퉁이를 돌 때마다 다람쥐가 뛰어나올 듯한 착각에 빠져 횡단보도를 건너는 것처럼 좌우를 확인했다. 빵을 포장하다가도 입구 쪽을 흘깃 훔쳐봤다. 다람쥐가 수줍게 고개를 빼꼼 내밀고 있을 것만 같았다.

나는 시체가 아닌 그림을 그리기 시작했다. 작업 벨트 앞에 서 있는 남자의 뒷모습. 그 옆에 조그마한 쳇바퀴가 비워진 채로 놓여 있다. 미완성인 태양을 이젤에서 내리고 새로운 캔버스를 올렸다. 천천히 색을 채워나갔다. 모노톤의 배경 가운데 남자 주위로 따뜻한 조명이 내리쬐었다. 쳇바퀴는 언젠가 채워질 예정이었다. 잔잔한 미풍에 회전하는 바람개비처럼 일정한 속도로 돌아가는 쳇바퀴가 머릿속에 그려졌다. 나는 이유 없이 믿었다. 그때 보았던 다람쥐가 나의 다람쥐였을 거라고. 내게 팔레트를 가져다주기 위해 작은 몸으로 세상에 달려 나간 거라고.

어째선지 파도가 밀려오지 않게 되었다. 바다가 아닌 고요한 호수 위에 부유하고 있는 듯했다. 벽은 더 이상 나를 짓누르지 않았다. 나는 바리게이트를 철거하여 차례차례 이젤 위에 세웠다. 업무 시간과 자는 시간을 제외하고는 전부 그림에 쏟았다. 스케치도 하지 않고 손이 가는 대로 붓을 놀렸다. 발상이 더딘 날이면 의미 없이 다람쥐를 그렸다. 다람쥐는 내가 지나온 장소들을 거슬러 올라갔다. 전 직장과 군대 내무반, 대학교 작업실, 실기 시험장 따위를 뛰어다녔다. 때로는 털을 다듬고 도토리를 까먹으며 휴식을 취했다. 다람쥐는 덫을 피하고 사람들의 다리 사이를 지나 바라던 장소로 나아갔다.

출근할 때마다 알 수 없는 기대감이 차올랐다. 거슬리는 음악만 들려오던 스피커에서 오늘만큼은 그녀의 노래가, 성공한 그녀의 목소리가 찾아오지 않을까 하는 기대. 그렇게 된다면 마치 나 자신도 무언가 바뀔 것만 같은 근거 없는 기대였다. 귀를 세우고 경청하는 것만으로도 지루한 일과가 새롭게 변했다.

이젤에 쌓인 먼지를 아버지의 다리를 씻겨드리는 것처럼 정성스럽게 닦았다. 붓을 들기 전 성스러운 의식을 치르듯이 매번 지키는 절차였다. 방은 미술용품들로 가득 들어차 눈에 띄게 면적이 줄었다. 캔버스로 산을 이뤘고 비싼 물감들이 바닥에 아무렇게나 널브러져 있었다. 대책 없이 대량으로 구매한 업보였다. 잔고를 확인하지 않고 결제하는 내 모습에 아버지가 낭비라고 지적했지만 개의치 않았다. 능청스럽게 대꾸했다. 빈센트 반 고흐는 하루에 그림을 한 점씩 그렸어요.

시계가 걸릴 만한 위치에 걸려있는 그림을 올려다봤다. 나는 어설프게 모방되어 있는 태양을 버리지 않았다. 앙상한 햇살이 나와 닮은 것만 같아 손을 대지 못했다. 미완성의 작품이 주는 불완전함이 가슴을 흔들어 심장이 뛰고 있음을 인지하게 했다. 내가 대작을 그려내는 일은 없었다. 대작은커녕 수작조차 힘겨웠고 하나 완성하는 데에도 대부분 일주일 가량이 걸렸다. 되는대로 끄적이며 보냈던 공백기가 치명적이었다. 나는 다시 기본부터 쌓아갔다. 그토록 혐오스러워했던 아그리파 조각상을 구도 별로 묘사했다. 구시

대적인 방식이지만 다른 방법을 몰랐다. 그리는 것은 운동과 다를 바가 없었다. 근육이 쉽게 퇴화하고 더디게 성장하는 것처럼 선도 쉽게 망가지고 더디게 날카로워지는 법이었다. 조바심 낼 필요가 없었다. 나는 올바른 과정 위에 있었다.

오랜만에 계획을 세웠다. 네덜란드 본토 고흐의 전시회에 방문하기로 했다. 날짜는 아직 미정이었다. 내가 자리를 비운 사이 다람쥐가 공장을 찾아올까 염려스러웠다. 어차피 시간은 많았다. 비행깃값도 언제든 지불할 수 있을 만큼 충분했다. 나는 다람쥐를 데려다주고 싶었다. 한쪽 손으로는 팔레트를, 남은 한 손으로는 다람쥐를 어루만지며 고흐의 그림 앞에 몇 시간이고 서있고 싶었다.

나는 여전히 공장 벨트 앞에서 일했다. 지난 몇 달 그녀의 노래는 들려오지 않았지만 나는 의심하지 않았다. 그녀의 다람쥐는 마법에 걸린 멋쟁이 신사였으니까. 그녀가 원할 때 기타를 가져다줄 수 있었고 음악에 맞춰 춤을 춰줄 수도 있었다. 나는 다람쥐를 기다렸다. 나의 그림은 어디까지나 범작이었고 빈틈투성이였지만 그래도 괜찮았다. 다람쥐가 올 테니까. 단지 늦을 뿐이었다. 나의 다람쥐는 그녀의 다람쥐처럼 강하지 않으니까. 힘이 세지는 마법에 걸리지 않았으니까. 팔레트는 다람쥐가 가져오기에는 무거우니까. 그렇기에 괜찮았다. 그녀의 목소리가 들려오지 않아도, 예술이 파놓은 함정에 빠진다 해도, 그 안에서 쉴 새 없이 허우적거린다 해도 다람쥐가 올 테니까. 다람쥐가 나의 팔레트를 가져다줄 테니까.

부유하는 나에게로

펴낸날 | 2024년 6월 17일
지은이 | 김소림 박연숙 여수정 이올라스 이인영 임지현 정원 정윤하 차성현
펴낸이 | 임우근
펴낸곳 | 글로서기
출판등록 | 2023년 5월 17일(제2023-000166호)
주소 | 서울시 강남구 논현로 97길 19-1, 1층 (역삼동)
홈페이지 | geulroseogi.co.kr

ISBN 979-11-94157-01-4

이 책은 글로서기의 책쓰기 프로젝트를 통해 만들어졌습니다.